D1266296

ÁNCORA Y DELFÍN. — 300

RAMÓN J. SENDER. — LAS CRIATURAS SATURNIANAS

RAMÓN J. SENDER

LAS CRIATURAS SATURNIANAS

EDICIONES DESTINO
Tallers, 62 - BARCELONA

Primera edición: marzo 1968
Depósito legal: B. 12.799 - 1968
Impreso en España. Printed in Spain

I

La joven princesa veía las estatuas de los jardines Boboli desde sus ventanas.

Florencia era una ciudad silenciosa y calma. Cuando Lizaveta salía a pasear con el viejo conde Rasumovski éste saludaba a muy pocas personas y con cuidado para no desnivelar su peluca empolvada. Si por azar encontraba al duque de Lorena, al cardenal arzobispo o a los sacerdotes que llevaban la comunión precedidos de grandes linternas y haciendo sonar campanitas de plata, se quitaba el tricornio. A los demás, aunque fuera el edecán del duque de Toscania, no les devolvía el saludo.

Quería el conde también que Lizaveta, su sobrina (así la llamaba, pero era hija suya y de la difunta emperatriz Elizabeth), fuera menos efusiva y familiar con la gente. Cuando la veía sonreír ante una persona casi desconocida pensaba: demasiado abandono hay en su sonrisa. Pero no importaba porque aquel abandono sugería al ángel y no a la hembra y así debía ser a su edad.

Tenía Lizaveta quince años y medio y era la persona más reverenciada por los florentinos. Todos los aficionados a las letras le habían dedicado sonetos y odas órficas atribuyéndole la gracia de las esculturas de Donatello.

La princesa se había hecho católica en Florencia con gran escándalo del conde que decía: "Cambiar de iglesia es absurdo. Es como cambiar de madre".

Estaba la princesa consciente de su propia belleza, pero era la suya una conciencia vegetal, es decir, muda y pasiva y sin eco.

El viejo cardenal monseñor Gaetano Ricci invitaba

con frecuencia al conde a su palacio, que era sombrío por fuera como una fortaleza y luminoso por dentro como un joyero. Era el cardenal de la familia de los Aquaviva y a lo largo de alguna conversación íntima delante de una copa de vino decía a veces, visiblemente satisfecho, que su familia descendía de Nerón. Siglos antes de Nerón se emparentaba aquella familia con príncipes etruscos, pero insistía el cardenal en su parentesco con el hijo de Agripina.

Florencia era hermosa con un estilo de veras sin igual, llena de alusiones medioevales que parecían más modernas que los edificios de la época. Como decía Ariosto:

Se dentro un mur sotto un medesmo nome
fosser raccolti il tuo palazzi sparsi
non ti sarien de pareggiar due Rome

Trataba el conde de leer historia del arte con el fin de poder resolver las dudas de la princesa, pero tenía mala memoria y las preguntas de ella eran imprevisibles. Por ejemplo:

—¿Qué diferencia hay entre una basílica y una catedral?

Y Rasumovski, para salir del paso, decía que aquello era cuestión de curia y de administración eclesiástica. O bien: "¿Qué es un incunable o incunábula?" Tampoco podía contestar de un modo convincente.

El cardenal explicó a Lizaveta lo que eran las basílicas y los incunábula. Habían ido aquel día al palacio a oír un concierto que daba una orquesta de cámara de Viena. Ni al conde ni al purpurado les interesaba gran cosa la música, pero aquellos conciertos eran tradicionales en la familia de los Aquaviva.

Había entre los presentes muchos aristócratas genuinos y uno dudoso a quien el cardenal no había invitado sino citado, para hablar de materias civiles, aparte, en su oficina. Era el llamado conde de Cagliostro, aventurero siciliano vestido de gran señor con maneras próceres y una gran cultura en ciencias nigrománticas.

El cardenal lo había citado media hora antes del concierto, pero haciendo antesala vio Cagliostro llegar la amable caterva de los invitados y se unió a ellos. El cardenal no le llamaba nunca conde sino signor Giuseppe Balsamo, que era su nombre.

Se parecía Cagliostro físicamente a Rousseau y también a Luis XVI y —todavía— al abate Casanova. Esos cuatro hombres parecían hermanos, aunque sus destinos en la historia iban a ser tan diferentes. Y Cagliostro, cuando vio al cardenal en el vano de una puerta, salió discretamente de la sala y se le acercó. Fueron los dos al estudió privado de monseñor y por el camino comenzó a explicarle Cagliostro:

—Sabía que monseñor iba a necesitarme y por eso me he quedado tres días más en Florencia aun a riesgo de llamar la atención de la policía. Para que vea monseñor que no me he descuidado vi al arqueólogo inglés Mr. Menghin y le di la triaca para Su Santidad a cambio de una cantidad no excesiva: quinientos ducados, de modo que si el inglés pide demasiado se le puede echar en cara lo poco que él pagó. Si Su Santidad Clemente XIV toma esa triaca en las dosis indicadas y se abstiene de tomar sal en el tiempo que teme ser envenenado debe estar tranquilo, que no hay ponzoña que le pueda hacer mal. Temo que el inglés le ha de pedir mucho más de los quinientos ducados.

—Ha pedido tres mil —dijo monseñor Ricci.

—Lo imaginaba —exclamó desolado Cagliostro—. Los ingleses son gente sin alma. ¡Tres mil ducados! ¿Ve monseñor cómo tenía razón cuando le dije que debía ser yo quien tratara directamente con el papa? Ya sé que mi reputación me impide asomarme al Vaticano, pero en una cuestión de esta importancia debía usted, monseñor, haberse mostrado más comprensivo. Yo sirvo a monseñor antes que a nadie. He traído hoy los informes que monseñor quería: una copia de la comunicación del embajador español a su rey sobre el asunto de los *corvinos*. Vea, monseñor.

Sacó un pliego voluminoso y, viendo que el cardenal leía con gran interés, se quedó esperando en silencio. El cardenal Ricci no leía todo el documento, que se proponía estudiar más tarde, despacio, pero no podía esperar y como un chico que se anticipa a gustar una golosina se puso a leer hacia la mitad la página siguiente:

"Pasó Su Santidad a hablarme de los *corvinos* (así llama a los jesuitas) y me dijo encargándome secreto que iba a quitarles la facultad de recibir novicios y a cortarles los subsidios que recibían de la cámara apostólica por varios medios y señaladamente el que para manutención de los portugueses había establecido su antecesor, quien fue más negro que blanco; añadiéndome que en esto seguía los pasos de grandes papas como Inocencio XIII, que les extendió el decreto con la misma prohibición de vestir ropa talar. Pero le sucedió un fraile dominico que levantó la prohibición. Inmediatamente dije que los medios paliativos siempre producían iguales consecuencias y que mientras no se resolviese esta cura radical que habían propuesto los soberanos se vendría a parar en las mismas debilidades. Me respondió el Santo Padre que si él pudiese hacer lo que los reyes (que los habían arrojado de sus dominios) tendría el caso menos dificultades; pero que habiéndose de quedar con ellos dentro era de considerar y temer el gran partido que tenían, sus amenazas, asechanzas y otras cosas. Le contesté que todo se debía temer hasta que diese el último golpe; pero que una vez dado, inmediatamente experimentaría que debían cesar los temores, así porque faltaba la causa y el agente que impulsa a toda la máquina como porque la impresión del mismo golpe sorprendía y aturdía como se había experimentado en España con la expulsión. A todo esto añadí que tendría dispuestos de parte de su majestad todos los auxilios que necesitase para hacerse respetar; a cuya promesa me respondió que estaba pronto a la muerte y a todo; que estas cosas eran como las labores de mosaico, que se componían de muchas piezas y requerían tiempo para ajustarse todas, que le dejase hacer y que vería los resultados; que su modo de conducirse era muy disimulado y me puso varios ejemplos; y así me pidió que no creyera nada hasta que viera las consecuencias."

Al llegar ahí cerró monseñor y dobló el pliego y lo guardó en una gaveta bajo llave. Cagliostro continuó hablando:

—Si el papa cree que los que él llama *corvinos* lo van a matar hace bien tomando precauciones y nadie mejor que yo, señor, para ayudarle. Yo he recibido en herencia el saber de tres nigromantes: Numa Pompilio, Balaam y Salomón. Yo, a quien llaman el gran copto de Egipto por haber nacido de mi madre religiosa copta y de un ángel semítico cuyo nombre no estoy autorizado a revelar. Yo que me encuentro en este planeta por error y debo sin embargo aprovechar ese error para hacer el mayor bien posible. Yo os digo, señor, que a pesar de todo el papa Clemente XIV morirá y no tardará mucho en morir. Es necesario que monseñor lo sepa porque la sucesión de la silla de San Pedro puede ser decisiva en estos días de turbiedad y confusión generales.

—¿Cuándo pensáis marcharos de Italia? —preguntó monseñor Ricci como si no hubiera escuchado a Cagliostro.

—Si es necesario, mañana.

—No, mejor hoy mismo. De otra manera tendré que enviaros a Roma y allí el santo Oficio os encerrará en Santángelo.

—Saldré hoy, pero permitidme antes que os diga algo que os concierne, monseñor. La silla de San Pedro va a quedar vacante y si monseñor Ricci cree que yo soy enemigo de Roma está en un error. No toda mi magia es negra, sino que lo mismo que sucedía con mi antecesor y maestro Numa Pompilio y con Salomón, mi magia es blanca en su mayor parte. Roma respeta a Salomón y en cuanto a Numa Pompilio ¿no fue el fundador de la eucaristía? ¿No fue el primero que hizo en el ara no sacrificios de sangre sino de harina y de vino? ¿No fue el primero que habitó en el Capitolio y el lugar que entonces se llamó Roca Tarpeya? ¿No fue el primer pontífice a quien se pudo llamar príncipe de la paz? Como dice el sabio vulgo de la época:

sobre los escudos de hierro de los soldados
las arañas tejían sus hilos.

"Pero no sólo trajo la paz, sino el saber. Hizo que los dioses se enamoraran de los hombres y que Pan saliera del bosque sin daño para los inocentes. Cuando Numa Pompilio murió fue enterrado en un ataúd de piedra en el Janículo y a su lado, en otro ataúd igual, fueron enterrados sus libros. Porque según decía el mismo Numa esos libros habían esparcido su contenido en las mentes de los hombres de su tiempo de tal modo que ya no eran necesarios. Pero los sacerdotes que recibieron las enseñanzas directas de Numa Pompilio guardaron su saber para sí mismos y gran parte de la ciencia blanca o negra se perdió. La que no se perdió todos la conocemos, pero la que se perdió la hallé yo más tarde al encontrar los libros de Numa, todos enteros porque los había impregnado el rey tramano en una materia que los salvó del deterioro del tiempo y los hizo imperecederos. La magia blanca que le falta conocer a la iglesia esa la tengo yo y es así como me he permitido pedir a monseñor...

—¿A qué hora pensáis salir hoy? —interrumpió el cardenal, sin escuchar al siciliano. Cagliostro, interrumpido a mitad de una frase, estuvo un momento callado tratando de readaptar su mente y su palabra. Entretanto, en la sala de conciertos se oía la orquesta de cámara de Viena. Por fin dijo Cagliostro:

—Esta noche saldré para París.

—No, mejor esta tarde. Mejor ahora mismo. Es decir, esperad. Yo no dudo, signor Giuseppe Balsamo que hallasteis los libros de Numa Pompilio. ¿Dónde están?

Señaló Cagliostro su frente y su corazón:

—Aquí —dijo—. La magia blanca en mi corazón y la negra en mi cerebro. Si creéis que debo salir en seguida saldré ahora mismo. ¿Sabéis para dónde? Monseñor me niega el tratamiento de conde y tal vez hace bien porque los títulos de aristocracia aunque nos hayan sido impuestos por la más alta y antigua autoridad del mundo (como es mi caso) vanidades son. Yo recibí el título del Gran Maestre de la orden de caballeros de Malta, depositario de la llave del templo de Jerusalén. Una parte de la magia blanca que yo le comuniqué la conocían ya. Otra no y tomaron copias de mis palabras. Monseñor, aquí tengo el título y la insignia.

Mostraba un estuche de cuero rojo abierto y dentro

la cruz de Malta orlada de brillantes. El cardenal miró un momento y Cagliostro dijo gravemente:

—La magia de Numa Pompilio y la de Salomón ha llegado a nosotros bifurcada en dos caminos isósceles, es decir, iguales: el del Vaticano y el de Rodas. Y todavía Rodas ignoraría mucho si no por mí. Como puede suponer su eminencia yo no lo dije todo al gran maestre.

Al llegar aquí el cardenal visiblemente enojado sacó de un cajón una bolsita llena de monedas de oro y la ofreció a Cagliostro quien la tomó con una inclinación y dijo:

—Más que el oro lo que yo querría es un salvoconducto vuestro y del duque de Toscana, a quien he visto en la sala, para llegar a Francia en donde mi amistad con María Antonieta hace innecesarias las precauciones.

El cardenal sacó una vitela, escribió en ella unas líneas, dejó caer varias gotas de cera de una barra de color escarlata y sobre la cera puso su anillo cardenalicio.

—Con esto basta para llegar a cualquier lugar dentro del mundo católico romano.

Dio las gracias Cagliostro y salió con gentil continente.

Se quedó solo el cardenal Ricci unos momentos y se dijo: "La silla del papa va a quedar vacante".

Rezó abstraído con la cabeza entre las manos y los codos en la mesa y volvió despacio a la sala de conciertos. Se sentó al lado del conde Rasumovski y todavía desde allí vio pasar a Cagliostro bajo los arcos del fondo de la sala, detrás del lugar donde estaba la orquesta. Pasó despacio, gozando de su propia presencia en aquel lugar y sabiéndose observado por el duque de Toscana, por los Médicis y los Módenas y los descendientes de los grandes señores de la Etruria antiquísima.

El cardenal pensó: Cagliostro pudo haber ido directamente a las escaleras, pero da ese rodeo para hacerse ver. Espera quizá sacar algún partido de esa presencia suya en mi casa. Ciertamente, la vida tiene muchos recovecos y nunca se sabe.

Vio que el conde ruso Rasumovski se aburría también y aprovechando el primer descanso de los músicos salieron de la sala juntos. El cardenal lo llevó a otra oficina que era un lugar más íntimo y allí vio que el conde ruso había quedado prendido en la curiosidad del aventurero siciliano.

—¿No era ese que pasó vestido de azul y oro el conde de Cagliostro?

—Sí, Giuseppe Balsamo. ¿Lo conoce usted?

—Se ha acercado varias veces a mí pidiéndome cartas de presentación para la corte de Catalina.

—¿Se las ha dado?

—No, Dios me libre. Además, no creo que con ellas le haría mucho bien.

El cardenal fumaba y el conde tomaba rapé.

Entre los dos y en una mesa había un objeto redondo, pero no exactamente esférico, de bronce macizo. El conde miró un momento sin lograr identificarlo.

—Es un hígado etrusco —dijo el cardenal— que usaban los arúspices para mantener y esparcir su ciencia. Es del siglo VII antes de Jesucristo.

Los etruscos. Era como hablar de los atlantes o de los pelasgos de la vieja Grecia prehistórica. Decía el cardenal viendo interesado a Rasumovski:

—Aunque sólo fuera por haber sido los fundadores de Roma los etruscos merecerían el mayor respeto. Pero han hecho otras muchas cosas. Una de ellas —y no la menos interesante— es la relación que establecían entre lo inmensamente grande y lo pequeño. Por ejemplo, entre el Universo y el hígado del hombre. Creían que el Universo tenía la forma de nuestro hígado (lo que es posible) y que tiene movimientos irregulares parecidos a los de un globo de goma en expansión y reducción. Un globo irregular. La adivinación por el hígado de los animales no fue inventada por los etruscos, pero éstos la llevaron a la última perfección.

Escuchaba Rasumovski y se decía: "Hay que aceptar que los ministros de Roma son más cultos que los de la iglesia ortodoxa griega".

El cardenal señalaba aquel objeto:

—Es un hígado, de bronce. Es genuino. Los que adivinaban por ese procedimiento podían ser indistintamente hombres o mujeres. Se han encontrado hígados de bronce perfectamente simulados como este que tenemos delante con divisiones y casillas múltiples, cada una adscrita a una señal celeste y a un lugar en el orbe y representando tal o cual cosa en tales o cuales condiciones, siempre con sentido profético. Los etruscos eran gente muy sabia. En arquitectura y en arte, grandes inventores. El arco romano se debe a ellos y por lo tanto no es romano sino etrusco. Y lo que es más curioso, el teatro también comenzó en Etruria. La palabra *histrión* es etrusca. En materia de magia eran de veras inquietantes. Hesiodo en su "Teogonía" dice que los hijos de Circe, la bruja, fueron príncipes etruscos. Pero, la razón principal por la cual los etruscos serán siempre interesantes es la falta de inhibición sexual que se advierte en sus artes y costumbres. Horacio habla de sus libertades y Plauto en su comedia "Cistelaria" dice: "Entre los etruscos la mujer en edad de casarse tiene que ganarse la dote haciendo comercio de su cuerpo". Es decir, que la prostitución procedía al matrimonio y era comúnmente aceptada. Además, vea usted.

El cardenal le mostraba el pie de una lámpara etrusca formado por el cuerpo de un guerrero desnudo — con un gran yelmo — y con el sexo erecto y visible.

El conde y el cardenal querían charlar de política.

Sobre todo de política rusa.

Tenía el cardenal curiosidades un poco escandalizadas en relación con la corte de Catalina a quien consideraba como una especie de Nerón femenino, reprobable y admirable al mismo tiempo.

Los cardenales odiaban entonces a dos monarcas europeos: Federico de Prusia y Catalina de Rusia. Pero a esta última con evidentes reservas de simpatía. La Iglesia ha tenido siempre un fondo de respeto viril por las reinas hermosas y necesitadas de indulgencia.

Tenía el cardenal sobre la mesa *la copia de una carta* que circulaba bajo mano por las encillerías. En aquella carta la rubia y rozagante Catalina contaba al diplomático polaco Poniatowski, amante suyo jubilado, los acontecimientos relativamente recientes de la abdicación y muerte de su marido Pedro III y de su propia coronación que tanto habían dado que hablar. El conde conocía muy bien aquel documento, pero al ver el aire acucioso del cardenal no quiso decepcionarlo y se hizo de nuevas.

Leyó el cardenal la carta con su voz engolada y enfática subrayando los pasajes más reveladores. Tenía varias hojas y a medida que las leía las iba dejando en la mesa sobre el hígado de bronce etrusco.

En las primeras líneas parecía disculparse la emperatriz para ir tomando después un acento de seguridad y más tarde de altivez y hasta de reto. Decía: "Yo no hice nada contra el rey mi marido. Era yo entonces una pobre mujer indefensa. Quiero decir que no intervine en los preliminares de la conspiración ni en el destronamiento, ya que todo fue obra de la corte. Voy a contarlo brevemente y le ruego que reserve para sí estas noticias".

Con esto la sutil Catalina lo invitaba tácitamente a divulgarlas.

"Estaba una noche — seguía escribiendo — en Peterhof casi sola, es decir, con las mujeres que me servían. Confieso que sospechaba lo que se tramaba por un lado en favor mío y por otro en contra. Porque el que conspiraba era mi marido y todo comenzó por culpa suya. No estaba tranquila ni mucho menos, pobre de mí. Las pasiones se agitaban y encrespaban y anunciaban alguna novedad en la que podía ir implícita la desgracia de mi marido. O la mía. El 28 de junio (la emperatriz se refería al año 1762) a las cuatro de la mañana el pillete Alexis Orlof entró en mi cuarto, me despertó, me presentó un escrito y me dijo que me levantara porque todo estaba a punto. Yo le pedí detalles, pero él se inclinó y se fue. Estaba muy nervioso. Todo el mundo estaba nervioso aquella noche.

"Yo me levanté, me vestí sin arreglarme, bajé y monté en una carroza que estaba dispuesta con séquito armado. Orlof montó detrás. Otro oficial se instaló de pie en el estribo. Delante iba una patrulla a caballo. Orlof se acercaba a la ventanilla y decía de vez en cuando:

"—Todo está a punto, señora. Todo saldrá bien.

"Yo juro que no tenía ningún deseo de hacer aquello, pero tampoco podía decepcionar a mis amigos. Orlof repetía que no habría dificultades como si quisiera convencerse a sí mismo, porque la verdad es que tanto ellos como yo estábamos desafiando al destino y arriesgando la vida. A cinco verstas de San Petersburgo vino a nuestro encuentro el hermano mayor de Orlof, hombre de aspecto agresivo, con el gracioso príncipe Bariatinski, que parecía una muñeca, y éste me cedió su lugar en la silla de mano porque mis caballos estaban extenuados. Seguimos hasta la capital lo más de prisa que nos fue posible. Era una noche turbia de cielo empavonado con luz detrás, una de esas noches blancas de San Petersburgo. Hacía frío y yo trataba de no temblar para que no pensaran que tenía miedo. Confieso que lo tenía.

"Fuimos directamente a los cuarteles del regimiento Ismailovich. No había más que dos hombres de centinela y un tambor que al vernos se puso a tocar atención y llamada como si se hubiera vuelto loco. Comenzaron a salir soldados por todas partes y a venir a besarme el vestido, los pies, las manos, llamándome su salvadora. Dos oficiales trajeron un cura revestido y con cruz alzada y se dispusieron a prestar juramento allí mismo. Hecho esto trajeron también una carroza a la cual subí y el cura, con la cruz marchaba delante. No recuerdo quién era aquel bravo que desafiaba las iras de mi marido y del metropolitano. Dios lo bendiga por atreverse tanto en instantes tan inciertos. Como diría el pícaro Orlof, era un clérigo con *riñones*.

"Nos acercábamos poco después al regimiento de Semeinowski. Era ya el amanecer. El día encapotado y gris no se distinguía mucho de la noche. No tuvimos que llegar al cuartel porque todos los batallones salieron en formación vitoreándome. Entonces comencé a pensar que la causa estaba ganada, es decir, que el rey estaba perdido. Y respiré, por fin, a gusto.

"La guardia de caballería del palacio rojo vino después. El comandante, un hombre joven me dijo: pido perdón por habernos sublevado los últimos, pero algunos oficiales vacilaban y a cuatro de ellos los hemos dejado presos. Esto te probará, señora, nuestra determinación y nuestro celo. La guardia imperial estaba arrebatada por un entusiasmo como no había visto yo nunca. la verdad es que no creía a los militares capaces de tanta pasión cívica. Gritaban y me vitoreaban a mí y a la patria libre. Por todas partes me llamaban *madrecita* con lágrimas en los ojos. Sospecho que con el mismo entusiasmo habrían vitoreado quizás a un enemigo mío, pero por el momento yo llevaba dos ventajas: era una mujer, y había madrugado. Me había adelantado y recogía los frutos.

"Estos hechos sucedían entre los jardines de Hermann y Kasauki. Como yo sabía que mi tío el príncipe Jorge, a quien Pedro III había dado aquel regimiento, era odiado por todo el mundo, le envié mensajeros para rogarle que se quedara en casa ya que de otro modo su persona podría correr peligro. Inútil precaución. El regimiento había enviado un pelotón para arrestarlo. Por desgracia lo maltrataron y saquearon su casa. Creo que le pegaron también y debe ser verdad porque era muy puntilloso y desde entonces no ha levantado cabeza. Yo fui al nuevo palacio de invierno donde el senado y el sínodo estaban reunidos. En una atmósfera de exaltación y de entusiasmo se redactaron las fórmulas de juramento. Comprendí que de veras era a mí a quien querían y que no habrían vitoreado lo mismo a otro caudillo.

"Entonces bajé y, sin protección, fui pasando revista a las tropas. Había más de catorce mil hombres, contando los servicios auxiliares. Mi marido no debía tener consigo ni la tercera parte. A medida que me acercaba se levantaban clamores de entusiasmo que una multitud civil repetía detrás de las tropas. Era como el oleaje en un mar tempestuoso.

"Fui al viejo palacio para tomar las primeras disposiciones y asegurar la situación. Allí acordamos que iría a la cabeza de las tropas a Peterhof donde mi marido, Pedro III, esperaba con sus partidarios en armas sin saber qué hacer. Había vigilancia en todos los caminos y a cada paso la vanguardia exploradora nos traía campesinos con noticias e informes. Íbamos dispuestos a todo y en pie de guerra. Envié al almirante Tabesin a Cronstadt. Entretanto llegó de parte de mi marido el canciller Voronof, quien, con las mayores cortesías y miramientos, trató de hacerme reproches. Yo sé que había hablado mal de mí. Es uno de esos puritanos que aquí llaman con un apodo indecente pero divertido que no quiero escribir. Lo llevaron a la iglesia más próxima para hacerle prestar juramento de lealtad y ésa fue mi única respuesta. En seguida llegaron del estado mayor de mi marido el conde Alejandro Shuvalov y el príncipe Truhetzkoc, terribles sayones de melodrama con instrucciones, según dijeron, de hacer fracasar el alzamiento e incluso de asesinarme si era preciso, pero no hubo que hacerles fuerza, ya que por su propia voluntad se pasaron a mi bando y me juraron fidelidad aun sin pedírsela nadie. El rey se iba quedando solo. A veces yo me alegraba y a veces sentía pena por él. Era víctima, el gran mequetrefe, de sus propios errores y debilidades.

"Después de haber enviado nuestros correos a Peterhof, montado guardias y tomado otras precauciones de campaña, hacia las diez me vestí el traje imperial y me nombraron coronel con nuevas aclamaciones y vítores. Al frente de mis tropas seguí hasta Petershof dispuesta a todo, es decir, a entablar combate. Allí estaba mi marido, según me dijeron, con su pequeño ejército discutiendo a grandes gritos donde había que poner la artillería y dónde la caballería y dando brincos con un sable en la mano. Ya lo conocen ustedes.

"Poco después de reanudar la marcha llegaron tres soldados con el texto de un manifiesto que Pedro III quería hacer imprimir y distribuir. Los soldados me lo entregaron y me dijeron: «Nos consideramos felices de poderte dar este documento ridículo y de unirnos a nuestros compañeros y hermanos.»

"Como se ve todo era espontáneo y natural y por el momento no hubo que hacer presión sobre nadie. El pícaro Orlof había sido sabio en sus previsiones.

"Llegamos a un monasterio pequeño cerca de Peterhof y allí el vicecanciller Galitzin, tieso y engalonado, vino a traerme una carta conciliadora de Pedro III. Poco después vino el general Ismailov, el sabihondo del estado mayor de mi marido, se arrojó a mis pies y me dijo:

"—¿Crees señora que soy un hombre honrado?

"Yo tenía mis dudas, pero le respondí que sí.

—"Entonces —dijo él, tembloroso— todo será fácil

porque el emperador promete abdicar y, después que lo haga, yo traeré aquí el documento y al emperador en persona y así evitaremos a nuestra patria una guerra civil. Pero conviene que el emperador haga todo esto libremente y sin violencias, señora. Nada de violencias. Por vuestro propio interés.

"Le encargué de esa misión y marchó a cumplimentarla.

"Está claro, pues, que Pedro III renunció al trono en plena libertad rodeado de algunos millares de militares adictos y vino a mi cuartel espontáneamente con Elizabeth Voronzof, Godovielz y Miguel Ismailov. Yo lo recibí sin rencor y le di algunos oficiales y soldados para la protección de su persona. Era el 29 de junio, día de San Pedro. Un día sin sol con nubes bajas. Un día un poco menos blanco que la noche.

"Mientras se preparaba la comida para todo el mundo, los soldados creyeron que Pedro III había sido traído por el mariscal príncipe Troubletskoi que tenía fama de maquiavélico para reconciliarnos y volver a las andadas. Y un grupo de ellos se dirigió a Orlof, a Hetman y a otros diciendo que hacía tres horas que no me habían visto y temían que aquel falso de Troubletskoi me engañara haciendo una paz simulada para perdernos a mí y a los míos.

"Si es así —añadían— lo haremos pedazos, que estamos hartos de componendas y de falsas soluciones.

"Esas eran ni más ni menos las palabras de la soldadesca. Yo fui al encuentro de Troubletskoi y le dije que por su propia seguridad debía salir del campamento cuanto antes. Le conté lo que pasaba, y él, sin hacérselo repetir, se fue a la ciudad mientras yo pasaba revista a la tropa que me aclamaba por todas partes. Fue un verdadero día de gloria.

"Dios me ama realmente y como sabe hacer las cosas, todo sucedió sin violencia.

"Después envié al emperador a un lugar llamado Ropcha muy apartado, pero bastante cómodo y agradable. Encargado de su custodia iba Alexis Orlof con cuatro oficiales escogidos y un destacamento de hombres tranquilos y razonables. Todo eso era muy provisional porque entretanto se preparaban habitaciones adecuadas para él en Schusselbourg.

"La providencia dispuso otra cosa. El miedo había alterado el vientre del emperador quien estuvo tres días con colitis. Al cuarto pareció mejorar. Aquel día bebió demasiado y se divirtió, ya que tenía todo lo que quería menos la libertad. Me había pedido su violín, su perro, su negro y su amante. Temiendo el escándalo, y para no provocar curiosidades ni fermentación en los espíritus, no le concedí lo último.

"Se le oía tocar el violín horriblemente. Era su manía, como la de Federico de Prusia era la flauta.

"El cólico se le reprodujo con repercusiones en el cerebro. Estuvo dos días en esa situación, lo que lo debilitó bastante y a pesar de la asistencia de los médicos rindió el alma recibiendo los auxilios espirituales de un pastor protestante alemán.

"Yo temía, la verdad, que los oficiales lo hubieran envenenado, de tal modo lo odiaban. Por eso hice abrir el cuerpo del emperador y es verdad que no hallaron la menor huella de veneno. Tenía el estómago y el hígado sanos, pero los intestinos inflamados. Esa inflamación y una crisis de apoplejía acabaron con él. Su corazón era extremadamente pequeño y estaba todo lacerado y enfermo."

Acabó el cardenal de leer la copia de la carta de Catalina y la dejó sobre el hígado etrusco mirando oblicuamente a su amigo. El viejo conde suspiró.

—Lo que dice de la muerte del emperador es mentira. El emperador fue asesinado por Orlof y sus amigos.

Entonces sacó del bolsillo un papel que amarilleaba por las dobleces.

—Tiene razón Catalina sobre la facilidad de la sublevación y el odio de los oficiales contra el emperador. Pero sobre la muerte de Pedro III no dice la verdad. Fueron a Ropcha, ciertamente, Alexis Orlof con cuatro oficiales y un pequeño destacamento. Entre los oficiales estaba Teplov, el más joven de los príncipes Baritinski, un lindo pelagatos que se ha hecho famoso por los favores de la emperatriz. Verá usted.

El cardenal tomó un lápiz y se puso a anotar los nombres, pero el conde lo contuvo con un gesto un poco abrupto.

—¿Es que acostumbra usted —le preguntó— a apuntar lo que oye en el confesionario?

—Hay una diferencia —dijo monseñor Ricci, dejando el lápiz con un extremo en la mesa y el otro apoyado en el sexo del guerrero etrusco.

—No, no. Esto es como una confesión.

El cardenal prometió no anotar nada y le rogó que lo perdonara. El viejo conde continuó:

—Como le digo llevaban tres días en Ropcha. El emperador jugaba con el perro y con el negro y tocaba el violín. Usted sabe, eminencia, que toda su ilusión era imitar a Federico de Prusia quien tenía también aficiones musicales. Hablaba con el negro de las cosas que acababan de suceder y el pobre negro no hacía más que repetir: sí *señol,* no *señol,* pues como vuestra *majesta impelial* disponga, *señol.* Y el emperador tocaba. Cierto que nunca consiguió arrancarle al violín sonidos agradables, el pobre. Yo quiero y respeto su memoria, pero es la verdad —el cardenal quiso reír, pero disimuló—. Y según ha dicho después Orlof aquellos gañidos día y noche, con los ladridos del perro y las voces del negro a quien obligaba el emperador a cantar, eran intolerables. A los tres días de la llegada del emperador a Ropcha los oficiales Teplov y Orlof dejando en la antesala al afeminado Baritinski entraron en su cuarto a la hora de la comida y le dijeron que querían comer con él. Un poco extrañado el emperador les invitó a sentarse. Orlof dijo que le serviría de maestresala. Comenzó el almuerzo a la manera rusa con aperitivos salados y wodka. Orlof le presentó al emperador un vaso envenenado. Pedro III, sin sospechar nada, lo bebió y poco después comenzó a sentir dolores. Entonces Orlof le sirvió otro vaso de la misma botella y quiso obligarlo a beber, pero el emperador rehusó y llamó: "¡Favor al emperador!". Orlof, que era un hombre gigantesco, se arrojó sobre él, lo llevó a la cama y sujetándolo con las rodillas le echó las manos a la garganta. Entretanto, según parece y la autopsia lo confirmó más tarde, Teplov puso una baqueta de fusil en el fuego y cuando estuvo al rojo empaló con ella al emperador cuyos gritos fueron horribles, pero cada vez más débiles. Poco después estaba muerto. Como dice Catalina, el cuerpo mostraba el estómago sano, pero los intestinos muy inflamados y con flujo hemorroidal. Era de las quemaduras de la baqueta.

Rasumovski tenía también documentos. Tenía el papelito en la mano y accionaba con él mientras hablaba:

—Así murió el marido de Catalina y esta es la carta que Orlof envió al día siguiente a la emperatriz. No me pregunte cómo llegó la copia a mis manos, pero yo le juro que es fidelísima y que el que la escribió estaba en el mismo gabinete de trabajo de Catalina.

El conde se puso a leer con una amarga sonrisa en los labios:

—La carta dice así: "¿Cómo referirte, emperatriz y madre nuestra, lo que acaba de sucedernos? Ha sido una verdadera y triste fatalidad. Estábamos en el cuarto de tu esposo bebiendo vino con él. No sé lo que sucedió porque nos habíamos emborrachado, pero después de las palabras vinieron los insultos y habiendo sido nosotros gravemente ultrajados pasamos a la violencia. Nos cambiamos algunos golpes y de pronto vimos que Pedro caía al suelo sin vida. ¿Qué hacer? Esos son los hechos. Ahora toma nuestras cabezas si quieres, madre nuestra, o si lo prefieres usa tu clemencia pensando que lo sucedido no tiene ya remedio y perdónanos. — *Alexis Orlof*". La emperatriz no sólo perdonó a Orlof sino que lo hizo conde del imperio. Así ganó el título. Por la noche la emperatriz mandó trasladar el cuerpo de Pedro III a San Petersburgo y lo expuso sobre un armón de artillería en el convento de Newski. La cara del muerto estaba negra y el cuello tumefacto y desgarrado. La violencia era evidente. Al día siguiente el emperador fue enterrado en el mismo convento. En cuanto a esta carta, eminentísimo señor, yo se la dictaré en italiano y puede copiarla si quiere.

La copiaba el cardenal con mano temblorosa y con exclamaciones de asombro. Creía el conde que se lamentaba el cardenal de la crudeza de los hechos, pero no era ese el motivo.

—Es terrible —dijo monseñor sin dejar de sonreír—.

Me pregunto cómo es posible que ignoren estas cosas en Roma. Pues así es. Yo le prometo solemnemente secreto de confesión, es decir, se la enseñaré al Papa, la carta. Sólo a él. Sólo al Santo Padre.

En el salón de música seguía el concierto. Volvieron y se quedaron en la puerta. El conde vio a la princesa Tarakanova sentada en el lugar de honor con algunas personas de la aristocracia local y al obispo de Leopoldo, ya anciano, que parecía dormirse al arrullo de un oratorio de Haendel. Todo el mundo cedía a la princesa el lugar presidencial. El príncipe de Florencia era entonces Leopoldo de Lorena a quien la gente rendía acatamiento público, pero los homenajes más espontáneos eran para la princesita exiliada rusa. Sin embargo entre los invitados no había uno solo que pudiera llamarse su amigo. ¿Tenía amigos, ella? El conde le solía repetir que una princesa imperial no podía tener verdaderos amigos, sino sólo relaciones de familia hasta que se casara. Conocía, pues, a todo el mundo, sin intimidad con nadie. "Hay que ser impersonal, que es la primera cualidad de los príncipes", repetía el conde.

Volviendo al tema anterior y dirigiéndose los dos a la biblioteca el cardenal preguntó:

—¿Entonces usted es legitimista, digo, contrario a la emperatriz?

Un poco le extrañó al ruso que el cardenal empleara aquella expresión —legitimista— que solía usarse entre los emigrados. Y monseñor añadió antes de que el conde contestara:

—Al parecer, el emperador no era tampoco un modelo de honestidad.

El conde se llevó la mano a la mejilla, comprobó que estaba bien afeitada, tocó la peluca blanca que le cubría la oreja y contestó:

—Hay demasiados intereses en juego para poder formarse una idea justa de Pedro III. Por otra parte, ya sabemos que nadie espera de un rey que sea un santo y ni siquiera un hombre virtuoso.

Ponía el cardenal en sus palabras el acento de las confidencias íntimas:

—Algo sé sobre su emperador, aunque imagino que

usted sabe más. Pero vamos a ver —y callaba un momento recogiendo datos en su memoria—. Parece que Pedro III desde joven daba la impresión de ser un poco débil de espíritu. Físicamente no prometía gran cosa, ¿verdad? Yo he visto un retrato de él: frente hundida y estrecha, ojos inexpresivos, el labio inferior colgante. Se casó a los dieciséis años con Catalina que tenía quince. ¿No es eso? Pero el matrimonio no se consumó. Eso dicen.

Sin dejar de sonreír el cardenal seguía:

—No se consumó el matrimonio porque, según me han dicho, había una dificultad física en el novio. Sin importancia. Con una pequeñísima operación que no merece tal nombre se podía arreglar, pero el príncipe tenía miedo. Cualquier dolor físico le aterraba a él que había de morir de una manera tan cruel. No se consumó el matrimonio de Pedro III porque el futuro emperador tenía el *frenillo*. Tal vez vuestra excelencia sabe, señor conde Rasumovski, que, antes de ser coronado, Pedro celebraba fiestas en las que sus amigos se intoxicaban indecentemente. Todo era desenfreno, orgía, bacanal. En esas fiestas en las que había toda clase de excesos se limitaba Pedro a ver, sólo a ver. ¡Pobre príncipe heredero! Pero tenía amigos íntimos que le reprochaban su pasividad y después de la boda avisaron secretamente a un médico. Un día, estando el principe borracho, el médico le hizo la paqueña operación sin que se diera cuenta. Y todo resuelto el príncipe pudo tratar desde entonces de hacer vida conyugal con Catalina. Pero tenía entonces fama de impotente. Verdad o no, la corte hablaba de eso. Por otra parte dicen que el príncipe imitaba a Federico de Prusia y que llevaba esa imitación a extremos grotescos en su indiferencia por las mujeres, en sus hábitos castrenses y en otras cosas. Se ponía unas polainas altísimas que no se quitaba siquiera por la noche, según decía Catalina. Por causa de ellas no podía caminar sino con las piernas rígidas y abiertas ni sentarse a no ser que se dejara caer de una pieza. Llevaba siempre un enorme sombrero a la federica que ocultaba casi por completo su carita de mono. En las conferencias con sus ministros conservaba al sombrero puesto y parece que hacía debajo de él todos los gestos, guiños y morisquetas de los simios. ¿No es verdad?

Se decía el conde si aquel viejo purpurado de labios finos y expresión sarcástica no se había burlado antes cuando le pedía noticias sobre la corte de San Petersburgo.

De nuevo repitió Rasumovski que aquello lo decían los enemigos del rey y escuchaba y seguía con la vista baja mirando fijamente los dibujos de la alfombra. El cardenal seguía hablando y gozando secretamente de sus propias palabras.

—Cuando fue coronado emperador Pedro III hizo acuñar moneda con su efigie. le presentaron un modelo donde aparecía con la cabeza orlada de laurel y lo rechazó diciendo que no quería parecerse al rey francés porque éste era enemigo de Federico de Prusia. Aceptó otro con casco romano de guerra y uno de sus primeros decretos fue conceder amnistía a todos los condenados políticos. La corte se llenó de viejos aristócratas rivales y enemigos que volvían de Siberia. El emperador magnánimo reunía sus manos sobre el mantel y las más de las veces los viejos pugnaces se levantaban indignados y salían del cuarto por puertas contrarias sin consideración a los buenos oficios del monarca. Era Pedro bien intencionado, pero inoportuno. Hasta la bondad quiere su lugar y momento, señor conde. Como dije, el emperador imitaba al rey de Prusia en todo lo que estaba a su alcance. Para honrar al emperador germano trataba de halagar a su embajador y lo colmaba de atenciones en público y en privado hasta el extremo de actuar de galeoto, es decir, de celestino conquistando para él las bellezas más en boga de la corte. Luego ofrecía a los amantes su propia alcoba y se ponía en la puerta con una espada desnuda para impedir que los molestaran. Si en aquellos momentos alguien se acercaba con asuntos de estado decía Pedro III: *ahora me es imposible atender a nadie porque estoy de facción.* ¿No es verdad todo eso? Dígame, conde ¿no sabe usted eso mejor que yo? Era caprichoso e infantil, Pedro III, según he oído contar. Un día dio orden de que dispararan al mismo tiempo cien cañones de grueso calibre para ver qué sucedía en la ciudad. Sus cortesanos le dijeron que el palacio se vendría abajo con la onda explosiva y le hicieron desistir. En la corte todo el mundo, desde el ordenanza de la guardia hasta los grandes duques, repetían como una consigna lamentable y secreta: Rusia está sin monarca. Aparte de la opinión que a usted y a mí nos merezca Pedro III ¿no son estos hechos ciertos?

Hizo el conde un gesto vago que podía ser una afirmación. El cardenal añadió entonces sonriendo sin ironía:

—¿Y ése es el candidato de ustedes, los legitimistas?

Miraba Rasumovski de frente al cardenal. "No podía imaginar —dijo después de otra pausa indecisa— que usted fuera partidario de Catalina." El cardenal se apresuró a negar. La iglesia no era partidaria de nadie, pero aceptaba los hechos consumados y tal vez trataba de obtener alguna ventaja de ellos para la cristiandad. "A veces Dios permite el mal —decía muy grave— para obtener un bien ulterior y mayor cuyo sentido no se nos alcanza hasta que lo vemos."

Con eso parecía querer justificar a Catalina II.

Se puso el conde a hablar de la emperatriz a quien llamaba *la azafata* recordando que su madre había sido sirvienta en un mesón. Y también la *teutona* o la *tudesca.* Acusaba a Catalina de la muerte del emperador y decía que cualquiera que hubiera sido la persona del emperador ella no podía justificar de ningún modo lo ocurrido.

Sin embargo, los hechos que refería el cardenal eran ciertos, no se podían negar.

Volvieron despacio a la sala. Había en ella mayoría de gente toscana. Los toscanos eran agudos, discretos y señorialmente peligrosos. Entoces, lo eran quizá con todo el mundo menos con la princesa. Nadie era peligroso para ella. Los lejanos etruscos, de los que aquella gente venía, habían sido artífices, guerreros y bailarines. De ellos venían Miguel Ángel y Maquiavelo. Brava gente que la princesa admiraba.

Pero el cardenal seguía hablando. Había en su acento algo monitor y sibilino. La iglesia de occidente era más fina de reacciones que la de oriente y seguramente más peligrosa en materia de alta intriga. Eso pensaba Rasumovski.Y el hecho de que un cardenal tuviera en la mesa de su estudio estatuas desnudas masculinas con el sexo visible le escandalizaba, pero pasado el escándalo le parecía bien y aumentaba su admiración por monseñor Ricci. Un obispo ortodoxo nunca haría tal cosa en Rusia, pero hacían otras peores. Es decir calificadas o incalificables.

El concierto continuaba. El conde preguntó al cardenal:

—¿Es que el Vaticano tiene relaciones con San Petersburgo?

—Oficialmente no, pero hay un agente apostólico.

—¿No es usted camarlengo de la Santa Sede?

—¡Oh, no! No existe ese cargo. Soy camarlengo de la santa Iglesia y es el Sacro Colegio el que está en los secretos de la cámara, pero él ignora estas cosas que yo le he dicho.

A veces el conde no veía claro en el cardenal. Pensó que tal vez era un rival del último camarlengo del Sacro Colegio y que llevaba al papa las informaciones que el otro no conseguía, para ponerlo en evidencia. O simplemente con el deseo de informar a Su Santidad.

II

En aquellos días anunció su llegada a Florencia el príncipe Radzivil de Polonia, perteneciente a una familia de Vilna de origen real, conocida del conde. Vilna estaba bajo las armas de Catalina y se decía que algunos nobles polacos conspiraban.

La azafata mayor de la princesa era una alemana y hablando de Radzivil dijo un día, a su joven ama, que aquel galán podía ser el amor y no ser el matrimonio y que nada tenía que ver lo uno con lo otro.

El conde se enteró y consideró esa opinión francamente corruptora, aunque en el fondo pensaba lo mismo. Amonestó a la azafata, que era una baronesa, diciéndole: "Yo sé que usted daría la mano izquierda y el ojo derecho por influir de algún modo en la vida sentimental de la princesa, pero tenga cuidado porque mientras yo viva no lo permitiré".

El príncipe Karl Radzivil, paladín de Vilna y enemigo más o menos abierto de los rusos habiendo sido nombrado en 1762 gobernador de Lituania por Augusto III de Sajonia mostró talento militar y político y se proclamó secretamente en su conciencia candidato al trono de una Polonia liberada y feliz, independiente de Catalina. Como es natural a nadie había confiado aquellas peligrosas ambiciones.

Radzivil era decidido y hábil, muy codicioso de gloria y había identificado su destino personal con el de su nación. Se acordaba Radzivil de la pasada grandeza de Polonia cuando daba reyes a Hungría y a Bohemia. No se detenían allí los sueños de Radzivil. Había pensado en llegar a hacerse amar de la princesa Tarakanova y esperaba que una alianza matrimonial con ella podría facilitar sus designios en un futuro incierto pero no imposible.

La princesa veía sólo en Radzivil un paladín ilustre que en las miniaturas de luces jaspeadas que le había enviado se mostraba con cierto aire campesino cargado de herencia, fuerte y galán. Casi un príncipe de leyenda.

Llegó a Florencia envuelto en pieles y joyas. Era hombre robusto y de una vigorosa animalidad. Antes de conquistar a la princesa emprendió la conquista del viejo conde y para eso le bastó con denigrar a la emperatriz Catalina. La muerte reciente del príncipe Ivan Antonovitch, duque de Brunswick, en la cárcel, a la tierna edad de dieciocho años y en condiciones más que sospechosas, hizo rebasar la indignación senil del conde. Oyendo contar aquello el viejo parecía perder el poco sosiego que le quedaba.

—¡Pobre niño! —decía de Iván—. ¿Y la familia de los Brunswick?

—Han conseguido permiso para salir de Rusia. La emperatriz les dio además una pensión y ahora viven en Inglaterra.

—Ya veo. Mata al hijo y soborna a los padres con dinero. ¡Era lo último que me faltaba por ver!

En Vilna tenía Karl Radzivil una casa solariega enorme, con setenta sirvientes, pero se vanagloriaba de que ninguno de ellos era esclavo. La reina Catalina le ofreció una vez como presente una propiedad en el Sur con trescientos siervos y él se lo agradeció, pero se permitió recordarle que era católico, que no creía en la esclavitud y que en todo caso lo primero que haría si recibía aquella graciosa ofrenda sería libertar a todos ellos, aunque algunos no la quisieran. Como aquel hecho sentaría un precedente incómodo para los demás propietarios le parecía más adecuando renunciar a aquel regalo, aunque esperaba merecer seguir en su gracia. Entonces la reina le envió un tronco de caballos kirghises que era realmente el mejor que se había visto en Vilna en muchos años.

Trataba Karl de acelerar las etapas y se conducía con su novia de un modo grave, ejemplar y público. Cambió con ella algunos besos furtivos, pero evitaba todo lo que pudiera tomar el aspecto de la galantería y la aventura al uso. Le contaba Radzivil a su novia sus empresas de cazador y sus encuentros con osos grises que a veces hacían reír a la muchacha, porque el oso no sólo es terrible como el león o el tigre sino que puede ser humorístico. Un oso podía abrir la puerta de una casa tirando de la aldaba y a veces se habían presentado al olor del pescado frito en medio de una fiesta campesina. Entonces, todos gritaban y el oso se asustaba y se iba.

Decía Radzivil que sus campesinos se le acercaban con el gorro en la mano para plantearle los problemas más ridículos. Por ejemplo, el mismo día que salió de Vilna un viejo labrador le preguntó:

—Alteza, padrecito Radzivil, ¿qué haríamos si apareciera de pronto un cocodrilo?

—Bah, un cocodrilo —dijo Radzivil enojado—. ¿Por qué un cocodrilo? No hay animales de esos en nuestro país. Yo no he visto un cocodrilo en mi vida.

Entonces el campesino movió la cabeza con lástima y se santiguó:

—Habría que encomendarse a Dios. ¿No le parece, padrecito?

Radzivil le dijo sí, y recordando que entre la gente de sus aldeas tenía fama de ser poco piadoso dio al campesino una moneda de oro para demostrarle que si los domingos no iba siempre a misa por lo menos sabía practicar la caridad. Era Radzivil un católico muy raro. Privaba en él lo político sobre lo religioso. Entre el catolicismo y la religión ortodoxa había una sola diferencia (decía a sus íntimos), la que puede haber entre un granuja afeitado —el papa— y otro con barbas —el metropolitano—. Sin embargo, él era católico y se sentía tradicionalmente ligado a la Iglesia. Los curas ortodoxos le parecían ignorantes y venales en lo cual estaba de acuerdo con el viejo Rasumovski, que era ortodoxo.

El joven galán y el viejo se hicieron pronto amigos. Invitados a comer por el cardenal Ricci conocieron la fastuosidad de sus costumbres. Rasumovski le había dicho al joven galán, con cierto asombro, que monseñor Ricci se enorgullecía de descender de Nerón y el príncipe polaco se permitió algunas ligerezas en la mesa.

Hablaba el cardenal dirigiéndose siempre al viejo conde y creyó advertir en Radzivil alguna clase de desatención que le extrañó sin llegar a herirle.

Vio monseñor, con gusto, que Radzivil bebía más que los otros dos juntos. A los postres, entre dos sorbos de licor, el cardenal habló de la pobre Iglesia católica de Polonia sojuzgada por los militares y los burócratas de una Rusia francamente herética y miró a Radzivil esperando que mostrara su alma de par en par, pero el de Vilna cuando bebía lo primero que hacía era entrar en un estado de alerta y alarma y —cosa excepcional— cerrar los labios.

El cardenal Ricci no era hombre para resignarse al silencio de Karl sobre sí mismo y envió correos a Vilna para informarse minuciosamente con el pretexto de trasladar su información al conde. Nada más natural que tomar precauciones antes de las nupcias de una muchacha como Lizaveta, hija de la emperatriz anterior a Pedro III.

Al volver los correos estaba aún Radzivil en Florencia y el cardenal volvió a invitarlo a comer, esta vez a él solo, porque el viejo conde estaba enfermo. En la comida monseñor le dijo de pronto:

—Sé que vueseñoría conspira contra Catalina y no es necesario que le diga que la Iglesia tiene en Polonia intereses espirituales y que se desvela pensando cómo salvarlos y mantenerlos. Espero que tampoco lo que le digo le sorprende.

Entonces fue cuando Radzivil se rindió. Hizo al cardenal confidencias no sólo de sus actividades clandestinas contra la corte de San Petersburgo sino de sus esperanzas y ambiciones y al final de más de dos horas de un discurso rico en matices apasionados acabó diciendo: "Nosotros no esperamos atacar de frente ni derrumbar el tinglado de Catalina en una batalla ni en dos. No queremos la iniciativa y se la dejaremos con gusto a otro país. Ah, si los suecos quisieran buscar su *vendetta* histórica. Quiero decir que esperaremos que la crisis comience en otra parte y provocada por otros intereses. Estaremos atentos a ella y no ha de tardar en producirse. Habrá no sólo una crisis sino dos, una en el sur, probablemente en el mar de Azov y otra en el norte y permítame que me calle el lugar y la fecha. Nosotros los polacos nada tendremos que ver con la una ni la otra. Estaremos armados y organizados, aguardando el momento. Nuestra intervención será rápida y directa hacia Moscú. No será la vez primera que eso suceda y vamos a repetir exactamente lo que hizo Sobietski en el momento cumbre de nuestra historia y yo estoy seguro de lograr la victoria como un hecho contingente que depende de problemas y circunstancias internacionales mayores. No sé si debo hablar así, pero creo que lo mismo que han hecho con nosotros despedazando la patria polaca entre los dientes de Alemania, Rusia y Austria haremos un día dejando que Suecia y Turquía le claven sus dientes a Rusia. Tendremos la autoridad del antecedente y del ejemplo enemigo y, naturalmente, Polonia recuperará los territorios perdidos y anexionará otros nuevos, que ésa ha sido siempre la consecuencia natural de las victorias.

Luego se puso Radzivil a contar sus experiencias personales en la política y en el campo de batalla. Monseñor lo escuchaba atentamente y aquella atención estimulaba más a Radzivil.

Pensaba el cardenal: "Este muchacho parece un oso medio domado. El matrimonio lo acabará de domesticar". Y le dijo que cuando se casara con Lizaveta quería ser él quien bendijera la boda.

—¡Ella es católica! —dijo monseñor con una alegría casi infantil.

Añadió que los Lorenas y los Médicis le atribuían a él aquella conversión y que el duque de Ferrara le había dicho:

—En vuestra situación sería yo quien se habría dejado convertir por ella.

Rió el cardenal advirtiendo que los Ferrara eran Borgias y hacían honor a su temperamental tradición.

Y el cardenal reía otra vez. El príncipe polaco quiso entrar en interioridades de la política romana. Había oído que le papa Clemente estaba a punto de disolver la orden de los jesuitas declarándola enemiga de la fe cristiana por presión de los españoles.

—Sí —dijo monseñor—. Es cosa hecha.

—¿Pero no es una orden española? ¿Sí? ¿Y son los españoles sus enemigos?

Estuvo el cardenal mirando al joven y pensando que si no podía entender la contradicción como norma no sería nunca un buen político. Después, viendo que esperaba una respuesta, dijo el cardenal:

—Carlos III es un caso increíble: un rey francmasón.

—Aunque no lo fuera, Su Santidad no puede obedecer a un monarca temporal.

—Lo peor en todo esto —dijo el cardenal abrumado— es que da lugar a que nuestros contrarios piensen que el papa antes de ser elegido había contraído ese compromiso con Carlos y con los españoles, es decir, que lo eligieron con esa condición, lo que si fuera verdad, que no lo es, envilecería la silla de San Pedro.

Pasaron el resto de la tarde Radzivil y monseñor divagando apasionadamente en torno a ese importante asunto.

El noviazgo seguía sin novedades. Dio el pretendiente a la novia la acostumbrada joya de familia: una *rivière* de diamantes que su abuela y su madre habían llevado el día de la boda.

Un día Karl estaba hablando con el viejo conde sobre las castas de caballos y el estilo y manera de montarlos y Karl dijo que el caballo era como la mujer, que se adaptaba al hombre y tomaba parte de su carácter y temperamento y que además le gustaba ser montado y mandado con pericia y cierta dureza amistosa. Ese era su secreto con los caballos y no podía quejarse. La princesa, que estaba al otro lado de la biblioteca, oyéndole hablar de aquella manera se confundía un poco. Radzivil era un hombre que rechazaba los siervos que le ofrecía la emperatriz y, sin embargo, hablaba de la mujer como de un caballo a quien hay que domesticar. Tenía otras rarezas, el novio. Por ejemplo, en lugar de adularla a ella exaltando sus cualidades trataba de mostrar las propias y esperar que ella lo elogiara.

Cuando el príncipe creyó llegada la hora de hacer la petición de mano hubo algo infausto e inesperado: Rasumovski se puso enfermo. Al principio fue sólo un resfriado, pero se agravó hasta convertirse en pulmonía senil y de pronto se encontraron Radzivil y la princesa con que el conde se moría. Y realmente se murió en menos de dos semanas.

Sin que ellos se hubieran casado. Sin que se formalizara siquiera la petición de mano.

Toda Florencia desfiló por la casa para dar el pésame a Lizaveta y el príncipe de Vilna aprovechó aquella ocasión para mostrarse en sociedad al lado de su novia. Fue como una presentación oficial.

Con motivo de las exequias, el cardenal acudió varias veces al palacio y tuvo otras conversaciones con Radzivil.

El canciller de la corte de Catalina envió un mensaje de condolencia dirigido a la princesa Tarakanova quien se quedó sorprendida pensando: la emperatriz se acuerda de mí. Como había salido de la corte y de Rusia antes de cumplir seis años, el mensaje de Catalina parecía llegar de tiempos remotos y legendarios.

En realidad la princesa se consideraba más italiana que rusa. Pero el conde había mantenido en su alma el fuego familiar. Encontró la princesa borradores de cartas enviadas por el conde a Rusia. A través de ellas se veía que todo le parecía al conde excepcional en la princesa y Radzivil tomó nota de las personas a quienes fueron dirigidas las cartas pensando en el futuro. Así como hay personas que viven para la religión o para el arte, el paladín de Vilna vivía para la política.

Tenía Karl una manera enérgica y cortante de hablar, de caminar, hasta de escuchar. No le disgustaba a Lizaveta, pero a veces pensaba: Qué raro. Aunque nosotros los rusos vivimos sobre la esclavitud del mujic y realmente de su trabajo y hay familias que en cuarenta años no han comprado un par de zapatos ni una vara de tela porque los fabrican sus esclavos dentro de su casa y tienen hasta trescientos o cuatrocientos de ellos alrededor del palacio campesino, yo diría que, a pesar de todo, los rusos somos más liberales que los polacos.

Pero estaba en esa edad en que la proximidad del hombre embriaga un poco a las muchachas y a veces le decía con una especie de gozoso miedo infantil:

—Tú serías un nuevo Iván el Terrible, si llegara el caso.

Él sonreía y respondía: "Se ha calumniado mucho a Iván IV y sería bueno poner la historia en sus términos". La verdad era — pensaba Lizaveta — que Iván había matado a su príncipe heredero. Oyendo aquello decía Karl: "¿No es horrible para un padre tener que hacer eso? Él lo hizo por su patria y si se sabe mirar el hecho desde todo sus ángulos no puede menos de despertar admiración".

La presencia del cadáver del conde en la casa influía en la conducta de las personas. La princesa pensaba: "Nada vale la pena. Las cosas más importantes no son sino un convenio un poco ridículo entre las gentes". Los seres humanos se conducen gravemente, pero ¿para acabar un día como el perro, el gato o el cerdo o el caballo? En aquellos días todas las cosas tomaban un aspecto más crudo y realista y así sucedió con el mismo amor del príncipe, aunque no llegó ella a la última forma del abandono y el mismo príncipe parecía evitarlo. Cuando Liza se lo dijo a la azafata alemana ella respondió:

—Es por respeto a vuestra alteza y al sacramento del matrimonio, y hace bien.

Había aprendido Lizaveta a tomar a broma las salidas un poco violentas de Karl y como le había dicho la baronesa alemana "el hombre llega al matrimonio resabiado por la vida de su propio hogar o por la libertad que ha tenido hasta entonces, pero luego es la esposa quien le forma el carácter".

Después de una pausa añadía:

—O lo deforma, claro.

El segundo día del duelo oficial Radzivil preguntó a su novia:

—¿Es la primera vez que has visto morir a alguien en tu vida? ¿Sí? La vida no es nada, pero yo haré que sea algo para ti. Yo le daré sentido para ti. Por ahora la vida que es triste y sombría para los demás es para nosotros radiante. ¿Qué será mañana cuando estemos juntos?

—Yo creo... — fue a hablar ella, recordando a la azafata alemana.

—Mis antepasados — interrumpió él — no tenían bastante ambición porque creían que la vida estaba ya hecha cuando nacieron y no se habían enterado de que la vida no es nada si nosotros no la hacemos. La vida tiene que hacérsela cada cual. Tú, yo. No hay otra vida que la que nos hacemos. ¿Entiendes? Yo, yo haré tu vida, la tuya, y tú verás cómo la hago y qué maravilla y qué milagro va a ser, ¿entiendes? Cuando la gente espera que le den algo hecho lo único que le dan es eso: la cámara mortuoria. Todo lo que la vida nos da es eso: la muerte. Los que queremos obtener algo vivo y gozoso de la vida debemos quitárselo a la vida por la fuerza. Hay que andar por la vida como ladrones nocturnos. Es decir, peligrosamente. Vilna es poco para ti. Tú eres —decía él, exaltado— nieta de Pedro el Grande y un día entraremos en Moscú entre flores, campanas y palomas pintadas de oro.

Ella decía que sí, contagiada de su entusiasmo, pero pensaba:

—¿Qué necesidad hay de todo eso para ser felices?

El cuerpo de Rasumovski estaba aún en la casa, que comenzaba a oler a flores marchitas o tal vez eran las flores que comenzaban a oler a muerto. La princesa pensaba: "Si somos carne mortal y podredumbre, ¿por qué no ser felices ahora en cualquier parte, por ejemplo, en Italia que es país que parece hecho para la felicidad de los enamorados?" Se lo dijo y el paladín de Vilna soltó a reír:

—Eso sucede con la gente común. Nosotros pertenecemos a dos dinastías de las cuales depende la historia de Europa. La vida nuestra es mejor y eso nos obliga a asumir responsabilidades y peligros. Nuestros privilegios de clase traen consigo deberes importantes y hay que vivir pensando en los demás. —La besó en la frente ligeramente, ella sintió el beso como el roce de un rizo rebelde y él continuó: —La paz en nuestro hogar, desde luego, pero en los caminos de la historia la paz es sólo una pausa entre dos guerras. No hay paz en el mundo. A ti te basta con que la gente que te conoce te adore y así debe ser, pero yo soy hombre y a mí además me van a temer y a obedecer. Me aman los polacos, mis compatriotas, pero los rusos me van a odiar un día y después me agradecerán, a pesar de todo, que los haya liberado. Yo suprimiré la esclavitud, yo... ¿Tú sabes? Los polacos somos seres humanos y somos, además, Europa, es decir la civilización. En

Vilna comienza el oriente y la barbarie, la tristeza, la esclavitud, la cobardía y... la suciedad. Yo estoy allí, en la frontera, en la raya que separa la luz y la sombra. Todo oriente es hambre y piojos. Yo llevaré a Moscú la limpieza, la civilización, el orden, la libertad. Yo, contigo. El amor multiplica las fuerzas del hombre.

—A veces me da miedo oírte hablar así —dijo ella—. La emperatriz es mi tía y la quiero y la respeto.

La miraba el príncipe, pensando: "Si pudiera decirte toda la verdad de Catalina sin escandalizar tu alma virginal oirías las mayores monstruosidades, pero no vale la pena. No son errores ni defectos los de la emperatriz. Son crímenes repugnantes contra personas honradas, contra familias, contra pueblos enteros". En lugar de esto el príncipe decía:

—Vamos a la capilla, querida. Nos esperan para los funerales.

Pensaba Lizaveta que no la tranquilizaba Radzivil. Había tenido ella conversaciones con el duque de Ferrara sobre el poder político, sobre el amor, sobre la idea de la felicidad. Aquellos hombres conocían la grandeza exterior y no le daban importancia. Por el contrario, en su novio veía a veces Lizaveta un hombre tosco, obstinado en empresas de una vanidad primitiva y brutal. Aunque así y todo lo quería. Él solía repetir:

—El viejo Rasumovski te ha educado a la moda de San Petersburgo. Venía de las montañas del sur, pero los viejos khanes se acomodan y domestican en dos generaciones.

Hablaba de una manera ejecutiva y no estaba ella acostumbrada a aquella clase de aspereza. Tal vez Karl tenía razón, pero ella no se sentía rusa sino más bien italiana. Con eso se explicaba a sí misma todas sus confusiones.

—Es un monstruo, —repetía Radzivil pensando en Catalina.

—Sí, pero eso no importa. Lo que importa es seguir viviendo.

Ella lo decía pensando en el cadáver de Rasumovski.

El día del entierro llegó un ayudante del gran duque Leopoldo de Toscania diciendo que llevaba el encargo de asistir en nombre del regente. En los vastos corredores del palacio, la baronesa alemana, que hacía de ama de llaves, iba y venía y consultaba al príncipe pequeñas cosas como la clase de vinos que debía ofrecer a los que acudían al duelo. Todos los detalles de la organización del duelo pasaron por las manos de Karl al mismo tiempo que por las de la princesa.

Algunos nobles al ver que Lizaveta se quedaba sola se acercaron amables, pero Radzivil se interpuso, entre alarmado y amenazador. Decidió por fin el príncipe volver a Vilma y disponer las cosas, rápidamente, para la boda. Antes de marcharse fue a ver al cardenal y dejó en sus manos la tutela de la princesa. Ésta lloró un poco al separarse de Radzivil y se preguntaba: "¿Es posible que no llore por la muerte del viejo conde y que llore cuando se va un novio a quien todavía no sé si amo o no?" Pero cuando se quedó sola se dio cuenta de su desgracia y pesadumbre y lloró al muerto como si fuera su padre. Ella no sabía aún que lo era. Se enteró por una carta póstuma de Rasumovski que era un poco confusa y que le aclaró, paternal y tutelar, el cardenal Ricci.

No le extrañó a ella en absoluto aquella revelación porque, sin saberlo ella, lo había tratado siempre como a su padre. Instintivamente sabemos a veces más cosas de las que los otros nos pueden explicar.

III

Al puerto de Livorno había llegado una fragata rusa que iba a buscar obras de arte para el palacio de invierno y sobre todo para el Ermitaje, el museo que estaba organizando la emperatriz. En aquel museo ponía Catalina su orgullo. Como encargado de la misión iba Alexis Orlof, quien dejó el barco en Livorno y subió a Florencia, que era el centro artístico más importante de Italia. Fue a ofrecer sus respetos a la princesa Tarakanova. No sabía que había fallecido Rasumovski y acudieron juntos al cementerio a renovar las flores sobre su tumba.

Al volver Orlof decía que en su provincia natal, en el Cáucaso, el luto de los campesinos no era negro sino blanco.

La princesa agasajó a Orlof con la ostentación que permitía su luto reciente y lo presentó a los amigos más importantes.

Hizo Orlof algunas adquisiciones de obras famosas sin discutir el precio. De vez en cuando lamentaba que el viejo Rasumovski hubiera muerto dejando a la princesa tan hermosa y tan joven. Ella por su parte estaba orgullosa de Orlof y cuando lo presentaba a los Médicis parecía decir con la mirada: "Eh, ¿qué les parece a ustedes la gente de mi tierra?"

Invitaron a Orlof en todas las casas nobles y, para devolver las atenciones, el prócer ruso organizó una fiesta a bordo de su barco.

La princesa fue a ver al cardenal y le preguntó si su luto le permitiría asistir a la fiesta. Se creía obligada como rusa y amiga de Orlof, pero no sabía qué hacer. El cardenal no la autorizaba ni la dejaba de autorizar. Estaba preparando el viaje a Roma porque el papa había caído gravemente enfermo.

—¿Puedo ir a Livorno?—insistía ella.

Reía el cardenal y a veces alzaba las manos en el aire y su gesto recordaba las aves grandes, de lujosa pluma:

—Si decide usted ir, hija mía, yo no le diré que no. El viaje puede distraerla en estos días sombríos. Pero es usted quien debe decidir, porque Dios puso en su cabecita el libre albedrío y ha llegado la hora de hacer uso de él.

Pensaba ella que monseñor Ricci no la tomaba del todo en serio:

—Mi padre confiaba en su buen consejo y también Karl. ¿Por qué no he de confiar yo?

Sin dejar de reír le dio monseñor un escapulario con tres hojas secas del Monte Olivete. La princesa dudaba:

—¿Cuándo va su eminencia a Roma?

—Esta misma noche. ¿Quiere algo para el embajador de su majestad imperial?

—¿Yo? Muchas veces he dicho a su eminencia que no soy rusa. Salí muy niña de San Petersburgo y el único ruso que recuerdo en mi vida es mi padre, el conde. ¿Voy o no voy a Livorno?

—Hija mía —dijo monseñor con un expresión de ternura—. Esta noche debo llegar a Roma llamado por el Sacro Colegio y no tengo la cabeza para aconsejar nada a nadie.

—Sólo le pido que diga que sí o que no.

—Es tremendo decir una de esas dos cosas. El universo entero, hija mía, no afirma ni niega nunca. Es un constante y eterno *quizá*.

—Entonces ¿quizá debo ir?

—Sí.

—¿Quizá debo quedarme aquí?

—Sí, también. Planteando así las cosas le diré siempre que sí. Pero, como dije antes, está ya en edad y ocasión de usar su discernimiento.

Le regaló un rosario con cuentas de nácar y engarces de oro. Ella le dio las gracias, besó su mano, recibió su bendición y se fue sin saber a qué atenerse.

Decidió ir a Livorno y se lo dijo a Orlof quien le advirtió que los duques de Ferrara la llevarían en su carroza. Recordando ella los consejos del viejo Rasumovski declinó el carruaje de los Ferrara, ya que ir en cohe ajeno la obligaba a someterse a los planes de los otros por razones de salud o simplemente de cortesía y esto iba en menoscabo de su propia persona. Por reverencia al anciano muerto decidió ir en su propio coche y además llevar a Orlof, quien acomodándose a su lado le dijo:

—Nadie mejor que tu alteza para representar esta noche a la casa real. Y nunca ha tenido la emperatriz una representante tan hermosa.

Suspiraba ella, contenta:

—¡Nuestra madre Catalina es una santa! Es la única persona que recuerdo yo en mi infancia.

Pasó Orlof familiarmente el brazo por debajo del de la princesa y dijo:

—No es ninguna santa, aunque es bondadosa con las personas a quienes quiere. En todo caso —añadió con humor—, tal vez sea una santa a la manera rusa, como San Vladimiro, por ejemplo. Es decir, a la manera tremenda. Ella me dijo que tu alteza debía estar presente en la fiesta y representarla a ella. Fue idea suya y no mía.

—Veo —dijo ella conmovida— que la señora se acuerda de mí.

—La señora lleva en su memoria no sólo los nombres de sus parientes sino también los de sus caballerizos y los hijos de sus guardias de corps. La señora piensa en ellos y tiene que saber lo que hacen, donde están y cómo y con quién se casan. ¿Eh? Cómo y con quién y cuándo se casan.

Se sintió ella de pronto culpable:

—¿Crees, excelencia, que yo debía pedirle permiso a la señora?

—Me atrevo a aconsejarlo vehementemente.

Ella quedó meditando un momento. Se sentía impresionada por la vecindad de Orlof. Para ella representaba aquel hombre la grandeza un poco ruda de la corte. Unas veces hablaba y la miraba a ella con verdadera veneración, pero otras, aunque las palabras que decía eran comedidas, en sus ojos había dobles fondos de extranjería. Ella había retirado su brazo, pero sin violencia, con el pretexto de buscar algo en su bolso de mano.

El camino era una de las vías romanas antiguas. En los lugares donde estaba llano los caballos se lanzaban al galope y para los viajeros el coche no parecía moverse, tan delicada y bien compensada estaba la suspensión. Así llegaron a Livorno.

Fueron directamente al embarcadero. El esquife personal de Orlof los esperaba y, como era el que usaba la emperatriz cuando iba a bordo, estaba decorado con alfombras, cojines e insignias imperiales. Más que un esquife parecía un estuche.

Al fondo de la bahía, en el centro, se veían algunos barcos, uno de ellos empavesado y esplendente de luces. Llegado el esquife a la mitad de la distancia del bajel iluminado éste comenzó a disparar. El cañón de proa hizo veinte salvas como mandaba el protocolo para recibir a las personas de sangre real del sexo femenino. La princesa se dio cuenta de que aquellos cañonazos eran el saludo de su patria y le costó trabajo evitar las lágrimas.

El disparo número veinte se oyó cuando el esquife tocó la banda de estribor. La guardia presentó armas y se oyeron silbatos y tambores. Estaba la cubierta como un ascua de oro y la cámara de oficiales con sus puertas abiertas era una continuación del puente engalanado. Los invitados eran muchos y muy importantes. La misma alfombra amarilla color camello lo cubría todo. Los marineros, vestidos de gala, atendían a los invitados. Hubo baile, fuegos artificiales. Se sentía en los más pequeños detalles la presencia del imperio. "Estoy en Rusia —pensaba ella— y estos son mis compatriotas."

Hubo danzas y cantos tártaros, cosacos, mongoles, kirghises, con caftán y sin él, con calzones anchos y botas altas o calzones estrechos y botas de fieltro. Orlof se animó tanto que bailó una danza ucraniana con la princesa. Una danza que ella había bailado muchas veces en San Petersburgo siendo niña y que recordaba muy bien a pesar del tiempo transcurrido. Los italianos contemplaban a la princesa en éxtasis. Con los últimos compases de la danza uno de los oficiales se acercó a la princesa muy nervioso e iba a decirle algo cuando Orlof se interpuso, hizo una señal al oficial de la guardia y dos marineros armados se lo llevaron. Todo sucedió en una fracción de segundo.

Se lo llevaron casi en volandas.

—No sabe beber —explicó Orlof, riendo—. Es demasiado joven y no ha tenido tiempo de aprender. En este oficio del mar no sólo hay que tener resistencia para el agua sino también para el vino.

Muchos de los invitados ni siquisiera se dieron cuenta del incidente, entre ellos el ayudante del gran duque Leopoldo que iba y venía por la proa con la hija de los Ferrara.

—Aunque en estado normal —añadió Orlof— ese oficial que he arrestado es un camarada excelente, cuando bebe salen del fondo de su alma polaca no sé qué raras sombras atávicas y se enfada con nosotros los rusos. ¿No es idiota?

Reía Orlof y sus cejas hirsutas y despeinadas daban a su perfil un aire de ave de presa. Ella sonrió e hizo una pregunta más con una entonación infantil:

—¿Te ha dicho la señora alguna vez algo de mí?

—Me habló un día de lo bonita que eras cuando tenías siete u ocho años.

—Cinco, tenía entonces.

—La señora me dijo un día: aquella Tarakanova debe ser ahora una flor en sus quince abriles y si no vuelve locos a los italianos es que los italianos no tienen sangre en las venas. Eso me dijo.

Oyéndolo recordaba la princesa que había sentido más de una vez en su infancia la mano de la emperatriz alisándole el cabello. El conde añadía:

—Yo también te recuerdo, alteza, no creas que no. Te he tenido sentada en mis rodillas. Corrías por los pasillos de Tsarkoiselo con tu vestido largo hasta el suelo y levantabas las faldas por encima de las rodillas para correr mejor. Tenías ya entonces las piernas más bonitas de la corte. La señora solía mirarte en éxtasis y decir: esta niña va a ser un prodigio. No habrá en la corte quien la merezca. ¿A quién se la daremos, Orlof? A la señora le gustan mis bromas y cuando me pregunta espera alguna salida graciosa. Si no puedo ser gracioso, porque nada es más difícil que serlo a posta, salgo del paso con alguna *boutade*. Se encuentra una *boutade* más pronto que un rasgo de ingenio. Recuerdo que le dije aquel día: se la podéis dar al archimandrita de Santa Sofía, que es un viejo con fama de pícaro. La señora reía de buena gana. Ya ves, alteza, como la señora se acuerda de ti.

Al oír lo del archimandrita pícaro Lizaveta se ruborizó.

—Yo sólo recuerdo —dijo luego, feliz y familiar— que poco antes de marcharnos de la corte la señora me llamó y me hizo varios regalos, entre ellos este bolsillo de mano "para cuando seas grande". Así me dijo. Lo llevo siempre en las fiestas de gala, porque ya soy grande y con él me siento importante.

La miraba Orlof con los labios distendidos por una sonrisa de complacencia, pero en los ojos tenía una luz dura. Aquella contradicción solía dar a la expresión del conde un aire incongruo e intrigante. Orlof la trataba de un modo obviamente protector. Cuando le ofrecía vino ella no lo aceptaba y creía ver en la insistencia de él una intención galante que la hacía reír. El conde la miraba con sus ojos hundidos, redondos y fijos, de esparver.

Había dos orquestas a bordo, una rusa y otra europea. Tocaron un minueto y bailaron más de cuarenta parejas. La princesa iba con Orlof y alternaba, en los cambios, con el ayudante del gran duque Leopoldo. En los giros y mudanzas la princesa desplegó sus naturales gracias solamente —se decía— hasta el extremo que le permitía su condición de novia prometida.

A veces se extrañaba viéndose tan fácil con Orlof y pensaba: "No es raro que este hombre sedujera a la emperatriz". En las tímidas libertades de la princesa el conde Orlof veía la desenvoltura de las vírgenes. La inocencia es a veces atrevida sin dejar de ser inocente, pensaba. Es decir, atrevida por ignorancia. La princesa no llegaba a dar esa impresión, pero sí a sugerirla.

Hacía muy bien ella su papel de nieta del imperio. Cuando se lo dijo Orlof ella comentó: "Es lo único que me han enseñado desde niña, que debo ser —y lo recitó como una lección— tranquila, fría, atenta y cuidadosamente impersonal". El conde rió y apuró una copa de vino. Bebía mucho Orlof y sin duda el vino lo ponía melancólico. Habló del escaso interés que el planeta y la amable humanidad que lo habita iban teniendo para los hombres que se acercaban a la vejez como él.

—Si estás buscando palabras de consuelo te las diré, excelencia — habló ella con una especie de ironía de buena ley.

—A veces — dijo Orlof muy serio — querría ser cargador de puerto, mozo de mulas o espolique de posta. Ellos me envidian a mí, supongo. Envidian y desean algo cada día mientras que yo no envidio ni deseo nada.

Aquella melancolía de Orlof le dolía de veras a la princesa. El conde añadía:

—Aunque tengo mala fama en la corte, la verdad es que sería capaz de llevar una vida de ermitaño.

—La mala fama de los hombres no importa. Va con la naturaleza masculina, eso. Yo he oído hablar mal de ti, excelencia, y ya ves que no influye en mis opiniones.

Ella reía y él escuchaba con media sonrisa, también. Pero aquellas palabras hirieron a Orlof quien se quedó con el entrecejo fruncido tratando de pensar quién había tenido interés en difamarlo con ella. Cuando pensó en Rasumovski pareció tranquilizarse:

—A los viejos — dijo, pensando en él — la libertad y la generosidad de los jóvenes les parece ofensiva.

—Oh — insistió ella —. En los hombres nada importa nada. En cambio nosotras somos las depositarias del honor universal.

Esto le hizo gracia a Orlof, pero no rió. Se quedó mirándola con una fijeza un poco demasiado insistente.

Al terminar el baile la princesa oyó al otro lado del puente voces que le parecieron destempladas. Miró en aquella dirección y el conde le dijo, ligeramente:

—El capitán y el primer piloto tienen prohibido beber esta noche, pero mañana bajarán a tierra y se pondrán como cerdos.

—¿El polaco también?

—¿El polaco? — dijo el conde sin comprender del todo

la pregunta —. Ah, ése tendrá que seguir en su camarote. Es un cerdo melancólico.

Como hablaba ruso con la princesa podía explayarse sin cuidado. Nadie más que ella lo entendía, entre los invitados.

En diferentes grupos se comentaban las adquisiciones que había hecho Orlof: pintura, escultura y además algunos manuscritos y códices antiguos, entre ellos uno hispanomusulmán del siglo IX que el embajador español le había ofrecido a Orlof por mediación del cardenal amigo de la princesa.

—Es un libro de versos de un árabe del siglo IX que se llama Gutman.

—¿Es posible?

—Era quizás uno de esos eunucos alemanes —explicó Orlof— que servían de guardianes en los harems españoles. Tenían mucho éxito los eunucos alemanes con los árabes.

—Así se comprende —dijo la princesa ligeramente— que haya a veces árabes rubios como las espigas, ¿verdad?

Una napolitana que estaba al lado de Orlof toda movilidad y expresión soltó a reír. Pensó la princesa: "Parece gitana". Luego añadió para sí misma: "Tengo yo en Florencia el mismo éxito que tendría esta napolitana en San Petersburgo. Lo exótico se busca y se desea".

La napolitana seguía riendo y al mismo tiempo se ruborizaba por la atención que suscitaba su risa. La princesa no comprendía que todas aquellas reacciones venían de atribuirles descendencia a los eunucos alemanes.

Aquella noche era la primera vez que la trataban los rusos como princesa del imperio. Pensaba que el viejo conde Rasumovski no habría aprobado aquella promiscuidad con Orlof, pero sus manías contra algunas personas de la corte eran sin duda rarezas seniles.

Viendo a la gente rendida a su alrededor ella pensaba: "Debe ser hermoso seducir a todo un imperio, hacerse amar por cien millones de seres humanos...". Admiraba y envidiaba a su tía, la emperatriz, y pensando en volver un día a San Petersburgo se decía: "Cuando vaya, todo el mundo me encontrará muy italiana y eso estará bien".

—Nosotras las mujeres del sur —dijo la napolitana dirigiéndose al cónsul francés de Génova— somos como el ave Fénix. Renacemos de nuestras cenizas cien veces cada día. Y se podría decir cada hora. Somos las mismas y somos diferentes a cada paso.

—Es lo que envidio en ustedes —intervino Liza— y usted ha sabido decirlo mejor que yo lo pienso.

Añadió que el "ave Fénix rusa" una vez quemada se moría en un rincón de su casa mirando por la ventana los bosques de abedules.

—Un hermoso árbol, el abedul —dijo alguien, con entusiasmo.

Añadió la princesa que la corteza del abedul es blanca, abombada y delgada y que se puede escribir en ella. Cuando era niña enviaba cartas a sus amigas, escritas en corteza de abedul y ellas las guardaban como una rareza. "Hay una época en la infancia rusa en la cual se escriben cartas en corteza de abedul."

La música volvía a sonar. Ahora era una orquesta popular rusa y algunos marineros, vestidos con trajes tártaros muy vistosos, se disponían a bailar. Orlof llevó una silla al lado de la princesa, quien se sentó tendiendo la falda a los lados. A sus pies se instalaron cuatro o cinco jóvenes según la tradición de los caballeros sirvientes.

A la luz de las antorchas la princesa veía en el suelo su propia sombra; eran antorchas perfumadas que hacían sentir la fragancia del sándalo y se veía en el suelo la sombra de su cabeza con la breve corona de platino cuyas puntas eran como cuernecitos de caracol.

—Pero usted lleva un cuerpo de ballet a bordo —dijo el viejo Ferrara a Orlof, sorprendido.

Respondió Orlof bajando la voz para que lo oyera sólo Ferrara:

—No son profesionales, pero bailan como verdaderos hijos de puta.

Ferrara reía y dijo también en voz baja que los hijos de puta toscanos no bailaban, pero cantaban. Orlof añadió:

—Con bailes o sin ellos no sé cómo nadie nos toma en serio a los rusos. Es decir, sí que lo sé. No pueden menos porque pasamos a cuchillo de vez en cuando a toda una casta de nobles amigos o enemigos. Nos respetan por nuestra barbarie, pero no importa. Respeto por respeto tanto vale el uno como el otro. ¿No cree usted?

Veía la princesa en el perfil del conde un estilo violentamente depurado. Su rostro parecía de metal y no era raro que su voz sonara duramente al hablar ruso. En italiano daba una impresión diferente —de una dulzura un poco ridícula— y la princesa se decía oyéndolo: "Nadie es realmente él mismo sino cuando habla su propio idioma natural".

Había oído Liza hablar al conde Rasumovski de los Orlof. Eran boyardos de segundo orden. En una sublevación en tiempos de Pedro I fueron vencidos por el zar, quien les perdonó la vida. Pensaba Lizaveta: "Este es uno de esos hombres que no son engrandecidos por un título sino que lo engrandecen, el título". El que le dio Catalina veinte años antes.

Esa reflexión daba a su afabilidad, cuando hablaba con el conde, un tono de respeto que él percibía.

Hacia la media noche se calló la orquesta y en el más religioso silencio la marinería formó en la banda de estribor. Orlof explicó que a media noche comenzaba la fiesta nacional rusa, es decir, el cumpleaños de la emperatriz. Era aquél el verdadero motivo de la reunión a bordo aunque no se había anunciado así en las invitaciones para no obligar a las autoridades italianas a alguna clase de cortesía incómoda. Al decirlo, pensaba concretamente en el duque Leopoldo de Lorena —que había enviado un ayudante— y en algún otro aristócrata del lado de Austria que se consideraban enemigos de Catalina.

Proponía el conde Orlof tres vítores que dio a continuación y fueron contestados alegremente. Un escritor francés, que estaba entre los invitados, comenzó a hablar de la gloria que gozaba el inmenso país ruso bajo el dulce yugo de la emperatriz. Ésta, según él, era no sólo un jefe de estado digno de reverencia, sino la primera de las mujeres intelectuales de Europa y la verdadera Semíramis del norte, como había dicho el maestro Voltaire.

Habiendo exagerado un poco el escritor francés el liberalismo de Catalina habló Orlof después para puntualizar delante del representante de Lorena y de los Ferraras que la emperatriz era antes que nada una buena cristiana, que bajo su reinado las instituciones tradicionales de Rusia se habían afianzado y que era la primera en mantener el culto de la iglesia nacional rusa y en dar ejemplo con su asistencia. Hizo derivar el tema hacia el arte religioso evitando las cuestiones políticas y habló de las diferencias entre el arte religioso ruso y el europeo, de los iconos como testimonios preciosos de un arte que se extinguía, el arte bizantino de los primeros siglos cristianos, y de ese tema volvió al de sus adquisiciones de obras en Italia. Era aquél el objeto de su viaje y había comprado y tenía a bordo obras del más alto valor. Se proponía ir a Venecia con el mismo fin.

Habló del genio de Italia vivo en sus artistas y de que había comprado también algunos cuadros españoles y franceses e incluso tres Rembrandts de veras excepcionales. El museo que estaba formando Catalina iba a ser el más rico del mundo y lo era ya, aunque no por sus colecciones de pinturas, todavía, sino mas bien por los llamados tesoros de Crimea con joyas históricas de inmenso valor.

—En esos tesoros — añadía en un tono familiar — están las coronas de cuatro emperadores bizantinos incluida la de la última dinastía de los Paleólogos y algunos trajes de boda de princesas, todos bordados con perlas rosadas y negras, es decir, con más de tres mil perlas cada uno.

El viejo duque de Ferrara y el edecán de Lorena dijeron que habían visto aquellas coronas bizantinas e hicieron de ellas entusiastas elogios cada uno de los cuales le parecía a Liza un elogio personal para ella, de tal modo se sentía identificada con su país.

El duque de Toscana hizo preguntas a Orlof sobre el barco en el que estaban — era en sí mismo una obra de arte — y el conde explicó que había sido construido con dibujos y planos del mismo Pedro el Grande, después de su muerte. La estabilidad dependía de que la base de sus mástiles estaba empotrada en tres moldes de plomo y había más plomo distribuido en lugares diferentes como los alvéolos de las escotillas, los anillos y armillas de los mástiles e incluso el engaste del mascarón de proa, que era una figura de mujer tallada en madera sin pintar y que parecía realmente humano y flotaba con la brisa.

El ayudante del duque de Lorena que se llamaba Giulio Balbo dijo que le gustaría verla, pero suponía que no era posible sino cuando el barco estaba atracado en los muelles.

—No señor —replicó Orlof— porque el mascarón de proa o Katia como la llaman los marineros se puede ver desde la cubierta incluso de noche gracias a una hábil combinación de espejos.

Algunos fueron a comprobarlo. Un marinero se descolgó hacia la parte exterior de la quilla con una linterna que daba una luz blanquísima.

Los muslos de Katia se veían iluminados y proyectados en el fondo de un espejo que reproducía la figura en tamaño casi natural. El conde movió un poco el espejo haciendo girar un pequeño tornillo que rectificaba el ángulo de reflexión y la figura se vio entera y como animada y viva. La brisa removía su cabellera en torno a uno de los brazos que estaba alzado y cruzado detrás de la nuca.

—Se diría una figura de cera —dijo alguien.

Tenía una frente ligeramente abombada de una gran pureza de líneas. Una dama ya entrada en años dijo: "Se parece a Simonetta, la de Boticelli". Las formas del mascarón eran delicadas, los muslos sobre todo tenían una plasticidad rara y se veía que el artista había disfrutado modelándolos.

Había un detalle por el cual se hacía el mascarón de proa violentamente obsceno. En el triángulo del pubis se había formado alguna clase de musgo por la humedad y las semillas que el viento y el azar depositaron allí. El pubis con musgo hacía aquel desnudo demasiado realista y algunas mujeres se apartaron riendo.

La princesa hizo elogios discretos de la escultura.

Entretanto Orlof decía que cuando un marinero cometía una infracción grave le condenaban a pasar nadando bajo la quilla de un lado al otro barco y solían después trepar por la proa y besar a Katia mientras la tripulación en la borda reía. Un joven pariente de los Módenas que se llamaba Paolo Raggio se atrevió a decir que aquel era una castigo excesivo y el conde le dio la razón y dijo que si los rusos no fueran crueles no serían nada ya que no supieron pintar como Leonardo ni esculpir como Miguel Ángel. Los que lo oían no sabían si Orlof hablaba en broma o en serio. Añadió Orlof que Katia, como cada mujer, tenía sus misterios y en determinadas épocas del año los fuegos de Santelmo aparecían en torno a la cabeza de la estatua en forma de halos azulinos difusos.

Tenía la estatua dos ojos de vidrio azul que parecían de pez, según Orlof. Eso no quería decir que hicieran mal efecto en un rostro humano. Algunos animales del mar tienen ojos humanos, aunque bien mirado aquellos animales no eran exactamente peces: la ballena, por ejemplo, y el pulpo. Los ojos de la ballena y sobre todo los del pulpo crecido y en pleno desarrollo son idénticos a los de los hombres y tienen incluso expresiones humanas de amor o de odio, de irritación o de placer. Miran unas veces con curiosidad, otras con melancolía o amor o reproche.

La napolitana protestó:

—¿Cómo puede haber expresión humana en los ojos de un pulpo?

—Eso me pregunto yo también, pero lo dicen los naturalistas que los han visto de cerca. Katia no tiene los ojos de pulpo, es verdad —dijo Orlof muy serio—, sino de delfín. Los ojos de Katia son azules y están mojados siempre por la niebla y por las salpicaduras de las espumas, como los del delfín. Lo mismo que ese pez, Katiuska es amistosa y juguetona, ¿verdad Kolia?

Preguntaba a un oficial, quien respondió con una ancha sonrisa silenciosa.

La princesa y la napolitana se dirigieron a la popa cogidas de la mano. Al verlas alejarse el conde alcanzó a Liza y le dijo suplicante:

—No te marches, alteza, por favor, porque si te vas se irán todos. La etiqueta los mantiene aquí mientras estás tú a bordo y necesito que la fiesta se prolongue un poco todavía para honrar a la señora en su cumpleaños. Además, quiero tener el privilegio de conducirte a tierra como te traje aquí, es decir, en el esquife de su majestad.

Ella respondió a media voz, un poco impresionada por el gesto suplicante del conde:

—Me siento a gusto aquí porque es como estar en Rusia, y si se trata de honrar a la señora, me quedaré toda la noche, y más, si es preciso.

La orquesta de baile tocaba otra vez.

Conducía el baile el cónsul de Génova con un bastón de plata y en la otra mano una flor que se llevaba de vez en cuando a la nariz. La brisa había crecido por el lado de levante y los rizos de la peluca del cónsul se alzaban sobre la oreja mostrando el cráneo afeitado. Aquel hombre daba instrucciones acompasadas a la música, en francés.

Dijo Orlof que al amanecer dispararían veintidós cañonazos en honor de la emperatriz cuyo cumpleaños era.

—¿Cuántos cañones lleva el barco? — preguntó alguien.

—Me está prohibido decirlo, pero puede usted contarlos si tiene curiosidad.

Hubo risas amables y Orlof añadió que la prohibición era sólo una vieja fórmula. Ferrara dijo que, según creía, aquel barco debía tener ochenta bocas de fuego y corazas de no más de seis milímetros.

—En lugar de acorazado sería mejor decir calafateado nada más —explicó Orlof— porque nuestra coraza no resiste un cañonazo directo a media milla. En definitiva este barco es un barco ligero y femenino, un barco de recreo con las baterías y las troneras para salvas de cumpleaños.

Ponía en esas bromas Orlof una especie de orgullo de cortesano que capitanea el barco de la reina.

El baile siguió. Hubo algunos casos de embriaguez correctamente disimulada y, como siempre, algunas parejas se extraviaron en los rincones oscuros. La princesa elogió la belleza de una señora de la casa de los Médicis y dijo que en cada generación de aquella familia había una mujer con el nombre de Lorenza.

Respondió el conde que, en su opinión, el tipo ruso de mujer era superior. Cuando lo dijo estaba hablando aparte con Lizaveta. Las italianas eran bellezas frágiles, de estilo, es decir, de superficie y maneras. La belleza rusa era de estructura, de esqueleto.

—Como Katiuska —concluyó—, la máscara de proa.

Iba Orlof diciéndole a Liza en ruso: "El cónsul francés

de Génova tiene un discurso aprendido en italiano. Vamos a dejar que lo suelte y después, si quieres, alteza, advertiré que dejas a cada uno en libertad de retirarse si lo desea y así los viejos fatigados se marcharán. Pero hay que esperar un poco todavía. Me gustaría cuando vaya a Venecia comprar alguna de las Venus que pintó Tiziano. ¿Sabes por qué? Porque todas se parecen a la emperatriz. Las mejores están en España. Tiziano pintaba Venus para el rey Felipe, quien las ponía en un cuarto secreto y se retiraba a contemplarlas a veces no como pinturas sino como mujeres. Espectáculos sugestivos. No me extraña en un rey tan puritano. Los reyes como Felipe II, con fama de ascéticos, suelen ser tremendos libertinos secretos. En cambio cuando un rey o una reina tienen fama de viciosos suelen ser honestos y razonables en privado. Por otra parte los libertinos son siempre buena gente en todas partes. Felipe de España, después de contemplar los desnudos que le enviaba Tiziano, se iba a presidir los autos de fe.

—Las Venus de Tiziano ¿se pueden exhibir en público? —dijo la princesa creyendo que hacía una pregunta adulta y arriesgada.

—Sí, claro. Tiziano era un hombre de genio. Sus Venus son escandalosas por la luz y por la riqueza expresiva, es decir, por el entusiasmo con que las pintaba en su alegre vejez. Pero no hay procacidad. Iré a Venecia a ver lo que encuentro allí, pero todavía tardaré quince días en salir de Livorno porque debo esperar aquí correos de su Majestad. Después iremos a Venecia y nos quedaremos allí algún tiempo. Prométeme, alteza, venir a visitarnos y a presidir otra fiesta a bordo en nombre de la señora.

Ella no respondió.

Con los pies juntos el cónsul de Génova levantó la copa a la altura de sus ojos e hizo un brindis de circunstancias bastante adulador para la emperatriz y para su prima a bordo. Acabó brindando por Catalina la grande y por Leopoldo de Lorena.

Luego le tocó el turno a Balbo, que a pesar de su aire casi patibulario fue gracioso y ligero. Brindó por la emperatriz y por su sobrina, quien dio las gracias y añadió al final: "Me considero tan italiana como rusa en este momento y creo que me será permitido brindar como rusa por Italia y como italiana por Rusia". Pidió consejo —en broma— a Orlof quien con ese pretexto aludió a la abundancia de consejeros —todo el mundo era *consejero* de algo, en Rusia—, a la falta de buen consejo y a la irregularidad tradicional del mal aconsejado carácter ruso y finalmente habló de las viejas glorias de la Toscana y brindó por la princesa y por la emperatriz.

Se había olvidado el conde de advertir que la princesa les relevaba del protocolo y por esa razón nadie abandonaba el barco. Pensó Lizaveta que había sido un olvido deliberado para hacer durar más la fiesta, lo que no le disgustó.

Alrededor de los Médicis se hablaba de arte. La Primavera de Botticelli, decía la marquesa, era un prodigio; pero Ferrara prefería el nacimiento de Venus con las brisas de carrillos hinchados soplando y una Venus rubia y juvenil cubriéndose el sexo con una mano y los senos con la otra.

La cabeza de aquella Venus era parecida a la del mascarón de proa. Al decirlo el duque, algunos se volvieron a mirar a la princesa pensando: entonces se parece también a ti. Es cierto que había algún parecido. Hablaba el viejo Ferrara de la modelo de Botticelli como si la hubiera conocido personalmente, con esa fruición que los italianos ponen hablando de la belleza natural o artística. Además, tenía la aristocracia florentina una gracia y una facilidad para el contacto con la plebe —al fin, Botticelli era plebe— que Orlof no acababa de entender.

Es verdad que el pueblo ruso era entonces, en su mayor parte, esclavo y la esclavitud envilece al mismo tiempo al siervo y al señor.

Conocía Ferrara el pasado de Florencia por las tradiciones de familia. La joven rubia que sirvió de modelo en casi todas las obras de Boticelli se llamaba Simonetta Vespucci. Era esposa de Marco Vespucci, genovés y primo de Américo, el que dio su nombre al contiente americano después de los primeros viajes de Colón.

Como todos conocían alguno de los cuadros de Botticelli era fácil reconstruir en su imaginación a la inefable rubia. Simonetta era una muchacha de rostro de cristal color melado, la cabellera ondulada bajo la brisa húmeda de la mar, los senos virginales y las caderas angélicas, una de esas mujeres que todos los hombres han violado alguna vez en sus sueños.

Carnal y erótica, Simonetta era, sin embargo, de una dulzura inmaculada. Ferrara recordaba unos versos de Poliziano que en el siglo XV hacía una descripción de Simonetta, cuyo primer verso era:

Cándida é ella e cándida la vesta

pero el mismo Lorenzo de Médicis —el Magnífico— escribió un soneto dedicado a la delicada ninfa, que comenzaba:

O, chiara stella, che co'raggi tuoi
toglie alle tue vicina stelle il lume
perché splende assai piu che'l tuo costume?
Perché con Febo ancor contender vuoi?

Todo el mundo estaba enamorado de Simonetta en aquel glorioso *quattrocento* y la pobre Simonetta murió en plena juventud y fue acompañada al cementerio por la ciudad entera. El ataúd iba descubierto para que la población viera a la muchacha, hermosa en su muerte como había sido en su vida.

Leonardo de Vinci la vio pasar e hizo un apunte al lápiz, exquisito. Luego lo puso en uno de sus cuadros, en la Anunciación de la Virgen María. Giuliano de Médicis escribió también elegías sobre aquel perfil inerte. Dijo Poliziano otras cosas en verso sobre Simonetta la bella:

...qui l'erba e'fior, qui il fresco m'alletta
quinci el tornare a mia magione e corto:
qui lieta mi dimoro, Simonetta.

Para los toscanos el nombre de Simonetta Vespucci era entonces un nombre familiar.

Estaba en otros cuadros famosos, en la *Madonna col Figlio,* de Lippi, en la *Calumnia,* de Botticelli, también.

Conocía la princesa la figura de Simonetta porque la había visto muchas veces en los cuadros de la época y, aunque reconocía que se le parecía mucho, pensaba que las piernas suyas eran un poco más largas que las de Simonetta en *El nacimiento de Venus*. Éstas eran demasiado cortas para que las proporciones fueran perfectas.

Pensaba en eso la princesa con timidez y vergüenza, pero no podía evitarlo.

Murió Simonetta tan joven que algunos vecinos de Florencia que no la habían visto en vida se enamoraron de ella viéndola muerta en su ataúd abierto. Toda una generación de toscanos entre los cuales había etruscos altivos y violentos —nobles gibelinos, democráticos güelfos—, astutos semitas, solemnes ostrogodos, estuvo enamorada de Simonetta y la generación siguiente lo estuvo de su recuerdo.

Liza pensaba: es verdad, eso. Pero ¿quería por su parte Simonetta a alguien? Porque lo importante en realidad es querer uno mismo. La verdad es que Simonetta era esa clase de mujer pasiva que ama a los que la aman por reacción virtuosa y por gratitud. No tuvo hijos, de modo que le faltó la gracia de la maternidad. Decía Ferrara que había visto en tiempos un cuadro en el que Simonetta aparecía de busto totalmente desnuda, con una serpiente arrollada al cuello como único adorno. Los que miraban aquel cuadro pensaban en Cleopatra, pero Ferrara dijo que había entre los blasones de los Médicis una culebra mordiéndose la cola y que probablemente era un cuadro pintado para Lorenzo el Magnífico. El autor era Pietro de Cosimo.

Todavía había más pinturas de Botticelli donde aparecía la ninfeta del siglo XV.

—Lástima —dijo Orlof— que no puedo llevarme a Simonetta en alguna de esas tablas de Botticelli.

—La lleva en la máscara de proa —dijo la duquesa de Ferrara.

Todos miraron a la princesa Tarakanova, otra vez.

Como suele suceder, una vez desveladas las personas que pensaban haberse retirado y no lo hicieron parecían más frescas y ágiles. Era lo que les pasaba a los Médicis y al lúgubre edecán del duque Leopoldo que hablaba con los Ferrara de las dificultades de Florencia con los estados vecinos que no eran estados y con un tipo de política que no era tal sino más bien una red de resentimientos familiares.

Lizaveta estaba segura de que Orlof no creía en nada, ni en el amor ni en la religión ni en el imperio. Eso lo habría hecho repelente si no diera la impresión de que tampoco creía en sí mismo. Ella le había hecho algunas preguntas, pero Orlof estaba hablando otra vez de pintura y escultura italiana. Ferrara dijo que algunos nobles florentinos tenían verdaderos tesoros de arte y que seguramente los liquidarían porque necesitaban dinero. Al decir los nombres Orlof los escuchaba sonriendo con ironía como si pensara: "Llegas tarde porque yo sé muy bien quienes son y qué es lo que tienen en sus colecciones".

Se acercaba otra vez a la princesa. Le presentó a algunos invitados nuevos con nombres ilustres como los Valori y Altoviti, patricios que un día fueron comerciantes o artesanos o servidores de la ciudad en magistraturas y otras posiciones. La historia de Florencia era rica en ejemplos de democracia y se había adelantado en ese sentido a la revolución francesa en algunos siglos.

Todo era noble ya en Florencia, hasta la picardía y la astucia de lo güelfos. Otros nombres con resonancia histórica eran Rondinelli, Antinori, Tebalducci, Giacconini, Dosio y había algunos de ellos a bordo, buenos burgueses con gustos patricios.

Avanzaba la noche y los rusos parecían siempre frescos y dispuestos a seguir ofreciendo vino y hablando aquel idioma italiano lleno de errores que hacía reír a las muchachas.

Eran los ojos de Orlof redondos y luminosos en el fondo de las cuencas.

—¿Sabes lo que me decía Lorenza de Médicis? —le confió Liza, bromista— Que pareces un pirata próspero en su barco.

—¿Yo? —preguntó él, halagado—. ¿A mis años? Para un pirata son demasiados cuarenta y ocho, es la edad del lumbago y del reuma. El oficio de pirata es para los jóvenes. Pelear con algo que no tiene presencia, como el viento, es difícil y esforzado. De todos los peligros del viento el mayor és ese: no tiene cuerpo y sin embargo amenaza por todas partes.

—Sí que lo tiene — dijo ella.

—Es verdad que en buena lógica si el viento puede mover un cuerpo tiene que ser un cuerpo también, pero esto que digo ahora es poesía. El vino nos hace poetas y buena falta nos hacen en San Petersburgo. No tenemos a nadie. ¿Lomonosov? Es todo lo que tiene la noble y santa Rusia: Lomonosov.

—¿No es lastimoso, eso? — comentó ella.

—No tenemos poetas — añadió él, sin oírla — porque todos vivimos la poesía con las costumbres de cada día, con la religión, una religión de blasfemos, pero religión al fin, con las selvas de abedules y con los mares muertos del sur. También con el odio y con el crimen.

La princesa lo miraba a la cara y recordaba que una de las maneras de mostrar alguna turbadora atención sobre la persona que tenía delante era mirarlo no a los ojos sino a alguna parte del rostro, a la mejilla, a la oreja, al bigote. Orlof no tenía bigote aunque era obligatorio en los militares. Lizaveta miraba también su condecoración — la más alta del imperio — en la casaca bordada de oro. Luego dijo:

—¿Eres viejo para pirata?

—Sí, a mi edad los piratas suelen retirarse, se sientan al fuego y se dedican a hacer calceta.

Cerca de ellos se hablaba aún de arte. De Miguel Ángel, nada menos. Estaba Orlof deslumbrado por Miguel Ángel, no por su obra sino por su fama escandalosa y la aureola legendaria de su vida. El hecho de que aquel hombre pequeño y casi contrahecho hubiera desafiado al pontífice Julio II y discutido con él sobre arte y sobre teología le asombraba. Insultándolo en público arriesgaba la cárcel y el patíbulo y además salía victorioso e indemne. Miguel Ángel había arrojado sobre la cabeza del papa un cubo de pintura desde lo alto del andamio de la Capilla Sixtina donde trabajaba. Y lamentando no haber podido matarlo lo pintó con su verdadera cara entre los condenados que sufrían las penas del infierno y rabiaban consumidos por las llamas. Admiraba Orlof a Miguel Ángel más que como artista —decía él— como genuino bellaco.

Llevaba Orlof algunas obras de Miguel Ángel bien empaquetadas por gente experta para que no sufrieran en el largo viaje con la humedad salada. Pero la princesa seguía con su tema y dijo que Rasumovski admiraba a los piratas, sobre todo a los ingleses.

Escuchándola, Orlof se decía: "Aquí está la princesa hablando de su propio padre y llamándolo por el apellido: Rasumovski". Aquello era algo que un pirata no osaría nunca.

Liza hablaba a veces por hablar, es decir, por no estar callada:

—¿Qué personas o cosas has visto en Florencia, conde? —preguntaba.

Comprendía Orlof que la curiosidad de ella era un poco infantil y poniéndose a tono respondía:

—He hecho amistad con una mujer que vive al otro lado del Ponte Vecchio: una bruja.

Había oído hablar la princesa de aquella bruja a la azafata alemana, quien solía ir a que le echaran las cartas. Se llamaba Jacopina della Luna.

El viejo Ferrara se acercaba al oír el nombre:

—No es italiana esa mujer —dijo— sino española. Sabe hablar español, aunque podría ser —añadió— que lo simule para hacerse valer, porque las brujas españolas se estiman más que las italianas. En todo caso Jacopina es descendiente de aragoneses.

Le había dicho la bruja al conde que descendía de los Borgias, de César directamente —por vía de varón— o tal vez de Lucrecia.

—Este saber de la magia negra —le dijo Jacopina a Orlof— sólo lo practico con personas de calidad y me viene por línea vaticana.

No dijo por linaje papal sino *por línea vaticana*. El conde no repetía otras cosas que la bruja le dijo por respeto a la inocencia de Lizaveta.

Ferrara, hombre alto, rubio, descendiente de la famosa Lucrecia, decía con toda clase de detalles (prometía mostrarles si querían los documentos que tenía en su casa de Milán) que no había habido en la historia un caso de honestidad familiar, dedicación maternal y virtud como el de la hermosa Lucrecia. Tenía pergaminos donde había anotado la historia de cada uno de sus bebés —si las heces de sus pañales eran amarillas o verdes, si ganaban peso o lo perdían— y se condujo siempre como una esposa y madre sencilla y ejemplar. Por otra parte, sabía latín y griego y discutía de filosofía con los filósofos. En sus salones se reunían todos los artistas y los sabios de la época.

La mala fama de Lucrecia venía de los enemigos políticos de su familia y de los artistas resentidos y envidiosos. Porque ella hacía reputaciones y las deshacía con una sola palabra. Y un artista ofendido es el peor y más peligroso de los monstruos.

Pero Lizaveta quería hacer preguntas a Orlof. Quería saber por qué había ido a consultar a Jacopina della Luna. Dijo Orlof, no se sabe si en serio o en broma:

—Si lo dijera contraería una grave responsabilidad conmigo mismo.

Los invitados, excitados por el desvelo y el alcohol, parecían animarse más que al principio de la fiesta. Orlof ofrecía cigarrillos turcos en cajitas de sándalo oloroso, que regalaba.

El mar respiraba a lo lejos contra las arenas del puerto y en el fondo de la noche se percibía a veces el silencio, con ecos vastísimos, de la Hesperia Magna.

Quemaron fuegos de artificio. Cuando del remate de un cohete salían dos estrellitas verdes y una roja descendiendo dulcemente todos sentían resucitar su propia infancia.

Creía la princesa que la mujer italiana tenía mucha autoridad social, más que en otros países. A ella le parecía bien, pero en Rusia era diferente. Al ver que regresaba Orlof y se le acercaba añadió: "Aunque Orlof no lo crea". Con Orlof llegaba un diplomático francés, quien iba diciendo que en Rusia todo era grande: el vicio y la honestidad. Los ladrones y los asesinos y los policías rusos eran gente descomunal y épica; los santos eran de una virtud ofensiva con sus dimensiones sobrehumanas en el bien o en el mal.

Pero Orlof negaba, sentado y mirando las puntas de sus propios pies:

—Las cosas de Rusia no son nunca lo que parecen a primera vista. En todas las cosas de Rusia y de los rusos hay una verdad aparente y otra escondida. Los extranjeros sólo ven la aparente.

—Eso no será siempre — advirtió el diplomático.

—*Toujours, mes amis* — respondió Orlof pidiendo más vino al primer piloto.

—¿Cuál será la verdad escondida esta noche? ¿O no la hay? — pregunta a Lizaveta.

El conde reía y callaba.

Pasaban las botellas de champaña en manos de los criados — bajo la ligera vigilancia del primer piloto — envueltas en servilletas húmedas y los taponazos y las explosiones de los cohetes en lo alto se confundían.

Los fuegos sobre el agua de la bahía duraron más de una hora y después, cuando la noche comenzaba a declinar, Orlof vio que algunos invitados no sabían si marcharse o no y les dijo:

—Su alteza real la princesa Tarakanova dispensa a ustedes del protocolo.

Quería decir que podían marcharse cuando quisieran. Y Orlof, viendo a Lizaveta con los nervios laxos de la despedida le dijo:

—¿Puedo darte un consejo, alteza? La cámara real está dispuesta en el barco. La misma de la emperatriz nuestra señora que Dios guarde. Podrías descansar allí esta noche, y mañana con el día hacer el viaje a Florencia.

Ella vacilaba. Orlof la contemplaba con el gesto de los que miran por encima de las gafas aunque Orlof no las usaba. La princesa decidió quedarse aquella noche a bordo y Orlof se puso a despedir a los que se iban. Algunos se quedaron aún jugando a las cartas y bebiendo hasta el amanecer, pero la princesa se retiró a la cámara imperial y se preguntaba: "¿Aprobaría el cardenal esta decisión mía?".

Orlof cuidaba de que no hubiera en la cubierta ruidos que pudieran incomodar a la princesa en su sueño.

IV

Despertó Lizaveta hacia el mediodía y al asomarse desde la cama por la escota vio un horizonte marinero abierto hasta el infinito y oyó crujir el maderamen de un modo casi rítmico. El barco estaba en alta mar. Tiró de una cinta de damasco bordada como una estola que pendía al lado del lecho, se oyó lejos una campanita y acudió Orlof en persona.

—¿Dónde estamos? — preguntó ella, sorprendida, pero no disgustada.

—En el mar. En alta mar.

Pensó la princesa que Orlof había decidido dar un paseo con el barco para amenizar su visita a bordo.

—Es encantador, pero tengo que volver a Livorno. ¿Cuándo volveremos?

—No — dijo él tranquilo, cargando una pipa holandesa de tabaco rubio —. Ya no irás nunca a Livorno ni a Florencia, criatura. Ahora todo es diferente.

Orlof no la llamaba alteza, sino criatura. Cariñosamente, es verdad.

—Pues, ¿a dónde vamos?

—A Rusia.

—Tengo que volver a Florencia, Orlof. Tengo allí mi casa, mis vestidos...

Rió Orlof con una pequeña carcajada. Sus vestidos.

—¿Para casarte? — dijo sin dejar de reír —. ¿Con quién? Ha habido tiempos en que los polacos tenían grandes ambiciones. ¿No te hacía leer historia el conde Rasumovski? Digo, la historia de Rusia, la historia de Europa. ¿No? En todo caso no es un capricho mío sino órdenes de la señora.

Se dio cuenta la princesa de que había sido atrapada como un animalito en un cepo que llevaba grabadas las insignias del imperio: el águila bicéfala.

—¿Es que estoy presa, Orlof? ¿Quién dio la orden? ¿La señora? —él afirmaba—. Yo la quiero bien a la señora —dijo, temblando.

—No hay ninguna razón para dudarlo, pero tengo órdenes.

—¿Qué órdenes?

Él hizo un gesto vago. "No es preciso hablar y debes entenderlo de una vez. Todo es diferente, ahora."

Pensaba la princesa: "suponiendo que mis planes de boda fueran un crimen contra el Estado ¿quién me ha denunciado? ¿Quién ha dicho a la emperatriz que Radzivil era su enemigo?".

Por su mente iban pasando la baronesa alemana, el duque de Ferrara, los marqueses de Médicis, todos los invitados a la fiesta le parecían de pronto enemigos. El cardenal también, incluso el cardenal. Tenía miedo la princesa, pero por el momento aquel miedo no iba más lejos de los riesgos menores, por ejemplo, una reprimenda un poco dura de la emperatriz y la prohibición tal vez de salir de San Petersburgo. Probablemente la orden de elegir otro marido ya que dentro de la familia imperial nadie se casaba sino con el elegido de la emperatriz.

—Alguien nos ha acusado falsamente, Orlof. ¿Quién?

Escuchaba el conde con una atención perezosa. Ella seguía preguntando:

—¿Podré ver a la señora cuando llegue? ¿No? ¿Qué voy a hacer en Rusia, entonces?

—Tal vez casarte. ¿No ibas a casarte con un polaco? Eso sería una polacada. Cásate conmigo, alteza, que sólo tengo cuarenta años. Estoy casado, es verdad, pero sólo un poquito nada más.

Diciéndolo señalaba el canto de una uña.

—No entiendo.

—El resto de mi soltería te lo puedo dar a ti, alteza.

—¿Estás borracho todavía, Orlof?

—No, alteza. Cuando tengo una misión delicada no bebo.

—¿Me vas a llevar a Rusia para evitar que me case con el paladín de Vilna? ¿Es esa la sorpresa? ¿Sí? ¿Y qué harán conmigo cuando llegue allí?

Orlof tenía la pipa encendida y se sentaba en la cama con movimientos habituales y honrados como los del viejo Rasumovski. Pero no contestaba. Ella seguía indagando:

—¿Cree la emperatriz que mi boda con Radzivil perjudicaría a Rusia? Si la señora no quiere yo no me casaré.

Tomaba Orlof un acento de complacencia maternal:

—Eres buena muchacha, sobre todo ahora que estás en nuestras manos. Brava cosa. Bravísima, como decían anoche tus amigos. Y sobre todo prudentísima. ¿Qué dices? ¿Si te llevaré a Livorno? No, criatura, no insistas. Ya te he dicho que tengo órdenes. Voy a llevarte a San Petersburgo como una obra de arte más —Orlof lo decía en serio— con la cual no sé lo que quiere hacer la señora. O tal vez lo sé y no estoy autorizado a decirlo.

—¿Entonces la fiesta de anoche era un pretexto?

—Tenía que devolver las atenciones de los nobles toscanos.

—Una trampa.

—Quizás una trampa de oro, es verdad. Ha costado miles de rublos al tesoro imperial. Pero no estuvo mal la fiesta ¿eh?

—¿Tu viaje a Livorno era sólo para esto?

Había que aprovecharlo de algún modo y he comprado esculturas. ¿Quieres verlas? Cada vez que salgo del país tengo que hacer un regalo a la señora porque de otro modo se enfada. Me honra con su amistad y no debo decepcionarla mostrándome olvidadizo ni descuidado. Debo ser generoso. Con dinero de la señora, claro. Esta vez además de los regalos del viaje le hago otro de cumpleaños.

—¿Qué regalo de cumpleaños?

—Tú.

—Entonces —dijo ella con cierta alegría— ¿me será permitido ver a la señora cuando llegue?

—Temo, alteza, que sea una esperanza vana. Tu asunto está resuelto y fallado. Yo fui a Livorno a buscarte a ti y la compra de obras de arte era sólo una distracción, como se dice en lenguaje militar. Un pretexto.

Luego Orlof alargó la mano y le hizo una caricia demasiado atrevida con los ojos encendidos. La princesa se incorporó, arisca. Entonces Orlof insistió y ella le dio una bofetada, una verdadera bofetada violenta y sonora, que le quitó la pipa de los dientes y esparció el fuego por la alfombra. Orlof se apresuró a apagarlo diciendo: "¿A ver si vamos a quemar el barco de la emperatriz?". Luego añadió:

—Si supieras cuál es tu verdadera situación no te conducirías así, Lizaveta.

—No me importa mi situación.

—¿Que no? —dijo él, sonriendo—. ¡Vaya si te importaría si la supieras! Ahora estás a merced mía y puedo hacer de ti lo que quiera. No es necesario que te lleve a San Petersburgo ni que dé cuenta de ti a nadie. Pero prefiero llevarte viva a Cronstadt. Desde allí iré a notificarlo a la señora y ella dispondrá lo que se hace contigo. No quiero esta vez justificar mi fama de monstruo fabuloso.

—¿Qué crees que dispondrá la señora? —dijo ella, lívida.

Vio Orlof en el cuello de ella una finísima cadenita de oro. Tiró de ella (otro movimiento atrevido) y salió el escapulario que le había regalado el cardenal. Orlof dijo:

—Yo tengo otro como ese.

Después de una pausa añadió: "Los cardenales dan escapularios. Y a veces dan bendiciones y otras cosas".

—¿Tú lo conoces al cardenal, Orlof?

—Sí, claro.

—Pero tú no eres católico.

—Al llegar a ciertas alturas esos detalles no cuentan. Católicos, protestantes, ortodoxos, judíos, ateos mismos, ¿qué más da? El mundo se divide sólo en dos grandes categorías: los que mandan y los que obedecen. El cardenal y yo somos de los que mandan. La princesa lo miraba y tenía miedo a todo sin dejar de hacer observaciones frívolas. El cardenal no la había autorizado a ir a Livorno y tampoco le había aconsejado que no fuera. Se había lavado las manos.

Allí donde un jerarca se lava las manos un corazón puro está en peligro.

—¿Me ha denunciado el cardenal? —Orlof no contestaba—. ¿Qué interés puede tener el cardenal?

El conde callaba. Ella se sentía perdida del todo aunque siempre queda un resquicio a la esperanza cuando se tienen diecisiete años. Creía que había caído en un pozo oscuro, pero había un resquicio de salvación.

—¿No quieres decirme lo que harán conmigo en Rusia?

Gozaba Orlof sintiendo en los nervios de ella —que disimulaba el miedo— aquel temblor virginal y Lizaveta seguía hablando:

—¿A dónde me llevarán, a la fortaleza de Pedro y Pablo? ¿Pero por qué? Yo no he hecho nada, Orlof. Tampoco Radzivil ha hecho nada. ¿Por qué nos han de castigar? ¿Es cosa de la señora misma? ¿Es posible? ¿Y sin apelación? ¿Tan perdida estoy?

Orlof tardaba en responder, como si estuviera incubando alguna clase de decisión no del todo madura. Por fin habló:

—Francamente, criatura. Estás perdida como un perro aplastado por un trineo. Sin embargo, eres hermosa y todos somos hombres a bordo. La única puerta que te queda abierta es esa. Tú podrías ser mía. Si yo llego a enamorarme, lo que podría ser muy bien, te pediré a la señora en matrimonio. Es posible que ella tenga celos de ti y te haga matar cuando yo le pida permiso para desposarte. Bueno, perdona, aunque me río lo digo en serio. O es posible que no tenga celos porque ahora está comenzando a enamorarse de un fraile que se llama Potemkin y a olvidarme a mí. En ese caso me autorizaría a casarme contigo y tú salvarías tu vida. ¿Oyes? Salvarías tu vida. ¿Qué te parece? Pero todo esto —añadió magnánimo— sólo en el caso de que yo llegue a interesarme de veras. Si no me gustas bastante entonces te daré a los oficiales y si ninguno de ellos se enamora tampoco, lo siento mucho, pero entonces te daremos a la marinería. Mal negocio porque éstos, digo, los marineros, no pueden entroncar con la familia de Pedro el Grande, tú sabes, aunque se enamoren. En todo caso si tienes la suerte de que se enamore de ti un oficial noble yo te prometo interceder con la señora para que te perdone. No me extrañaría que ella me escuchara. Pero se dan otras circunstancias y todo hay que tenerlo en cuenta. Tendría que ser el primer oficial que te tuviera en brazos y aun así... la mayoría de los tripulantes se consideran demasiado inferiores a ti para poder casarse y por otro lado tienen miedo a la señora. Digo, los oficiales. El primero que te conozca podría casarse contigo porque los cuernos recibidos de mí les honran. Pero el segundo ya no es tan seguro, porque el honor es cuestión de jerarquías. No se dará el caso. Tienen todos miedo a la señora. Ni siquiera un marinero se atrevería a dar la cara por ti. La humanidad es bastante cobarde como ves. ¿No te habías dado cuenta aún? No importa, yo no la he hecho, la humanidad. Bien, por ahora serás mía. Es el recurso más importante que te queda: mi amor, si ese amor nace en mi noble pecho, lo que podría suceder. Me darás a mí lo que has prometido a Radzivil y mientras seas mi amante estarás con un pie en tierra firme. Una tierra con un mañana, todavía. No, no trates de llamar que no acudirá nadie. No trates de abrir la escotilla, que está clavada. Ni de salir de la cámara cuando yo me vaya, porque te encerraré con llave. Pero ya digo, si eres buena chica tendrás al menos treinta y cuatro días de vida relativamente libre y gustosa a bordo. A tu edad los días son largos y treinta y cuatro son tantos como una vida, si los sabes aprovechar, claro. Antes te dije que yo estaba un poquito casado. No es verdad, no lo estoy poco ni mucho. Y este es el momento de decirte — y la voz le temblaba — que te deseo y que quiero tenerte en mis brazos, porque yo, Orlof, siempre he tenido en mis brazos las mujeres que he deseado. Más tarde podría ser que me casara contigo y en ese caso tú salvarías la piel, pero vivir conmigo supongo que no es muy divertido. He hecho el amor centenares de veces, millares de veces, sin sentir amor alguno. ¿Por qué? Por razones de Estado, por ridícula vanidad, por aburrimiento y por pereza. Por vicio. También por cálculo, claro. Lo que quiero decir es que el amor sin amor me va mal a la cabeza, me da jaqueca y catarros nasales. No es un amor completo. Tal vez es ocioso que te hable así porque tú no sabes de estas cosas, eres demasiado joven. Haré el amor contigo y si me enamoro o por lo menos si me va bien a la salud... ¿quién sabe? Puedes tener todavía la gran oportunidad. En serio, hermanita, la gran oportunidad de vivir una vida de perros conmigo. Pero de perros y todo sería vivir y la vida es la vida. A los perros les gusta vivir. Todas las cosas que viven quieren seguir viviendo.

—¿Qué manera es esa de hablarme, Orlof? —dijo ella, indignada.

—La que corresponde a tu situación, criatura.

—Pero, Orlof, yo no he hecho nada. ¿Es posible tanta miseria?

—La política es la política y tú eres la muñeca que yo regalo a la emperatriz el día de su cumpleaños. Ella la romperá, desde luego, pero yo cumplo con mi deber y con mi devoción regalándosela. Las muñecas son para romperlas, tú sabes.

Entonces fue cuando la princesa vio que estaba realmente perdida. Orlof seguía hablando:

—He sido durante muchos años el amante de Catalina y el zar de mañana podría ser hijo mío. ¿Entiendes? Entonces entre la señora y yo tú vas a deshacerte, novia del paladín de Vilna, como un copo de nieve entre dos brasas. Porque en esta pasión de la reina y en la mía hay todavía fuego.

Se decía la princesa angustiada: "¿Por qué me dice todo eso a mí?". Él comprendió esa reflexión:

—No debía hablarte así realmente. Pero en mi caso esta manera de hablar representa que estoy encendido de deseo y que quiero conquistarte. Son medios de facilitación, que diría un cortesano. Es curioso, pero nunca había hecho la corte a una mujer de esta manera. Tú vales la pena, de veras. Y yo soy así. Unos se desnudan el cuerpo, otros el alma. Yo me desnudo el alma para que veas cómo es y enamorada o espantada te me entregues. Una vez la señora me dijo...

—Cállate —suplicó ella—. No me digas nada más.

Y miraba a Orlof pensando: "Hay una debilidad en él, pero no sé cuál es. El conde Rasumovski me decía que lo primero que hay que hacer con las personas es adivinar esa debilidad que es la piedra maestra del carácter de cada cual y entonces aprovecharse de ella. Pero yo no sé la debilidad de Orlof". Tenía razón la princesa. Orlof estaba bajo la impresión amarga y reciente de haber sido derrotado en la alcoba de la emperatriz por Potemkin, el fraile. Mal rival, un fraile lascivo. Y hacía y decía cosas raras. Se levantó Orlof como si fuera a salir:

—¿No tratarás de suicidarte, criatura? Aquí —dijo— no hay nada con que puedas quitarte la vida, es decir, puedes dar con la cabeza contra las paredes, pero no lo harás, creo yo. En todo caso —añadió indolente— si te suicidas pondré tu cuerpo desnudo en el puente, completamente desnudo como el día que naciste. Allí estarás tres días y tres noches. Es lo que hacían los griegos con las chicas que se mataban, o los romanos. No estoy fuerte en estas cosas.

La princesa suplicó con una voz que apenas salía de su garganta:

—Espera un poco, Orlof. Yo quiero hablar también. Yo tengo algo que decir. El viejo conde Rasumovski me dijo muchas cosas de ti y pienso que...

—No te las dijo todas, princesa. Te dijo sólo las más viles y ruines, pero no importa. Seguramente no te dijo cómo entró mi padre en relación con la casa real hace cincuenta años. No te dijo que mi padre era uno de los diez mil *sterlitzs* que el zar Pedro el Grande condenó a muerte. El mismo emperador comenzó las ejecuciones con un hacha delante de la corte reunida. Llegó el turno de morir a mi padre y viendo que el último decapitado estaba todavía de bruces sobre el tajo lo echó a un lado con el pie y dijo: "Déjame el puesto, que ahora me toca a mí". El zar lo miró de frente, vio que a pesar de todo mi padre tenía su sorna campesina en el hocico y le dijo: "Anda con la gente de la guardia y espérame". El zar siguió decapitando y cuando cortó la cabeza número cien ofreció el hacha al primer ministro, señaló otros tajos preparados al lado y enfrente y dijo a sus leales: "Sigan ustedes, señores". Luego se acercó a mi padre: ¿Cómo te llamas? —Orlof—. El emperador dijo que necesitaba hombres como él y desde entonces hemos andado cerca del trono. Más tarde fuimos ennoblecidos. Es decir, yo lo fui. ¿Qué te parece? Somos gente de suerte y todo viene de una sola cosa: de que mi padre sabía acercarse al tajo del verdugo con buen humor.

Callaba Orlof y la princesa respondió balbuceando:

—Eso que dices no me lo contaron, Orlof, y ahora estoy como tu padre, con las manos atadas y el tajo del verdugo enfrente. Tu padre era un héroe y, sin embargo, yo soy sólo una pobre mujer. ¡Déjame bajar en el primer puerto, Orlof! Déjame bajar y habrás hecho algo tan noble como lo que hizo mi abuelo, el zar, con tu padre. Yo soy valiente también y noble. ¡Déjame bajar en el primer puerto, *per Dío!*

Suponía Orlof que aquella graciosa muñeca comenzaría pronto a llorar y a dar gritos, pero no sucedió nada de eso.

—Rasumovski — siguió ella — me habló de ti y no me habló mal, de veras. La prueba es que cuando viniste a Florencia yo no sentía por ti recelo ni prevención alguna. Y ahora... no te digo lo que pienso porque no creerías en la sinceridad de mis palabras ya que mi vida está en tus manos. Pero voy a pedirte una cosa. Escúchame bien. Eres fuerte y yo soy débil. Si vais a matarme, ¿qué necesidad hay de envilecerme? ¿No sería demasiado ruin, eso? Orlof, haz lo que quieras de mí y déjame bajar después en el primer puerto. Soy joven, no sé nada de política y no tengo culpa. Déjame bajar a tierra.

Orlof negaba en silencio y ella preguntaba tímidamente.

—¿Crees en Dios, Orlof?

—Nadie cree en Dios alrededor de la señora. ¿Para qué? En cuanto a mí yo creo en San Vladimiro, el primer santo de la iglesia ortodoxa, que tuvo ochocientas concubinas y cortaba la cabeza de sus enemigos igual que Pedro el Grande, tu abuelo, con el hacha de los leñadores.

Se quedaron en silencio mirándose gravemente. Ella todavía tenía alguna firmeza en la mirada:

—Permíteme que lo repita. Mi abuelo salvó la vida de tu padre. No lo olvides, Orlof.

—La gratitud no es virtud que se herede en mi familia. Si mi padre hubiera muerto yo no habría nacido, eso es verdad. ¿Pero tú crees que yo tenía interés en venir a la vida? ¿Tú crees que dándomela me dieron realmente algo? No es buen negocio para nadie, vivir. Quizá para algún que otro fraile como Potemkin o para algún bandido como Pugachef.

Ella vio algo desesperado y agresivo, en él. "Está celoso de Potemkin", pensó, "y esa es su debilidad con la que yo no puedo hacer nada". La miraba Orlof pensando: "No se desmaya. Ni siquiera llora. Tal vez es más fuerte de lo que yo pensaba". Esperaba Orlof que cuando quisiera gozarla tal vez se desmayaría de veras o tal vez por ficción y engaño, para *salvar* la vergüenza. "La pobrecita aún tiene algo que salvar y se desmayará." La miraba con una ligera sonrisa en los ojos. No en los labios sino en los ojos.

—Ven aquí, palomita sin hiel.

Volvió a sus caricias torpes. Ella se defendía y su defensa excitaba más a Orlof quien al recibir un nuevo golpe en la cara se lo devolvió. Entonces la princesa perdió el conocimiento, como esperaba Orlof. Lo perdió de veras. La mano de Orlof era pesada y no hubo dificultad ni resistencia. Fue suya la princesa y siguió siéndolo durante ocho o diez días más.

Eran las nupcias del ogro fabuloso con la infanta hija de reyes.

Medio loca la princesa le hacía preguntas a veces razonables a veces disparatadas. Por ejemplo, cuando lo veía tierno le preguntaba si la quería y él la miraba en silencio sin responder. Entonces ella decía:

—Yo creo que te quiero a ti, Orlof. A ti y no a Radzivil: Nunca lo habría imaginado, pero es verdad. Sálvame para ti, Orlof.

Un ave marina graznaba en el aire al otro lado de la escotilla. Un ave de las costas grises de España. Orlof seguía callado y entonces ella aventuraba la misma pregunta:

—¿Qué harán de mí cuando llegue a Rusia, Orlof? ¿O es tan terrible que no puedes decírmelo?

—Yo no sé exactamente lo que la emperatriz quiere de ti, pero sé muy bien la clase de persona que es y la emperatriz odia los extremos. Los extremos de vicio, de virtud, de heroísmo, de riqueza, hasta de sabiduría. Cree que la naturaleza es brutal, pero el hombre discreto la debe dominar con su sentido de las proporciones. Eso dice. La emperatriz habría tolerado un marido ligeramente vicioso y torpe, pero no a Pedro III que era estúpido, marica y cobarde. Toleraría también cortesanos ligeramente virtuosos. Pero los extremos la irritan, ofenden y desasosiegan. Cuando no puede tolerar a una persona...

—¿Qué extremos hay en mí? —preguntó ella con los ojos redondos.

Eludía Orlof la respuesta, pero por fin dijo:

—En Radzivil hay extremos de ambición culpable y en ti de inocencia, de peligrosa inocencia. Ese es el único extremo que hay en ti y como todos los extremos pudiera encerrar alguna clase de peligro.

Orlof bostezaba de fatiga nerviosa y de deseo. Y añadía:

—No todas las cosas que suceden en el radio de acción de la señora son fáciles de comprender y no seré yo quien trate de explicártelas. No habría tiempo para explicártelas todas en lo que nos queda de viaje.

Fue suya la princesa diariamente con la regularidad del matrimonio hasta que el navío llegó a Lisboa. En aquel puerto el cónsul ruso subió a bordo y Orlof le mostró la prisionera para que pudiera dar fe si era necesario. Nunca se sabe lo que puede ocurrir en los viajes por mar. Hay catástrofes inesperadas y naufragios. Y los agentes imperiales rusos son previsores. En caso de naufragio Catalina debía saber de buena fuente que Lizaveta estaba a bordo entre las víctimas, que no se había salvado y que no estaba viva en lugar alguno del planeta ni con Radzivil ni sin él.

El cónsul le entregó a Orlof una carta del conde de Cagliostro en la que el italiano decía que tenía algo importante que ofrecer a la Semíramis del norte como su amigo Voltaire la había llamado y que poseyendo el elixir de eterna juventud quería hacer a la emperatriz partícipe de sus ventajas y que lo único que le faltaba a su reinado para ser largo y próspero en el tiempo y eterno en el espíritu era la dimensión metafísica que él había inspirado a María Antonieta en Francia y a los grupos más iluminados de la joven inteligencia inglesa. Añadía una palabra en caracteres arábigos para que la hiciera traducir la emperatriz, en secreto.

En fin pedía autorización para visitar la corte de San Petersburgo.

Orlof tiró la carta sin acabar de leerla. Es decir, dejó que el viento se la arrebatara de las manos y la llevara al mar.

El cónsul se permitió decirle.

—Señor, el conde de Cagliostro es consejero de Luis XVI.

Y Orlof respondió:

—Estamos hartos de consejeros en San Petersburgo.

El barco dejó el puerto y siguió su viaje bajo un cielo turbio de otoño.

Se cansó Orlof de Lizaveta porque la inocencia y la pureza fatigan también y la princesa fue entregada a los oficiales. Era evidente que Orlof no se había enamorado y que cuando habló de aquello lo hizo en su estilo habitual. Entregándola a los oficiales Orlof cumplía la parte segunda de su amenaza y ella lo sabía.

A medida que la princesa iba descendiendo de nivel fue cambiando también de cabina. Mientras fue amante de Orlof habitó la cámara imperial. El día que salió de allí para ser entregada a los oficiales pasó a un camarote limpio, pero humilde. Ya no volvió a tener relación con Orlof. Ni siquiera lo veía. A veces le oía dar órdenes en el puente. Y aquel Orlof a quien había amado la horrorizaba ahora como el dios del Sinaí a los judíos. Era terrible y estaba por encima o por debajo de la humanidad, pero fuera de ella.

El oficial que la noche de la fiesta había sido arrestado seguía en su prisión del castillo de proa y nadie hablaba con él. Tampoco había esperanza para él probablemente. Sentía Lizaveta por él una gratitud profunda e inútil. Estaba segura de que había intentado avisarla del peligro.

Diez días después el navío entró en el Havre y suplicó la princesa a uno de los oficiales que la dejara bajar allí, pero el ruego fue inútil. Aquellos hombres que la besaban y parecían apasionados podían después burlarse de ella. La contradicción que había en aquello no podía entenderla la princesa.

Otra vez recibió Orlof un pliego de Cagliostro —esta vez fechado en París—, pero estaba sellado y lacrado y dirigido personalmente a la emperatriz. Tenía en el exterior, grabada con cera, una palabra árabe que al parecer era su lema. Orlof se encogió de hombros un poco intrigado y se guardó la carta. El cónsul ruso le dijo:

—Señor; Cagliostro fue el que proporcionó a los jesuitas el veneno que acabó con la vida de Clemente XIV.

Orlof había hablado en Florencia con el cardenal Ricci y estaba mejor informado, pero no había duda de que aquel Cagliostro era alguien.

En el mar del norte Lizaveta pasó a manos de la baja marinería y entonces perdió también su cabina, limpia y modesta, para ocupar una litera separada de la de al lado y de las letrinas por un tabique ligero. Éste no ajustaba bien con la tarima y por debajo pasaba a veces con el movimiento del barco una masa líquida amarillenta cuyo olor denunciaba evidentemente su origen.

Algunos marineros se peleaban por ella, pero aquellas violencias no las usarían nunca para defenderla de sus verdugos. Tampoco Lizaveta podía entenderlo, aquello.

La princesa no podía dormir imaginando alguna manera de quitarse la vida. Lloraba pensando que carecía del valor físico necesario para suicidarse. En vano pasaba revista a los hombres que la habían tenido en brazos buscando alguno que quisiera ayudarla.

El odio no pudo destruir a la princesa, pero estuvo a punto de ser destruida por la lascivia.

Llegó el barco a Cronstadt una mañana neblinosa de otoño en la que se percibía ya la amenaza del invierno. Nubes cargadas de nieve flotaban cubriéndolo todo. Orlof estaba borracho y tuvo que esperar que desaparecieran los vapores del alcohol antes de presentarse a la emperatriz.

Por fin fue Orlof al palacio rojo.

Se quedó el barco en Cronstadt dos días, al cabo de los cuales se acercó una lancha con toldilla oscura. La princesa fue transportada por el Neva hasta el embarcadero de piedra de la prisión Pedro y Pablo contra cuyas escaleras las olas chapoteaban. Allí salió la princesa con el rostro cubierto por un velo negro. Tenía la inseguridad de movimientos del pánico. La acompañaban dos marineros —uno de ellos tirando de su brazo— y dos policías civiles iban detrás.

La fortaleza de Pedro y Pablo se alzaba imponente en la orilla misma del río.

El comandante de la guardia hizo señas a un carcelero que fue a avisar al gobernador y éste, hombre gordo, de aspecto bondadoso, ordenó a la princesa:

—Sígame usted.

Se lo dijo sin mirarla, quizá para no tener que compadecerla.

Salieron a un patio, entraron en un largo corredor al final del cual abrieron una poterna de hierro, bajaron treinta y cinco escalones de piedra —ella los contaba— y al final vieron otra puerta cerrada con el número siete grabado en la parte inferior. Siete. Alguien le había dicho que el siete era un número propicio y parecía una burla.

El gobernador de la cárcel abrió, hizo entrar a la princesa diciéndole: "Tenga cuidado, que hay seis o siete escaleras". Y volvió a cerrar. A pesar de la advertencia del carcelero, como la puerta estaba mucho más alta que el primer peldaño, al bajar perdió pie la princesa y cayó. Sólo se hizo, sin embargo, una pequeña erosión en la rodilla.

El suelo era de tierra húmeda y resbaladiza. Había un muro de roca natural y los otros de gruesos bloques cuadrados de piedra. Estaban aquellos calabozos un poco más bajos que el nivel de la superficie del Neva. En un rincón había un sumidero en el suelo por donde se oía respirar al río en las horas de la marea. Cuando la marea estaba alta aquel rincón se inundaba. El sumidero era usado para esas necesidades físicas de las que no se suele hablar.

Más arriba en el muro que daba al río había otra abertura sin barrotes ni cristales. Una especie de saetera estrecha. Cuando subía la marea y las olas avanzaban golpeando el muro como un ariete, el aire del calabozo se desplazaba por aquella hendidura donde siseaba o gruñía según el ímpetu de la marejada. Todo era de una crudeza y violencia que sólo algunos animales salvajes suelen y pueden tolerar.

Estaba resbaladizo el suelo en todas partes menos en un extremo junto a las escaleras. Era el lugar más alto de la celda y había allí un poco de paja podrida sobre la cual como concesión tal vez a la fragilidad y delicadeza de la prisionera habían puesto paja limpia.

Llevaba la princesa todavía las ropas de la noche de fiesta en Livorno y una capa negra que le habían dado al dejar la fragata en Cronstadt no para abrigarla sino para recatarla de la curiosidad de los policías.

Estaba segura la princesa de que la enfermedad y la miseria la matarían en algunos días, pero el hado tiene sus designios y vivió allí no algunas semanas sino varios años. La princesa había hecho en la pared doscientas rayas (una cada día) cuando renunció exasperada a contar el tiempo y perdió la esperanza de salir. Una vez cada día le llevaban una gamella de madera con una sopa de coles, un trozo de pan húmedo y negro —de centeno— y también una vasija con agua. Suplicaba la princesa en italiano, en ruso, que le dijeran qué crimen había cometido para ser castigada de aquella manera, pero nadie le contestaba. Poco a poco la princesa dejó de preguntar a los carceleros aunque seguía haciéndose las preguntas a sí misma. No podía creer que su proyecto de matrimonio con Karl —nunca consumado— justificara todo aquello.

V

Conservaba Lizaveta el escapulario del cardenal con las tres hojitas del monte Olivete. Y recordaba el viaje desde Livorno como un viaje de novios en el cual el marido tomaba aspectos cambiantes, múltiples y monstruosos. Y siempre era una especie de extranjero, cuyo nombre ignoraba.

Recordaba también a veces las palabras de Orlof: "Estás perdida a no ser que algún oficial se enamore de ti y quiera casarse contigo." No se había enamorado nadie y acababa por pensar que no era bastante atractiva para que un oficial de la armada de la emperatriz se interesara por su destino de mujer ni siquiera dándose entera y ofreciendo su persona y su vida. Nadie quería su vida ni su persona.

Las primeras noches creyó morir de frío. Los amaneceres eran muy crudos y se encogía sobre sí misma y las lágrimas se helaban en su cara.

Tenía hambre, frío y un miedo constante que aguzaba la sensibilidad de sus oídos y la hacía estremecerse con cada rumor lejano o próximo. Algunas maneras de morir comenzaban a parecerle envidiables y se detenía a pensar en el hacha de Pedro el Grande rápida como un rayo, de la que le había hablado Orlof.

Habría sido una muerte piadosa, aquélla.

Un día se dió cuenta de que la naturaleza no necesitaba del amor para hacer el prodigio de la maternidad, Estaba encinta. Sentía un desamparo frío: ella sola, con su hijo, enmedio de un universo ciego y sordo que había decidido su muerte y la de su hijo. Pero a medida que crecía en su vientre una vida nueva la esperanza germinaba también y comenzó a pensar que tal vez la sacarían de allí cuando llegara el momento de dar a luz. En ese caso su hijo le salvaría la vida. Su hijo era para ella la grande esperanza única. Antes incluso de nacer. Y tenía que estarle agradecida y así se lo decía hablándole en voz alta.

Entrando el invierno la succión del río por el sumidero se hizo mayor. Con la superficie del río helado el oleaje no se sentía, pero el aire continuaba entrando y saliendo por el sumidero y por la saetera del muro según el flujo y reflujo de la marea. Era como la respiración de un enorme gigante enfermo, asmático.

Se pasaba el día Lizaveta sentada en la paja, acurrucada sobre sí misma, la barba en las rodillas, los brazos alrededor de las piernas, defendiendo su calor natural. La luz que entraba era poca y de una blancura algodonosa e hiriente. Las nubes de arriba y la nieve de abajo daban al aire en la saetera una calidad de harina mojada.

Cuando llegaban hacia el mediodía los carceleros con la gamella, el pan y el agua, se quedaban un instante mirando antes de servir la sopa, hasta cerciorarse de que la prisionera vivía aún. No le daban comida para que viviera sino para que no dejara de sufrir, para que se prolongara su agonía. Llenaban la gamella y la dejaban en el peldaño superior de la escalera. Ya no intentaba la princesa hablarles sabiendo que nunca le respondían.

Suponía que uno de los carceleros era de origen campesino y sentía compasión por ella. El otro pertenecía a la burocracia penal y era indiferente. Lo había adivinado — cosa rara — por sus pies, es decir por la manera de ir calzados. La puerta del calabozo estaba tan alta que para ver los pies de aquellos hombres ella tenía que levantar la cabeza.

Enloquecida por sus miserias un día les gritó:

¡Soy una princesa del imperio, soy sobrina de la emperatriz, yo!

El carcelero campesino se persignó con las dos manos juntas y miró al otro como diciendo: "La pobre se ha vuelto loca".

Volvía una vez y otra a las mismas reflexiones: una mujer sin atractivos no debía vivir. Por eso la encerraban allí y la matarían o esperarían su muerte, ya que no despertaba el amor en los hombres sino sólo un deseo frío y vejatorio. Los hombres que la besaban la dejaban morir después una muerte no de ser humano sino de rata.

Pero recordaba también, complacida, que Orlof en algún arrebato de voluptuosidad la había tratado con dulzura. No lo olvidaba y cuando oía el viento en la noche que era como una gran lamentación pensaba en aquellas palabras de Orlof y se sentía menos sola. "Orlof — se decía —, está ahora en una habitación alfombrada, cómoda, caliente, durmiendo en una cama con pabellón de raso. Una cama francesa porque en lo único que la corte no seguía la moda alemana, según decía Rasumovski, era en el estilo de la cama. La cama germánica era dura y espartana. Catalina y sus cortesanos habían adoptado la cama francesa muelle y voluptuosa.

De estas reflexiones u otras parecidas le sacaba a veces un ramalazo de frío en los costados.

Con el viento en la saetera la princesa no quería que Orlof fuera desgraciado. Podía ella morir aquella noche y eso estaría bien o mal, pero en todo caso sería su destino. Orlof en cambio debía vivir a cubierto del frío y del hambre. Era un ser maligno que incendiaba, mataba, exterminaba y nunca explicaba sus actos ni trataba de justificar sus crueldades.

Escuchando el vendaval la princesa se hablaba: "El mundo entero va a morir y a acabarse. Así debe ser porque la creación entera es una desgracia. Es desgraciado el río cubierto de hielos y el mar. Yo sufro con la creación entera y es como si tuviera yo la culpa de todo lo que va a suceder. Quizá tengo la culpa de todo, pero no me he dado cuenta hasta ahora".

Los hombres no la amaban y sin embargo le habían hecho un hijo. Todos habían sido con ella igualmente posesivos, impacientes y bestiales. La despreciaban y la querían matar y entretanto y al mismo tiempo la abrazaban y sentía sobre sus labios los otros labios, temblorosos de deseo.

No entendía que pudieran nacer los hijos sin la intervención del amor que Dios había puesto en los corazones.

Seguía ella cultivando sus recuerdos y eligiendo como siempre los más miserables. Por ejemplo aquel mendigo de Florencia enfermo y llagado que había en la puerta de la catedral y que a todo trance quería besarle la mano. Ella lo evitaba con repugnancia y ahora desde el calabozo envidiaba el privilegio de su libertad y le envidiaba la muerte humana —no de rata— que tendría un día.

El frío de la noche no la dejaba dormir.

Tenía el calabozo la puerta tan alta que desde ella parecía aquel recinto el fondo de un pozo antiguo o aljibe, un lugar dispuesto para que en determinadas circunstancias se llenara de agua y se ahogara dentro algún animal o alguna persona culpable.

Ella, por ejemplo.

Comprendía la princesa que la muerte limpia era un privilegio que no estaba al alcance de cualquiera. Recordaba un día en Florencia la boda de un pariente de la portera de su palacio. Era una chica negruzca y flaca. Tenía un novio bastante hermoso y, aunque eran pobres, tocaron las campanas de Santa María Novella para ellos el día que se casaron. Vio pasar la boda y sintió cierta perplejidad delante de aquella novia y de sus humildes botas de cuero amarillo. Piedad también —cierta desdeñosa compasión— por la alegría de los invitados que eran como animalitos jóvenes. Recordaba la cara boba de aquella novia tan poco agraciada y la envidiaba ahora en el recuerdo con una envidia amarga: "A ella la han querido para casarse y a mí, no. Yo soy sólo un gusano, una alimaña que va a morir en este aljibe vacío". Estaba segura de no tener el derecho que tienen todos los seres vivos a la vida que viven. O a una muerte adecuada.

Hay muchos animales feos a quienes, sin embargo, la muerte deja en paz en sus madrigueras. Ella no estaba en su madriguera sino en una espelunca. Siendo niña había sido fascinada por aquella palabra: *espelunca*. Un diccionario le dijo que se trataba de una cueva o gruta natural que se usaba como prisión. Allí la cueva no era natural del todo porque la habían cerrado por la parte del río con grandes bloques de piedra, pero comenzaba a comprender que en su origen aquel calabozo había sido una espelunca. El muro donde estaba la pequeña puerta de hierro había sido la parte exterior de la fortaleza. El muro de la derecha era una roca natural, una gran roca natural con la superficie irregular y sus relieves y sus asperezas.

Golpeaba el viento contra la recia muralla, contra la saetera y a veces usaba del agua como de un látigo para azotar las piedras de la fortaleza todo el día y toda la noche por debajo de la superficie helada. La intemperie entraba en aquella celda, una intemperie de carámbanos mojados que al acercarse la aurora cada día le parecía a la prisionera un poco más mortal y sin embargo no la mataba nunca. En la indiferencia de aquel ariete y aquel látigo de agua y en la lechosa claridad del día había como una agonía universal y una invitación de Dios a unirse a aquella agonía. Pero ella no sabía cómo se muere. Y era difícil aprender.

La portera de su palacio de Florencia tenía muchos parientes; entre ellos una sobrinita que llegó de la aldea. Pequeña y bonita. La baronesa alemana la hizo salir de la vivienda de los porteros acusándola de tener tiña. No le gustaba a la baronesa que aquella chica fuera tan linda y los porteros la enviaron otra vez a la aldea de sus padres. Porque tenía tiña. Aunque la princesa sabía que era mentira no se atrevía a acariciarla desde que oyó hablar de aquello a la baronesa que era una hembra complicada, refinada y vulgar a un tiempo. Tenía las piernas delgadas y los pechos abundantes, comía jamón como un vicario ruso y bebía como un caballerizo. A veces la llamaba el conde Rasumovski y ella acudía disimulando el hipo de los borrachos con la mano sobre los labios.

—Perdón, señor —decía—. He tomado un poquito de aguardiente.

Averiguó pronto Lizaveta que el lugar del calabozo donde hacía menos frío era el más alto cerca de la puerta y allí se estaba. Rezaba constantemente, pero sin concentrar su atención. En italiano aquellas palabras —*Dío, madona*— sonaban dulcemente.

Cuando supo que estaba embarazada la preocupación

más frecuente era: "Tengo que vivir hasta el día del parto para salvarnos los dos: mi niño y yo". Porque no dudaba de que al llegar el momento la sacarían de allí. El frío era más crudo cada día y tenía miedo de que su hijo y ella murieran helados. No había llegado, sin embargo, lo peor del invierno. Sus piernas y sus brazos se entumecían y paralizaban. Entonces acurrucada en la paja se frotaba los miembros ateridos. Pero cualquier movimiento un poco sostenido la extenuaba. Sólo tenía energía después de comer y no podía hacer nada, porque el cuerpo aprovechaba aquel calorcito para dormirse.

Cuando había terminado de comer se ponía la gamella —que conservaba algún calor— contra el pecho y cruzaba sobre ella los brazos. Aquel calor duraba un rato, casi media hora. Luego tenía que apartar la gamella porque se había puesto fría y otra vez se dejaba caer en la paja y esperaba el día siguiente y el azar de que alguno de los carceleros quisiera hablarle y por sus palabras pudiera ella deducir cuál iba a ser su destino.

Entretanto se trasladaba con el recuerdo una vez más a Florencia y pensaba en aquel anciano manco, de nariz roja y brillante, que arrastraba los pies por las losas de Santa María Novella y se arrodillaba detrás de un confesionario. Aquel viejo solía sentarse los días fríos en el atrio de la iglesia con los ojos entornados para recibir el dulce sol toscano. Aquel viejo sol del mediodía que no entraba nunca por la saetera.

Una noche aparecieron en el sumidero dos bultos peludos y mojados y se pusieron a recorrer el calabozo. Ratas, o tal vez topos. Veían poco y se guiaban por el olfato y el tacto. Lizaveta se había resignado a todas las miserias y suponía que por aquel sumidero podrían aparecer otros monstruos mayores. A la saetera se asomaba el viento mugidor y la noche oscura y helada y el alba algodonosa de cada día con reflejos de nieve y nubes bajas. Con ruido de carámbanos que entrechocaban a veces produciendo sonidos metálicos como de campanas sumergidas.

Por la puerta entraba alguna clase de calor una vez cada día. La vida es eso: calor; y la muerte: frío. La muerte amenazaba por el lado contrario de la espelunca: por el sumidero. Y era una muerte mojada y sórdida que parecía acechar día y noche allí, en el rincón de las aguas sucias abierto a la intemperie del río.

Las ratas se acercaban a ella alzando el hocico con las narices vibrátiles y cuando se removía en la paja corrían hacia el sumidero, pero no se iban. Se quedaban allí, esperando. Las ratas tenían también su calorcito en la sangre y lo defendían. No querían exponerse al frío exterior si no era del todo inevitable.

Habían pasado más de cuarenta días (la princesa hacía rayas en el muro con una piedra) y alimentaba su esperanza —la que crecía en su matriz— con sueños y con la pobre sopa carcelaria de cada día.

En su memoria había a veces palabras dulces, días soleados y también sonidos de campanas no sumergidas sino izadas en las altas torres. Aunque trataba de evitar aquellos recuerdos no podía. Conocía en Florencia los toques de las campanas y sabía cuando eran de bautizo, de boda o de funeral. Y pensaba en los muertos de Florencia (cuyos entierros había visto) con envidia porque habían muerto en habitaciones calientes rodeados de personas que les decían palabras amistosas. Por ejemplo Simonetta, la modelo de Botticelli, había muerto seguramente con una placentera sensación de bienestar. El entierro de Simonetta desfilando por la calle con el ataúd abierto para que se enamoraran los jóvenes que no la habían visto viva hacían de aquella mujer que se le parecía tanto una muerta feliz.

Sentía por los carceleros un respeto que antes sólo había sentido por el cardenal y el conde Rasumovski. El de los pies campesinos era el conde y el otro —el de los pies crueles— el cardenal.

Los dos la despreciaban y la preocupación de su desprecio hacía las noches más largas y los días más fríos. Sin dejar de recordarles, al cardenal y al conde, veía que los dos la miraban como el verdugo puede mirar al reo. Ella devolvía la mirada con la boca abierta y sin comprender. Casi siempre tenía la boca abierta porque no podía respirar por la nariz.

Lo peor de la celda no era el frío ni el hambre y ni siquiera la inocencia castigada, sino la soledad.

Estaba aprendiendo que la soledad era la circunstancia primera y mayor y la condenación de todos los seres vivos. Todos estaban solos. También Orlof. Un oficial de marina le había dicho a la princesa, a bordo del barco de Catalina, que a veces Orlof encerrado en su camarote con las manos en la cabeza corría contra un muro y se daba en él de codos, gruñendo. Algunos creían que estaba loco, otros que estaba borracho. La verdad era que estaba solo. Pobre Orlof. Todo el mundo estaba solo. El cardenal también con sus ambiciones si era verdad lo que le había sugerido Orlof —que quería ser pontífice—. Pero de Orlof podían decir que estaba borracho o loco. Del cardenal que quería ser elegido pontífice. De ella nadie podía decir nada y nadie estaría ya nunca interesado en decir nada, de ella.

Pensando en los carceleros se decía: "Ellos deben hablar alguna vez de mí y entonces mi soledad tiene algún eco en sus palabras". Les estaba agradecida por el simple hecho de que hablaran de ella, mal o bien. La sensación de soledad era mayor cuando oía la caída de algún témpano de nieve endurecida fuera de la prisión. Caía aquel témpano desde alguna cornisa del edificio sobre la superficie del río. La brisa ligera rozaba los alféizares de las altas ventanas y a veces se oía también el rumor de las alas de un ave agitadas al otro lado de la saetera. Aquella soledad era insondable y lo raro era que la princesa comenzaba a encontrar un placer en aquella tristeza del mundo todo, el de fuera y el de dentro.

No rezaba porque cuando comenzaba tenía la sensación de que sus rezos eran una adulación bajuna y sórdida a un dios que todavía era invisible e imperceptible. Había ido modificando ella su idea de Dios. No exigía rezos el dios cristiano. Lo único que pedía aquel dios era el sufrimiento de los seres vivos y ella cumplía su misión día y noche, la misión sufridora y penadora que Dios había querido darle.

La muerte que le llegaba con los rezos era una muerte como la de Rasumovski, temible, muda y un poco maloliente, llena de preguntas incontestables. Tenía miedo de que los rezos se le convirtieran en algo estéril como llamar a una puerta donde nadie vivía y nadie iba a responder. ¿Qué iba a contestarle un dios que había permitido todo aquello? Hasta para rezar hacía falta alguna comodidad y antes de creer en Dios había que vivir, es decir, comer y dormir y sentir algún amor limpio por las cosas.

Rezar a Dios en aquella situación debía ser ya el infierno, es decir, el último absurdo del cual ya no se sale, en el cual el ser humano vivo o muerto gira como la hoja en el remolino, pero eternamente, sin ser tragada y sin salir a la orilla.

En las horas que precedían al alba solían aparecer las ratas, cada día, a olfatear el aire y marcharse al ver que Lizaveta estaba todavía viva. No había muerto aún y las ratas se marchaban. Cuando aparecían los carceleros también miraban a ver si estaba viva y ella les decía en su mente: Sí, todavía estoy viva; dadme de comer. Y a las ratas les decía: Aún no he muerto. No podéis comerme aún. Necesitaba en aquel lugar una alimentación tres veces mayor que la ordinaria y recibía dos veces menos de lo indispensable. Un día decidió guardar parte de la comida para la noche y dar así a su cuerpo la ilusión de comer dos veces, pero cuando las ratas comprendieron que había pan en el calabozo acordaron apoderarse de él. Aquella lucha por un poco de pan negro de centeno era más de lo que la princesa podía tolerar. Tuvo que volver a sus costumbres primeras pensando: "No me dan de comer para que viva, sino para que no pueda morir."

La voz del río era tan resonante en aquella soledad y en el hueco formado por tres muros de albañilería y una roca natural que a veces no oía la princesa los cerrojos y veía abrirse la puerta en silencio y por sorpresa, aunque sabía con media hora más o menos de diferencia cuando era medianoche y cuando mediodía. Pudo incluso llegar a medir el tiempo (una hora, dos horas) por el movimiento rítmico de las aguas contra el muro y por la respiración del río contra el sumidero debajo de la superficie helada ya que cada embite del agua correspondía más o menos a un cuarto de minuto. Calculaba los minutos también por las pulsaciones de las venas.

Había a veces sorpresas y la mayor consistía en que el ave marina que se posaba en la parte exterior de la saetera daba allí su graznido. Era como la salutación a la vida de un universo muerto.

Entre los símbolos de la libertad ninguno tan cierto como un ave y nada más desolado y dramático que el grito de aquel ave marinera bajo el cielo nublado y frío.

Cuando la princesa oía aquel graznido comprendía que nadie acudía a ayudarla porque no había nadie en el mundo; todos se habían ido. Ella podía marcharse también, aunque no era fácil marcharse. Otra vida latía dentro de ella. Y todavía creía en Dios, especialmente de noche. Con la luz parecía amanecer un tiempo nuevo y pedirle a Dios el pan nuestro de cada día en aquel lugar y en aquellas condiciones habría sido grotesco. Y decir el Ave María con las bendiciones del *fruto de tu vientre* era como una alusión cínica al hijo que se formaba en el suyo. No podía rezar pero tenía presentes los preceptos de la religión como memorias de una edad perdida. En Santa María Novella había un sacristán que se sentía excitado por la vista de una mujer embarazada. Aquel sacristán tenía que decir algo cuando veía una mujer con el vientre hinchado y decía cosas brutales y sin gracia que revelaban una imaginación envilecida. Ella aguzaba el oído con el deseo de entender lo que decía aquel hombre.

Contó un día en la espelunca las rayas del muro y se dio cuenta de que había entrado en el nuevo año. Cuando los carceleros le llevaban la comida tenían prisa por volver a cerrar y a marcharse porque la temperatura del calabozo era casi tan baja como la del exterior. Al ver cada día a la prisionera parecía como si los carceleros se decepcionaran de hallarla viva.

Lo mismo que el ave en la saetera aquellos hombres eran sin embargo la vida. Parecían los últimos supervivientes de una humanidad exterminada. Estaban allí porque se habían olvidado de matarlos. Y sólo quedaban en el mundo, además de ellos, el ave graznadora y ella.

Contaba los meses, los días. El mes de junio sería el del alumbramiento. Un día preguntó a los carceleros si la sacarían de allí para dar a luz. Cuando les dijo por primera vez que estaba embarazada la miraron escandalizados y mudos. Parecían pensar: es muy joven y hemos oído que es soltera. Y la miraban con el cazo de la sopa en el aire sin acabar de creerlo. Nunca le decían nada aquellos hombres, pero ella observaba la *expresión* de sus zapatos porque la manera de poner los pies en tierra es elocuente y el calzado dice algo sobre el carácter de la persona.

Una noche descubrió que las ratas peleaban en un rincón. Imaginó que se trataba de la lucha por la hembra ya que el vencedor se acoplaba después con su pareja. La princesa pensaba: hasta esos animales tan feos arriesgan la vida por el amor. Aquello le parecía monstruoso, aunque dentro de un orden verosímil. ¿Podía ser que hubiera un dios que presidiera el amor de las ratas? Aquella noche en el rincón donde las ratas solían pelear había rumores y ruidos desacostumbrados. Se oía el acezar de un niño pequeño Pudo ver por fin de qué se trataba. Había una culebra asediada por las ratas que le buscaban la espalda brincando de costado, hacia atrás, hacia adelante. Querían echarla del calabozo y tal vez matarla. Se ponía la princesa de parte de las ratas porque estaban biológicamente más cerca de las personas, tenían patas por lo menos, como ella.

La culebra alzada sobre el vientre movía la cabeza con un balanceo muelle y constante en todas direcciones de modo que las ratas nunca sabían por donde ni cuando iba a llegarles el golpe. Una de ellas amenazaba el final del rabo del reptil. Sabía la culebra que allí estaba su punto débil porque si acudía a defender su rabo con un golpe de ariete perdería la posición de ataque y las otras ratas se le echarían encima.

Y eso fue exactamente lo que pasó.

Una rata mordió en el rabo a la culebra, ésta descompuso su guardia y respondió con un golpe y entonces las otras saltaron sobre ella. Dos le mordieron en la nuca y tirando en direcciones distintas se la desgarraron, pero al mismo tiempo otra rata la había atrapado por debajo de la garganta y la asfixió. En su agonía la culebra sacudía el cuerpo y golpeaba a sus enemigos contra la pared.

Por fin la culebra quedó inmóvil.

Correteaban las ratas alrededor celebrando la victoria y miraban a la princesa como si pensaran: ¿se habrá dado cuenta ese animal grande y vacilante, grande e inútil, de que acabamos de hacer algo tan meritorio como matar a una culebra?

No sólo la mataron sino que se la comieron. No quedó de la culebra más que la parte dura, triangular, de la cabeza con las dos mandíbulas en las que se ocultaba tal vez el zizo ponzoñoso.

Se quedaba la princesa horas enteras mirando el único muro en cuya superficie había irregularidades. Los otros mostraban las junturas paralelas —horizontales o verticales— de las piedras grises y frías y a fuerza de mirarlas se movían como si el muro se alabeara o se hinchara. Y la princesa tenía miedo de volverse loca, no loca como aquel hombre que solía pasar cada día por delante de su casa de Florencia sino de otra manera. Aquel loco llevaba una campanita colgada del cuello porque no podía hablar. Era mudo. Loco y mudo, rara combinación. Decidían también que era leproso. Y hacía sonar su campana en las puertas de las casas para pedir limosna. Lo encerraron un día porque quiso matar o tal vez sólo violar a una niña en la calle.

Uno de los muros de la espelunca era la superficie del costado de una enorme roca en la cual había rugosidades, accidentes y relieves naturales. La acción de la humedad, la refracción de la poca luz que entraba jugando sobre los relieves estimulaban la imaginación y la princesa hacía tiempo que veía en la parte superior del muro algo que le recordaba al bajorrelieve florentino de Ducca de la Robbia, donde había siete cantores jóvenes reunidos detrás de otros dos más pequeños y gordezuelos que tenían un libro abierto. Miraban y cantaban a coro todos juntos, la mano en el hombro del vecino, las caras agrupadas. Iban vestidos con túnicas romanas y descalzos o calzados con medias que mostraban los relieves de los pies para evitar la fealdad escultórica del zapato. Los de delante eran más patudos que los otros. Todos llevaban el pelo como los efebos griegos y había en ellos un aire de familia. La princesa solía decir en Florencia que aquellos eran *los tontos del arcipreste* y allí, en los relieves de la roca, los tenía. Nueve. Siete grandes y dos pequeños. Abajo se veía un verdadero bosque de piernas y no eran dieciocho ni siquiera diez.

Sólo había bastantes piernas para dar la impresión de un coro de cantores arracimados.

La saetera hacía daño a la princesa con su dardo de luz. En el suelo los restos de la culebra le repugnaban. Después del combate las ratas habían desaparecido por el sumidero y poco más tarde por el mismo sitio volvían a aparecer y husmeaban el aire con sus narices vibrátiles. En aquel lugar se oían chillidos y zambullidas. El nivel de las aguas no era nunca el mismo y cuando coincidía con el nivel del sumidero todo se hacía más próximo y alarmante. Las ratas acudían a ver si ella vivía aún. Con la primavera y los deshielos el nivel del Neva subió y por el sumidero entró el agua hasta cubrir el pavimento. La princesa tuvo que sacar paja seca y ponerla en los peldaños que conducían a la puerta e instalarse en el más alto, pero no era bastante grande para acostarse en él y si se dormía sentada corría el riesgo de caer al agua. Para evitarlo se quedaba despierta y vigilante toda la noche, cantando.

El agua con el barro del calabozo y el limo en suspensión era una espesa masa rojiza y verdosa muy densa. La inundación creció y el agua subía de nivel y llegaba a cubrir las escaleras. Flotaba la paja en las aguas cenagosas. Y la princesa de pie en el peldaño más alto se veía con el agua a la altura de las rodillas y lloraba y temblaba.

La inundación crecía, aún.

Había logrado la princesa el día anterior arrancar del pavimento una piedra y con ella golpeaba la puerta llamando desesperadamente. Los bordes de la puerta eran calafateados en días de inundación desde fuera como suelen serlo las quillas de los barcos, con pez y estopa. La princesa comprendía, aterrada, que aquéllo era el fin porque Orlof y la emperatriz habían decidido que acabara de aquella manera.

Seguía golpeando la puerta con la piedra y gritando en italiano con todas sus fuerzas el nombre de Dios:

—*Dío. Dío...* ¡Oh, *Dío*!

La puerta se abrió, por fin.

Era el carcelero más viejo, el de los pies crueles, quien apareció. Llevaba un calderito de pez y una brocha y al ver que el agua le llegaba a las rodillas a la princesa, dijo:

—Lo siento, hermana, pero de este calabozo no sale nadie sino con una orden escrita de la mano de la emperatriz.

Y volvió a cerrar.

La puerta contra el muro sonó como una puerta de iglesia, con ecos interiores. Y la princesa recordando las palabras del carcelero pensaba en Orlof que le había dicho muchas veces que su suerte dependía exclusivamente de la voluntad personal de la señora. La vida era compleja y todos los hombres y mujeres del mundo sabían vivir, menos ella. Se sentía empujada por la corriente que llegaba del flujo del río. Trató de afianzarse y pudo asegurarse más o menos con el peso vertical del cuerpo. Repetía entre dientes: *Dío, oh, Dío...* Y acordándose de los peores días del invierno ya pasado, con el calabozo seco y sin agua le parecían ahora casi felices. Era mejor morir de frío que ahogada en aquellas aguas sucias. Deseaba el frío del pasado invierno y ya no pedía a Dios la vida sino una muerte menos animal.

Estaba con el agua a la cintura y así continuó todo el día. Luego el nivel fue bajando y llegó un momento en que las últimas aguas cenagosas desaparecieron por el sumidero. Quedaba el suelo mojado, pero relativamente limpio. Huellas de la inundación se veían en forma de algas muertas, hierbajos y limos pegados al muro. También quedaron unos crustáceos y un pobre pez negro con la cabeza cuadrada que se agitó inútilmente hasta que murió. Por la noche llegaron las ratas y se lo comieron, como a la culebra.

"Cuando yo me muera me comerán a mí, también", pensó Lizaveta. Igual que al pez negro y a la culebra y por eso iban todos los días las ratas a ver si había llegado la hora.

Creía Liza ver fosforecer algo en aquel rincón, y viō que se trataba de los restos del pez y de las algas muertas. El abatimiento de tres días sin dormir, dentro del agua, y el terror acumulado vencieron su resistencia y cayó enferma. Tenía fiebre alta y por la noche deliraba. Los carceleros al ver que la comida del día anterior estaba intacta y la prisionera acostada en el suelo mojado se quedaron dudando.

—¿Alienta todavía? —preguntó el más viejo—. ¿Sí? Entonces hay que dejarle la comida. Si está mala es asunto de ella. Tú cumple con tu obligación. Si vive tiene derecho a la comida. Yo la dejo y ella puede comer o no comer.

—La paja está mojada.

—Eso tampoco es de mi incumbencia. ¿Quieres traerle paja limpia? Por San Basilio, yo no me he enterado. Caso de enterarme tendría que dar parte.

—A un perro se le pone paja limpia.

—Digo por San Basilio que un perro, es un perro. Y es inocente.

—Yo lo que digo es que voy a buscar la paja y si hago mal, pues que me castiguen.

Se persignó tres veces, la tercera con las dos manos juntas. La princesa al oír al carcelero hablar con piedad se asistó: "Dicen que muero como un perro —pensaba—. Todavía si muriera como una persona sería diferente y tal vez iría al cielo entre incienso, cánticos y flores." El carcelero había dicho: "A un perro se le pone paja limpia". La compadecían como a un animal. No iría al cielo.

"¿Qué más da que traigan paja nueva o no?" pensaba sin decir nada porque no podía hablar. "Crees que no te oigo, pero sigo tus palabras y percibo tus movimientos sin mirarte, carcelero". Y el campesino balbuceaba:

—En el nacer y el morir todos somos iguales.

Ella no se encontraba mal. En realidad no se había sentido nunca tan bien desde que entró en la cárcel porque la fiebre le daba un extraño bienestar.

Abrió los ojos, quiso decir algo, pero sólo salió de su garganta un gruñido. El carcelero dijo para sí: "Ya, ni sabe lo que hace". El otro añadió: "Como un animalito, Dios la asista."

—Más que traer paja lo que tendrías que hacer —dijo el más viejo— es abrir la zanja al lado de la muralla.

Midió mentalmente el cuerpo de la prisionera. Entretanto el campesino iba echando la paja alrededor y tocando el hombro de Lizaveta repitió varias veces:

—Esta paja es nueva y limpia, hermanita.

Ella no respondió, porque sólo pensaba que estaba muriendo y que no era tan desagradable como creía. Además muriendo como perro no debía dar las gracias

—Ya ni se da cuenta —repitieron los dos— y había una cierta complacencia en aquellas voces.

Cerraron la puerta y se fueron a abrir la sepultura. Las de los presos eran sepulturas anónimas sin nombre ni cruz ni señal alguna exterior.

Aquel día tibio se percibía el aliento de los deshielos.

Se sentía la princesa más cerca de las ratas que de los hombres. Todo era igual que en las personas. Hacían el amor y la rata fecundada paría y amaba a sus crías. La princesa pensaba si las ratas tendrían su dios, también. Sólo podía haber un dios, para todos. "Para todos los vertedrados, al menos", añadía ella. Un dios por cada género o especie. El de las ratas sería una rata, también. Una rata macho, grande, con hocicos grises, con pelos temblones en el hocico, patas de atrás más largas que las delanteras —patas brincadoras— y un rabo largo y fino. Un rabo más bien blanco. El pelo del Señor de las ratas debía ser más bien blanco. Gris tirando a blanco, porque el blanco es un color prestigioso incluso con las ratas.

¿Un dios hocicudo y roedor, con un triángulo detrás de la cabeza y un fulgor dorado alrededor del cuerpo? ¿Por qué no? ¿No eran las ratas criaturas de Dios? ¿No tenían derecho a tener una idea de su creador, también? Y su creador sería como ellas, las criaturas. Las ratas debían tener sus formas de adoración, también.

Todo el tiempo que estuvo enferma pensaba la princesa en un dios que no la entendía y se decía: "No me entiende a mí sino a las ratas, porque el dios de Pedro y Pablo debe ser el de las ratas. Por eso no es menos dios y aunque yo soy persona y él es rata el dios de las ratas es más que yo, mucho más que yo, infinitamente más que yo." El dios de las ratas la miraba a ella desde el sumidero y no decía nada. La miraba y parecía decirle con la expresión: "Es inútil, tú no eres rata sino persona y no puedes entender tu situación ni la clase de relaciones que puedes tener conmigo".

Pensaba ella: "Soy tan desgraciada porque no entiendo

al dios de las ratas". Y se sentía vigilada por aquel dios hocicudo con orejas movibles y rabo blanco.

La princesa no murió. Por uno de esos rasgos de humor con los que el destino trata de confundirnos a veces, se restableció en algunas semanas. Le quedó una tos seca y una rodilla inflamada.

Aunque era ya el mes de mayo y la temperatura había subido, hacía frío por las noches. Tanto frío como en enero. Eso creía ella al menos con sus manos hinchadas y algunos dedos reventados por los sabañones. Comía el pan duro que se había acumulado durante su enfermedad y que estaba mordisqueado por las ratas. A veces, cuando el hambre era más aguda, sentía a su hijo agitarse dentro y era como si le recordara que tenía que alimentarse para los dos.

Al llegar el momento de dar a luz golpeó otra vez la puerta con una piedra hasta que acudieron los carceleros. Era la princesa como un animal del bosque con greñas lacias colgando sobre una ceja.

—Voy a dar a luz —decía mirando al suelo.

—Eso es cuestión tuya —respondía el carcelero de las llaves— y de los buenos ratos habidos. No vuelvas a llamar con la piedra contra la puerta porque entonces te pondremos a pan y agua. Son los reglamentos. A ver si se te quitan las energías para golpear la puerta que parece que vas a echar abajo la prisión.

El otro carcelero miraba absorto sin decir nada.

Comprendió Lizaveta que su hijo nacería ya condenado, como ella. El carcelero había dicho palabras terribles y estúpidas en las que estaba implícita la sentencia de su niño antes aún de que naciera. Y le hablaba al hijo en italano diciendo, por ejemplo, que Dios estaba presente en la soledad, la injusticia y la crueldad e incluso en el dolor del parto. Dios estaba en el mal y sin embargo era Dios y no se le podía odiar porque eso sería una tremenda rebeldía blasfema. Parecía cruel y había que quererlo, a Dios, sin embargo.

Se compadecía de sí misma y aquella compasión a veces era buena, era como si aquella compasión viniera de otra persona o ser vivo, como si viniera del ave que graznaba a veces en la saetera. Pero sentía a veces una rabia primitiva que la ahogaba.

Tuvo el parto los horrores naturales con sangre, gemidos, alaridos. Después, la madre con el bebé en los brazos se durmió. Al despertar se sintió casi desnuda con el niño también desnudo y contactos fríos y viscosos por todas partes sobre la paja húmeda. El carcelero de los pies agrícolas apareció con una sábana vieja y la arrojó desde lo alto de la escalera. Una sábana medio desgarrada, pero limpia. La misma vejez de la sábana hacía el tejido suave al tacto y la princesa dio las gracias en italiano tres o cuatro veces. Luego, dándose cuenta de que no la comprendía, se las dio en ruso. Oía cantar a los nueve chicos del bajorrelieve florentino en el muro. El dios de las ratas ya no aparecía.

Diciéndole ternezas al niño lo acostaba en el pequeño triángulo de lienzo dentro del nido que había hecho con la paja. Pidió a los carceleros que llamaran a un cura para bautizarlo, pero ellos habían vuelto al mutismo de los primeros días y no le respondieron. Ahora había dos presos en lugar de uno y los miraban los carceleros, asombrados. "Cuando crezca —pensó— le enseñaré a rezar al dios de las ratas."

Comprendió ella que su hijo estaba condenado a morir en la cárcel, también, y siendo inocente no podía entenderlo. "Tal vez lo que sucede —pensaba— es que yo he muerto ya y estoy en el infierno. ¿Es que lo merezco yo, el infierno?"

Bautizó al bebé a su manera y le puso por nombre Sergio. El carcelero amistoso parecía quererle hablar y un día llegó por la mañana antes que su compañero y dijo en voz baja:

—Una manta, hermanita.

Ella no comprendía:

—¿Qué dice?

—Tu puedes haber hecho alguna cosa contra nuestra madrecita la emperatriz que san Vladimiro guarde, pero el bebé no ha hecho nada. Y te traeré una buena manta. Antes del invierno. Ahora no puedo. ¿Qué crimen es el tuyo?

Gritó la princesa:

—¿Qué dices? ¿Mi crimen?

El carcelero la miró con recelo como si tuviera miedo de estar haciendo alguna imprudencia y le dijo:

—No grites, hermanita. Tú necesitas una manta como yo necesito una zamarra de piel de cordero. Un día quizá San Basilio me dará a mí la zamarra.

El otro carcelero apareció de pronto:

—¿Quién te ha dado permiso para coger las llaves? —y añadió mirando a la prisionera y a su bebé: — El crío se morirá porque a esa edad no resisten como las personas mayores.

—No lo digas delante de la madre, Kolia, porque se pondrá a llorar. Esta madre y las otras, todo es uno. Además el crío puede vivir. Peores lugares en el mundo. Y en esos lugares se esconde la hembra del topo y pare. Y está ciega y tiene su hijo en un lugar peor que éste, si a mano viene. Y no se malogra sino que viven los dos porque así Dios lo quiere. Más frío hace en los bosques de Siberia ¿y qué? La osa se recoje en su agujero y pare. Y tiene un hijo o dos. Y viven en medio de los hielos.

—¿Sin comer?

—Con la sopa de coles puede vivir un cristiano. No digo que viva con regalo, pero se sostiene.

Descendió Kolia, dejó la escudilla en el primer peldaño con el dedo pulgar como siempre bañándose en la sopa y dijo:

—Por San Nicolás que todas las mujeres que se divierten por detrás de la Iglesia merecen un castigo para escarmiento de las otras, que yo tengo una hija de trece años que antes la mataría que verla así.

La princesa escuchaba con la vista en el suelo. El carcelero calló y se fueron los dos y cerraron.

Se puso enfermo el niño y enflaqueció hasta quedarse en los huesos. Lo único que podía hacer la madre era darle el pecho, pero el bebé no lo tomaba. La fiebre subía y recordaba la princesa su propio caso: "No sufre. La fiebre es el mejor calmante y embriaga y adormece los sentidos". Si el niño muriera sin sufrir, adormecido por la fiebre, sería una gran ventura y al mismo tiempo que lo pensaba lo apretaba contra su corazón como si tuviera miedo de perderlo. El bebé no se murió entonces, pero quedó flaco y macilento.

Hacia fines del verano hubo grandes lluvias, el Neva creció otra vez, la celda se inundó y el agua llegó en seguida al último peldaño de la escalera donde la prisionera se había refugiado con el niño. Por los rumores del río a los que estaba acostumbrada suponía que aquella agua seguiría subiendo.

Después del mediodía el agua llegaba a la cintura de Lizaveta quien viéndose entre el agua y el techo sin un objeto flotante al que asirse y el niño en los brazos (que lloraba su llanto habitual lánguido y feble) sentía que la muerte sería un suplicio largo, moroso y sucio. Pero si podía morir era que no había muerto y entonces aquel lugar no era el infierno todavía. Eso quería decir que la muerte podía salvarlos aún a los dos. Para alejar al bebé del riesgo de las aguas lo alzaba en el aire. Aquella posición con el niño en vilo la rendía. El agua podía seguir subiendo hasta la saetera y en ese caso los cubriría a los dos y sería el fin. Comprendía que la espelunca había sido construída con aquel objeto. Tenía la piedra con la que solía golpear la puerta al lado del pie y no se atrevía a inclinarse a cogerla por miedo a ser basculada por las aguas. En su mente se resignaba a morir ahogada, pero habría querido ahogarse en una agua limpia.

Alzaba más el bebé en el aire y gemía. Cerca se oía chillar a las ratas nadadoras. Ya no les tenía miedo. Parecían estar alarmadas también, las ratas. La princesa y las ratas reaccionaban con una misma clase de espanto. Miraba al niño dormido. El pobre en los brazos de su madre, rodeados los dos de agua sucia, dormía. Y sonrió dormido, el niño. Aquella sonrisa dejó confusa y absorta a Lizaveta.

Se sentía un poco más enloquecida y turbada con aquella sonrisa. ¿Era posible sonreir, aún? Todos somos monstruos —pensó— y mi bebé es un monstruo de inocencia. Se veía a sí misma y al bebé sometidos a la todopoderosa voluntad del dios de las ratas.

Había oleaje en el agua. El movimiento del mar que estaba cerca se reflejaba dentro, a través del sumidero. Y pensaba en Florencia, en las crecidas del Arno y en los cuerpos de animales ahogados que había visto en las orillas cuando el agua se retiraba. Animales ahogados con el vientre hinchado y la boca abierta por la que entraban y salían las hormigas. También ella y su hijo tendrían una apariencia lastimosa, pero los animales del Arno habían muerto una muerte menos cruel.

En los paréntesis de su memoria de Florencia intercalaba largas y penosas llamadas de auxilio a la emperatriz Elizabeth, muerta hacía tiempo. Se dirigía a la empeperatriz llamándola *madrecita* en italiano, alemán, ruso. Y decía incongruencias.

Los cantores del bajorrelieve estaban siendo cubiertos por las aguas. Los dos más pequeños que estaban delante sólo tenían fuera las cabezas con las bocas abiertas. Y la princesa se decía a sí misma: cuando los cantores de Florencia sean cubiertos por las aguas nos ahogaremos el niño y yo. Ya falta poco. Y no importa. Llegaba de lejos un ruido que le era familiar. En otro calabozo subterráneo un preso estaba golpeando la puerta con una piedra también. Las voces no se oían, pero los golpes, sí.

Más lejos se repetía el mismo ruido seco y sonoro. Tal vez era un solo preso el que llamaba, y su eco. O eran dos. Aquél debía ser el fin para todos, unos antes y otros después según los diferentes niveles de las aguas. Al parecer los otros tampoco querían morir. Nadie quiere morir, en la tierra.

Media hora después dejaron de oirse los golpes y las aguas subían aún. Ya no hablaba la princesa consigo misma ni con el bebé. Gritaba de vez en cuando porque las aguas le cubrían los pechos y alzaba el bebé por encima de su cabeza. Con las piernas inflamadas y entumecidas y los brazos de plomo sentía en los huesos las vibraciones del llanto del bebé que consumía en llorar las últimas fuerzas. Y no importaba. Ella gritaba otra vez porque no podía evitarlo, pero sabiéndose ya perdida. Contagiado el bebé de aquel terror de la madre lloraba más.

Los carceleros no le habían llevado la comida al mediodía. Como el agua cubría una parte de la puerta era imposible abrirla. Además ya no contaban con ella al parecer ni con ningún otro preso de los que habitaban aquellos sótanos.

En la parte exterior de la poterna y en el patio había dos camillas preparadas para bajar a recoger los cuerpos de los ahogados cuando las aguas se retiraran.

Porque algún día tendrían que retirarse, las aguas.

Sin embargo, contra las previsiones de los carceleros, las aguas no subieron bastante para ahogar a todos los presos.

VI

En la oscuridad la superficie del agua era densa y negra y a veces se veían puntos fosforescentes porque algunas ratas seguían nadando alrededor.

Las miraba Lizaveta con familiaridad y costumbre. Se veía también a aquellos animales alarmados. Cuando desaparecían suponía la princesa que buceaban para entrar en el sumidero y tal vez se iban por él. La roca era dura, el agua blanda, el aire frío.

Ella, la princesa, iba a convertirse en un pequeño animal abandonado y muerto, con barro en la boca. Y no le importaba. Con un ojo tapado con barro no sería trágica sino sólo grotesca. Ella no sería nunca una mártir sino un espíritu culpable, sucio y penitenciado. Nadie la había querido mientras vivió. Nadie lloraría su muerte.

Con el automatismo de las largas horas sin esperanza recordaba cosas que parecían locas a fuerza de trivialidad. La novia renegrida de Florencia tuvo un bebé antes de cumplirse los nueve meses de la boda y ella lo vio un día al pasar en los brazos de su madre frente al palacio. Después la encontraba a veces en la calle, pero nunca le habló a aquella madrecita por timidez. La princesa era tímida con la gente de clase baja. Lo fue entonces y lo era ahora con los carceleros. Los príncipes son tímidos. Hay una timidez de príncipes y pensando en aquella timidez sentía ella vergüenza.

Llegaba el alba y la princesa vio que las aguas descendían. El bebé al sentir otra vez el calor del cuerpo de la madre se durmió. Le extrañaba a la madre que estuviera vivo todavía, pero el bebé dormía y podía dormir porque confiaba en ella mientras que ella no tenía en quien confiar y estaba despierta.

Nunca confiaría ella bastante en nadie, para poder dormir.

Por debajo de la puerta que ahora quedaba enteramente fuera del agua que veía regresar el barro negruzco. Una masa densa que olía a la misma brea de los barcos.

Se decía Lizaveta un poco tontamente: el río sube las escaleras, el río baja las escaleras.

A la hora de la comida los carceleros se presentaron sin nada en las manos. Al ver a la princesa dijeron algunas palabras entre dientes como si se excusaran y volvieron sobre sus pasos. Poco después llegaban con la gamella y la sopa. El carcelero más viejo dejó la jarra del agua diciendo al mismo tiempo algunas palabras en broma sobre la abundancia de agua en el sótano de la prisión. El otro callaba.

A poco de comer la princesa sintió que la leche afluía a sus senos y puso el pezón en los labios del bebé. El niño tampoco podía respirar por la nariz y cuando tenía la boca obstruída con el pezón de la madre se sofocaba. Entonces se ponía a llorar. La madre lo arrullaba, pero los dos estaban amarillentos, flacos, sucios de barro y el niño parecía contagiarse de aquella locura de la miseria que a veces hacía desvariar a su madre.

El dolor físico y moral ensucia la piel. La naturaleza cambia la pigmentación de la piel de la gente desgraciada. Las alimañas del campo necesitan confundirse con el medio para escapar a los riesgos mayores. La sensación de una miseria insuperable e intolerable da a la piel coloraciones de disfraz protector. No tanto como el camaleón, pero el fenómeno es el mismo. La piel de la madre tenía el color gris de las piedras de la espelunca y también de las aguas revueltas del río. Y el bebé el color de la madre. Gemían juntos su hambre, su fatiga, su sueño y sobre todo su falta de esperanza. Pero de pronto la madre decía:

—La muerte se vuelve a alejar. Nunca sabemos cuándo viene a buscarnos de veras. Tal vez lo sabe sólo el dios de las ratas, ese que me mira desde el sumidero.

Recogida en un peldaño y sentada contra el muro vigilaba el agua horas y horas. En lugar de bajar el río creció otra vez. Por la noche para alejar el sueño la prisionera cantaba y sin dejar de cantar se quedaba dormida con el bebé en los brazos, pero el niño estaba muerto hacía algunas horas y ella no lo sabía.

El cuerpo del niño resbaló de su falda y cayó al agua. Las ratas se abalanzaron sobre él y sin dejar de nadar y de flotar, se lo comían.

Ella se decía al mismo tiempo: estoy dormida y mi niño se caerá al agua y se ahogará y las ratas querrán comérselo, pero así es la vida de los que merecen vivir y si yo aprendo un día también mereceré vivir. Esta es la lección difícil. Estoy sentada con la ropa fría y mi niño en brazos. Siento su peso en mis brazos, todavía, pero él ha caído al agua. Así quiere Dios que sean las cosas y así son y hay que comprenderlo y ahora por vez primera en mi vida desde que se murió mi padre (que el pobre no se atrevía a decir que era mi padre) estoy aprendiendo a vivir.

Estoy resbalando sobre la piedra y ahora que no tengo el bebé en los brazos estoy resbalando porque pesa el niño igual que antes cuando lo tenía y me hundo en el agua sin el bebé, yo también.

Comenzó a clarear a través de la saetera y vió el cuerpo del niño sobre el barro. Quiso ir a recogerlo pero resbaló en el limo y cayó. Se dió cuenta de que el niño no vivía y pensó que la culpa era de ella; por cuya razón si hasta entonces se sentía inocente, a partir de aquel hecho creía merecer la prisión, y la muerte. Aunque parezca extraño esta nueva circunstancia dio orden y congruencia y razón de ser a las cosas. Todo le parecía más natural.

Ella había matado a su hijo y ahora era merecedora de las torturas y angustias que estaba sufriendo. Era lo que dijo al carcelero viejo cuando abrió la puerta y él respondió:

—Éste no es lugar para que un recién nacido se logre. Con una pala y una espuerta vamos a sacar los restos. Pero hay que aguardar a que se seque el suelo. Ahora nos hundiríamos en el fango hasta la rodilla, ya que el agua ha calado demasiado hondo.

El otro carcelero hacía extremos de lástima, pero la princesa lo miraba con ironía y reía. Los carceleros se iban y ella quedaba sola otra vez. Todo callaba alrededor porque ya no lloraba el niño.

Pensaba que por la noche dormiría mejor con aquel silencio, pero no era verdad. No dormía. No tenía sueño, tampoco.

La compasión del carcelero comenzaba a parecerle malévola. Algunos días no podía tolerarlo y más de una vez al llegar y dejar el plato en el peldaño (con el dedo pulgar bañándose en la sopa, como siempre) tuvo ganas de insultarlo. Alguna vez respondió a su mirada triste con otra de inquina. El carcelero hacía un gesto como si pensara: "Es natural que ella me odie. Es lo que corresponde".

Seguía la princesa con los ojos fijos en los restos de su hijo hasta que el sueño la rendía.

Para ir al sumidero tenía que meterse en el barro hasta los tobillos y lo hacía sin cuidado. Los primeros días daba parte de su pan a las ratas para impedir que acudieran a comerse el cuerpo del bebé, pero el hambre pudo más y la pobre Lizaveta comió su pan y vio como las ratas se dirigían al cuerpo del niño y se ponían a devorarlo.

A veces la princesa, con ambas manos en la rodilla izquierda, echaba la cabeza atrás y se quejaba. Sentía dolores en las articulaciones, pero el cuerpo quería vivir. La leche se le fue retirando y la adolescencia volvió a dar a sus pechos, a pesar de todo, formas bastante turgentes.

La tierra se secaba, se había secado ya casi del todo y las ratas acudían día y noche al cuerpo del bebé. La madre vio desaparecer aquel cuerpo entre los dientes de los roedores sin hacer nada para evitarlo. Por la noche los huesos fosforecían y ella tenía miedo. A veces el miedo la hacía cantar, otra vez.

Cuando la tierra estuvo del todo seca los carceleros entraron con una pala y un saco y se llevaron aquellos restos. Pensó la princesa que a ella la sacarían un día igual, y se decía: "Ha muerto él y la mitad de la tarea está ya hecha. Sólo falto yo". No pedía al destino una muerte fácil sino cualquier clase de muerte.

Se acercaba el otoño y el carcelero bondadoso dijo:

—No creas que me olvido. Tengo apartada la manta, pero tiene piojos y mi mujer la quiere limpiar. Ojalá el jefe de la prisión me diera a mí la zamarra de piel de cordero como yo te doy la manta a ti. Aunque no tengas hijo te la traeré, la manta, hermanita.

Aclaró todavía aquella importante cuestión:

—Mi mujer ha cogido y hervido la manta para el despioje y Dios la asista. Yo le dije que tú parecías de buena familia y es lo que ella dijo: en resumidas cuentas todos somos hijos de Dios.

Recibió ella la manta con la misma codicia que la sábana. Era la segunda prueba de amistad que recibía desde que salió de Livorno. Los fríos comenzaron pronto y la princesa usaba aquella manta harapienta día y noche y envuelta en ella, con un pico sobre la cabeza, parecía una fantasma.

El segundo año fue igual: los mismos fríos, el mismo viento en la saetera, las mismas crecidas y resacas del mar y los mismos témpanos con rumor de campanas sumergidas. La agonía era monótona, la tarea de morir tediosa y larga.

La espelunca era oscura y la luz que entraba por la saetera le permitía sentir la claridad hiriente de la nieve. Pensaba en Radzivil con una curiosidad indiferente. No había aprendido a vivir tampoco Radzivil, a pesar de ser más viejo, y los dos tropezaron y cayeron en el mismo precipicio de donde no se salía sino con los huesos mondos y en una pala como había salido el bebé.

Una noche pensó que Radzivil estaba en el río debajo de la superficie helada y se acercaba al sumidero nadando y gritaba desde allí palabras raras hablando de sus campesinos polacos que le preguntaban qué harían si aparecía un caimán.

Comenzó en aquellos días la princesa a sentir la luz en los ojos, el viento en los oídos, acompañado de halos amarillos de fiebre. Cuando se acordaba de Livorno veía hombres harapientos en los muelles con las caras sucias y las miradas locas. Veía al cardenal Ricci fabricando escapularios y escribiendo cartas a Catalina de Rusia y a Voltaire. Veía un horizonte bajo en el que ladraban perros. Y viejas mujeres que se arrastraban por las calles, mendigando. Ella no se atrevía a mendigar porque ni para aquello servía.

El mundo que recordaba era un mundo de indiferencia, de soledad y de abandono. No había en los recuerdos de Lizaveta sino un sol amarillo y pálido para iluminar la amarillez de la biblia, la del odio y la envidia, la amarillez de las carnes enfermas. Era como la luz del sol de las noches blancas de verano. Sin haber dormido veía el amanecer y se divertía adivinando en la saetera el sol bilioso de los rusos.

Odiaba —según creía— a Radzivil, el oso polaco de patas macizas que quería ponerse algún día la corona imperial de Catalina y aquel odio —cosa rara— no la hacía dejar de respetarlo. Luego veía que tampoco era odio. No odiaba a nadie, pero a veces, cuando aparecían los carceleros con la comida, la princesa insultaba a Kolia quien recibía los insultos satisfecho como si pensara: "Esto es lo que esperaba hace tiempo, porque es lo que corresponde a esta persona en este lugar". El carcelero campesino en cambio la miraba amistoso. A él no lo insultaba la princesa porque le había dado una sábana y una manta, ésta despiojada cuidadosamente.

Hubo inundaciones otra vez, aunque en ninguna de ellas las aguas subieron tan altas como el primer año. La rodilla izquierda de Lizaveta se inflamaba y la curva era tan prominente que la obligaba a andar con las piernas abiertas. El campesino cuando la veía caminar cojeando y observaba aquel bulto en su rodilla decía:

—Eso es un tumor blanco. Una yegua mía tuvo ese mismo tumor cuando Dios quiso, aunque la comparación sea poco a propósito. Y se murió.

Durante dos años o tres más la princesa cultivó sus falsos odios y con ellos se sostuvo. Únicamente respetaba a Orlof y pensando en él se decía: "Ese sabe quien soy y lo que merezco". Se odiaba a sí misma y aquel odio la inclinaba a admirar y reverenciar a los que la habían maltratado. Especialmente a Orlof. Una noche pensó que amaba de veras a Orlof precisamente por su crueldad, por su desdén, por sus ofensas. Así se conducía Dios tal vez con los hombres. "Pero no lo quería ella a Orlof y era sólo — volvía a pensar — que se odiaba a sí misma y sentía gratitud por sus verdugos, por los que querían acabar con ella, incluído Orlof".

Iba y venía, renqueando. Una fiebre casi constante le quitaba la luz de sus recuerdos y le encendía los ojos. Se dejaba caer en la manta y se quedaba inmóvil el día entero. Hubo semanas en que tuvo la impresión de no haber dormido un solo instante. El agua entraba por el sumidero y avanzaba hasta mojarle los pies. Ella no los retiraba. Le daba igual.

Tardó mucho en librarse de aquella fiebre y cuando quiso levantarse no se tenía en pie. Se arrastró escaleras arriba y quedó derribada contra el muro de la puerta. Allí recibía lo que los carceleros le llevaban, miraba su propia rodilla inflamada y pensaba en la yegua que tuvo un tumor frío y se murió. Esperaba la muerte recordando a Orlof, el amante infernal.

Se oían como siempre los rumores del agua y huyendo por el recuerdo la princesa reía y recordaba que en Florencia había una vieja florista cerca de su palacio. Una anciana de más de setenta años vendiendo flores. A veces el cochero se las compraba todas y la vieja se iba con la mano en el hombro de su nieto, un chico de diez años. Pero el niño crecía y se aburría de servir de lazarillo. Corría por las calles, se metía en lugares donde podía hacer algo con provecho y a veces acudía al lado de su abuela con monedas sonando en los bolsillos.

Que el chico la abandonara no le parecía mal a la vieja, pero que volviera a su lado con dinero la sacaba de quicio. Y la vieja florista insultaba a su nieto llamándolo hijo de puta (con lo cual la propia familia no salía muy bien librada) y también borde, marica, tiñoso y muerto de hambre. Después de la retahíla de insultos la vieja se quedaba falta de palabras y de aliento. La princesa repetía los insultos de la vieja y pensaba que la humanidad era como un hormiguero medio deshecho en un paisaje amarillo y terroso. Sobre el paisaje sonaban campanas de bautizo o de entierro. Cuando alguien nacía el padre se emborrachaba y pensaba: "¿Será mío?". Cuando alguien moría todos se alegraban alrededor del muerto y se lo agradecían secretamente y por eso hablaban bien de él.

Era lo único que la gente agradecía realmente al prójimo: que se muriera. Y por encima de todo aquello Orlof seguía indiferente y magnífico. No debía ser tan mala la muerte cuando las personas que querían al muerto en vida se alegraban en el fondo de su corazón.

O quizá nadie quería a nadie. Cada cual piensa en su propia gloria y ésta se nutre con la miseria del prójimo. Así el verdugo ama a su víctima. Ése era el único amor posible en el mundo. Ella era la víctima de Orlof, pero el conde tenía tantas víctimas que no podía amarlas a todas y seguramente se pasaba la vida dedicado al noble ejercicio de olvidarlas. De otro modo le sería imposible seguir viviendo. Ella lo amaba olvidadizo y lejano a pesar de todo.

Así vivió la princesa en la espelunca nueve años más.

El último invierno estaba una noche encaramada en las escaleras y envuelta en los restos de su manta cuando comenzó a sentir el aire sacudido por cañonazos lejanos. Sonaban con espacios regulares. Los contó y eran veintidós. Le recordaban los de la fragata de Orlof en la bahía de Livorno. Ahora el motivo de las salvas era bien diferente: la emperatriz Catalina había obtenido una victoria contra los ejércitos turcos que andaban por el mar de Azov. Las fortificaciones de Azov tenían fama de inexpugnables y eran rusas otra vez.

La amnistía alcanzó a la princesa quien se encontró de pronto con que podía salir de la prisión. ¿Yo? —decía mirando su cuerpo sucio, enfermo, envejecido, casi desnudo.

Le dieron un fardo de ropa y se vistió ayudada por el carcelero campesino. Aunque era hombre ella no sentía vergüenza ni pudor. Doce años de horrores habían hecho de ella en plena juventud un ser neutro y asexuado. Finalmente la princesa se puso un pañuelo en la cabeza y lo anudó debajo de la barba.

Salió cojeando. El carcelero campesino le dio un cayado con el que la princesa caminaba mejor. Era un cayado muy alto, casi un báculo de obispo o de pastor antiguo, pero de cerezo sin pulir ni pintar.

Quizo Lizaveta ir a dar las gracias a la emperatriz, pero en las antesalas se burlaban de ella y creían que estaba loca. De un lugar la enviaban a otro diciéndole que la emperatriz la esperaba. Así pasó dos meses yendo de Tsarkoiselo al palacio rojo y habría ido a Peterhof si no se diera cuenta de que le faltaban fuerzas para una caminata tan larga.

Durmió algunas noches en los quicios de los portales hasta que intervino un pariente —sin darse a conocer— y la llevaron a un monasterio. No quería ella entrar en el convento y dijo tales cosas e hizo tales extremos de impiedad que el archimandrita de San Basilio fue en persona con dos diáconos para exorcizarla porque creían que tenía los demonios en el cuerpo. Ella decía a los diáconos que el suyo era el dios de las ratas.

Lizaveta consiguió salir del monasterio y la emperatriz le asignó una pensión que, corta y todo, la salvaba de la miseria. Con el primer dinero que cobró fue la princesa a comprar una zamarra de piel de cordero y se la llevó a su amigo el carcelero.

Iba y venía apoyada en su bastón y con las mismas ropas que le dieron al salir de Pedro y Pablo. Tenía no más de veintinueve años, pero andaba con la vista baja, cojeando, y sus labios no eran rojos ni morados sino blancos. Tan blancos que llamaba la atención de la gente.

Vivía con una familia de funcionarios pobres que le habían cedido una habitación. No decía que era la princesa Tarakanova en ninguna parte y daba sólo su nombre de pila —Elizabeth— y un apellido que se atribuyó. A veces se olvidaba de su falso nombre y daba otro igualmente falso. Todos la trataban como a una pobre mujer un poco loca. Cuando decía su edad los otros soltaban a reír. A juzgar por las apariencias Lizaveta podía tener más de cincuenta años.

Contra lo que ella esperaba Orlof la recibió un día en su palacio que estaba a media versta de Tsarkoiselo y tenía guardias armados en la puerta. El centinela envió a la princesa por la escalera de servicio y la princesa entró en el palacio de Orlof a través de las cocinas y de los cuartos de la servidumbre. Las doncellas y el cocinero la miraban con una curiosidad desdeñosa.

Tenía Orlof sesenta años, pero seguía erguido, juvenil y con el aire tranquilamente alucinado que ella le había conocido en Florencia. Estaba en una enorme sala que tenía dos chimeneas encendidas en dos frentes opuestos. Sobre la mayor de ellas había un retrato al óleo de la emperatriz.

Al ver a la princesa en la puerta Orlof se acercó, le pasó cuidadosamente un brazo por la cintura y la llevó a un sillón frente al fuego donde la hizo sentarse.

—Vengo —dijo ella— a dar las gracias a tu excelencia por la pensión.

—La pensión es cosa de la señora —advirtió Orlof modestamente observando de paso que ella parecía más vieja que él—. No he intervenido yo, no se la he pedido yo. Es el fraile Potemkin quien pide ahora las cosas. Yo no soy nadie, ya. Tengo un palacio, una guardia y una renta. Tengo también secretos de Estado y por eso me ves instalado más o menos con lujo; pero los secretos de Estado pueden ser una desventaja, también. En fin, estoy vivo aún, estamos vivos tú y yo, gracias a Dios.

—¿Dios? —dijo ella, aterida.

—Bueno, hablo de un dios personal mío que me ha aconsejado que te reciba. En los últimos días tú venías a mi portería, alteza y los soldados se reían de ti. La princesa coja. Así te llaman porque a pesar de todo ven en ti algo de la pasada grandeza. La princesa coja. Bueno, pues Dios me dijo: anda, recibe a esa princesa coja y entonces yo te envié un recado.

—¿Pero tú crees en Dios?

—El creer en Dios no obliga a los rusos a cambiar de costumbres. Nosotros somos como nos han hecho. Yo soy nieto del hacha de Pedro el Grande. ¿Te acuerdas?

—Eres el de siempre, excelencia —dijo ella sonriendo con sus labios blancos.

—No, madrecita, ya te digo que creo en Dios. A mi manera, claro.

Ella pensó: "Me llama *madrecita* y no hermanita como antes porque le parezco vieja." Pero él continuaba:

—Tengo aquí dos santos de mi especial devoción: Catalina y Vladimiro. ¿Qué clase de santo era San Vladimiro? Era uno de los tres hijos de Kriatislav, príncipe de Rusia, que obtuvo Novgorod en el reparto del patrimonio. La divisa de la ciudad era: *¿quién se atreverá contra Dios y contra Novgorod la grande?* En cualquier historia puedes leer, alteza, las batallas ganadas por Vladimiro, pero yo te diré además cómo y por qué hicieron a Vladimiro santo. Es lo que ahora nos interesa. ¿No tienes tú, también, ideas religiosas? ¿Cómo es eso? ¿A ti la desgracia te las ha quitado? A mí la desgracia me las ha traído.

Vladimiro y Catalina son mis dos santos. Vladimiro comenzó por matar a su hermano como Rómulo. ¿Sabes la historia de Roma? Mató a su hermano y se incautó de su herencia. Digo, Vladimiro. Se casó después con seis mujeres y tuvo tantas concubinas como Salomón según la bibila: ochocientas. Le propusieron adoptar alguna clase de religión. La musulmana le resultaba molesta por la prohibición de beber vino. El catolicismo le disgustaba por el papa, ya que no quería tener una autoridad por encima de su cabeza. El judaismo le parecía envilecido y un poco ridículo por la cochina costumbre de la circuncisión. Adoptó la religión griega que es igual que la romana, pero sin papa. La máxima autoridad de aquella iglesia sería el mismo Vladimiro. Eso era lo que le convenía. Dio orden de bautizar a toda la nación y llevaba multitudes de cientos de miles de ciudadanos a las orillas de los ríos. En un mismo día eran bautizadas diez o quince mil personas. Si alguno dudaba, Vladimiro lo hacía apalear o lo ataba a la cola de su caballo y lo arrastraba por la estepa. Su celo tenía que ser premiado de algún modo y he aquí a Vladimiro santo, con su corona sobre la cabeza. No se atrevió a hacer tanto la iglesia de Roma con Constantino, aunque éste también tenía sus méritos. Había asesinado a su mujer y a su hija. Y los dos, Vladimiro y Constantino, dieron legalidad a la iglesia del dulce Jesús cada cual en su manera y en su país. Bien, hermanita, alteza. Vladimiro aquí y Catalina allí. Esos son mis santos. Por encima de ellos no queda sino Dios todopoderoso. Tú dirás, ¿qué Dios es ese? ¿No has leído nada sobre ese Dios? Yo, sí. Mira el principio de una oda del príncipe Viasemki sobre nuestro Dios.

Ofreció a la princesa un papel impreso y amarillento, ella lo rechazó con un gesto de indiferencia, pero el conde se puso a leer en francés y en voz alta:

Dieu des ouragans et des trous
Dieu des hôtels sans lits mais non sans puces
Dieu des chemins vrais casse-cous
C'est lui, c'est lui, c'est le bon Dieu des russes!
Dieu des affamés aux pieds nus
des mendiants avec ou sans capuces
Dieu des terres sans revenus
C'est lui, c'est lui, c'est le bon Dieu des russes!
Dieu des décorés au long col
Dieu des valets — trouvez la rime en usses.
Des seigneurs portant le licol
C'est lui, c'est lui, c'est le bon Dieu des russes!
Dieu de bonté pour les pervers
Dieu de rigueur pour les cours sans astuces
Dieu de toute chose a l'envers
C'est lui, c'est lui, c'est le bon Dieu des russes!

Se interrumpió: "No te recito más porque veo que tienes ganas de llorar y también porque el resto tiene palabras malsonantes. De veras. ¿Qué te parece, hermanita?"

Ella sonreía de voluptuosidad sintiendo el fuego en la piel y pensaba: "Nunca estaré bastante caliente ya, en mi vida". Habría querido quedarse a vivir allí siempre. El frío era la obsesión y la condenación de ella. El calor el indecible lujo. Los versos de Viasemki ni siquiera los había escuchado, pero sonaban aún en sus oídos:

C'est lui, c'est lui, c'est le bon Dieu des russes!

A ella le parecía ahora Orlof un dios bueno y propicio y él veía en la princesa un signo de distancia y de frialdad cuyo alcance no habría podido definir, pero en el cual establecía ella alguna clase de superioridad. No había en las palabras, en los silencios, en las miradas ni en los gestos de ella ningún deseo ni siquiera remoto de agradarle y aquello le hería un poco. ¡Qué diferente aquella mujer de la que conoció en Florencia! Y se decía también: "¡Cómo crecen los seres humanos incluso en la cárcel, incluso en los calabozos subfluviales de Pedro y Pablo!"

Sintiéndose desorientado el conde dijo de pronto:

—No es broma, hermanita, ya te digo que mi Dios es el de los pecados suntuosos, de los crímenes históricos de Estado. El dios que puede comprender y olvidar y tal vez incluso perdonar lo que nosotros hicimos contigo, princesa. Cada uno inventa un dios a su medida, el dios que le conviene. ¿Y tú? ¿No tienes el tuyo, aún?

Ella desanudaba el pañuelo bajo su barba y apartaba los dos picos que quedaban colgando sobre los hombros. Gozaba del calor en sus brazos y en su garganta. Se habría alegrado ella a veces en su prisión pensando que Orlof tenía calor, comodidades, sirvientes, que tenía la protección de la emperatriz. Ahora comprendía que a pesar de todo Orlof era desgraciado.

—¿Me dirás la verdad si te pregunto algo, conde?

Él no respondía y ella se decía otra vez: "Pobre Orlof que no sabe cómo llevar su desgracia. Yo al menos creo haber aprendido a llevar la mía".

—¿Me dirás la verdad si te pregunto una cosa? —repetía ella.

Se acercó Orlof, se puso de espaldas al fuego y dijo en voz baja:

—Te diré todo lo que quieras saber, madrecita.

—Bien, —dijo ella con su calma helada—. En el barco al día siguente de la fiesta tú me insinuaste que el cardenal podía haber hecho la denuncia, digo la de la boda de Radzivil conmigo. ¿Es verdad que fue el cardenal?

—Bah, todo eso ya pasó.

—Me lo has prometido. Dímelo de una vez.

—Si un día me han de canonizar —dijo él riendo— tengo que andarme con cuidado. Pero, en fin, fue el cardenal. Aquel cardenal a quien tú y Rasumovski visitabais a menudo.

Se quedó en silencio mirando las llamas de la chimenea y volvió a hablar esta vez apasionado y fébril, a veces con el paroxismo de un poseído:

—No has sido tú la única víctima del cardenal. Habia otras. El cardenal quería ser elegido pontífice y hacía favores no sólo a los reyes adictos a Roma sino también a los otros, a los indiferentes y sobre todo a los enemigos. Tu cardenal quería ser papa y prometía cosas. Llegó a ofrecerle a Voltaire un capelo cardenalicio también, pero Voltaire dijo que prefería morir rezando a su manera y no a la manera de Roma. El cardenal compró con tu denuncia la adhesión secreta de Catalina y de los amigos de Catalina, pero ya digo, al final lo traicionaron.

Volvía ella a sentir poco a poco el frío de siempre a pesar del aire tibio de la sala, el viejo frío de la espelunca. Se quedó callada, pero luego empujó a Orlof a un lado, suavemente:

—Por favor, no me quites el calor de la chimenea, —le dijo.

—Ya veo. Siempre tendrás frío. Pero si me perdonaras tendrías menos frío, ¿oyes? Y volviendo a lo que decíamos, el cardenal hizo un buen servicio a la señora, de veras. Tu paladín era un estorbo peligroso. En la corte sabemos que con los polacos del linaje de Radzivil no hay bromas.

—Lo que no comprendo —dijo ella con aire lejano y soñador — es como puede ayudar Catalina de Rusia a elegir pontífices en Roma.

—Oh, la intriga abarca el mundo entero. Viena le falló a la señora, de otro modo habría sido papa tu cardenal. Pero la mejor maniobra en favor del cardenal la hizo en París la misma María Antonieta para molestar a María Teresa de Austria. Conquistó al menos quince votos del cónclave. María Antonieta, tan joven, adoraba a Catalina en quien veía grandes cualidades y tal vez un ejemplo a seguir. También la reina francesa era más enérgica y más inteligente que el rey y llevaba las riendas del poder. Las dos, de orígen tudesco. Pero ya digo, a tu cardenal le salieron mal las cuentas.

Callaba y se oía también en el cuarto el chisporroteo de la otra chimenea. Después de un largo espacio ella preguntó:

—¿Vive, Radzivil?

Orlof negó con la cabeza.

—¿Dónde murió? ¿En Vilna?

Volvió Orlof a negar. Aquella manera de responder con gestos diferidos y sin palabras era como una confesión: la confesión de su complicidad. Después de un largo silencio añadió:

—Estuvo preso en Pedro y Pablo, también. Cerca de tu celda, no muy lejos de tu celda, alteza. Tres puertas más abajo de la tuya.

—¿Murió allí, con las inundaciones?

—Oh, yo no sé —dijo él vagamente.

Ella se levantó apoyada en su bastón y comenzó a caminar por el cuarto. Sus ropas de campesina parecían más miserables en aquel salón. Al llegar a la otra chimenea se puso de espaldas contra el fuego para calentarse las piernas entumecidas y jóvenes aún. Desde allí repetía alzando la voz:

—¿Cómo murió Radzivil?

—Sólo hay en el mundo una persona que te lo podría decir. Yo tuve algo que ver con eso, claro. Tú sabes. La vida cerca de la señora es difícil porque unas veces se sabe lo que quiere y otras hay que adivinarle los deseos. Sólo expresa ella los deseos buenos, pero los malos hay que adivinárselos. Ella no dice nunca: hay que matar a éste o al otro. No. Ni mucho menos. Yo hice por su encargo y voluntad expresa muchas cosas buenas. Las otras tenía que hacerlas por mi cuenta, pero adivinando su voluntad. Por ejemplo, matar a Pedro III. Las que hice salieron bien y con ellas se consolidó el imperio. Otras cosas hice que nadie sabe y de las que no quiero acordarme, que por un lado no dieron brillo a la corona y por otro perturbaron mi espíritu para siempre. Porque ahora resulta que yo tengo un espíritu según el archimandrita. Un espíritu que se abre de par en par delante de ti.

Observó ella que la piel del cuello de Orlof debajo de la barba era floja y colgante. La vejez. Se acercaba la vejez. Orlof seguía paseando en silencio. Se detuvo y la miró de medio lado:

—Puedes perdonarme o no, estás en tu derecho. A mí me da igual. Comprendo que en resumen de cuentas si pudiera recoger el perdón de todas las víctimas de la emperatriz que han sido sacrificadas por estas manos, el archimandrita se apuntaría un tanto, pero a mí ¿qué me va en eso? Pues sí, la princesita Tarakanov puede perdonar y no quiere. Supongo que los otros, es decir los que murieron, si resucitaran tomarían una actitud peor, todavía. Yo no creo que resuciten ni que sus espíritus estén flotando en el aire y esperando una ocasión para molestarme. ¿Cómo es posible que después de nuestra muerte haya algo vivo y activo? ¿El fluido magnético dicen ahora? Pero ¿tiene ese fluido manos, tiene voluntad siquiera? Ay, hermanita, coplas de ciego. No me importa el perdón de mis víctimas y escupo en ese perdón. Son idioteces del viejo archimandrita. Hay otras cosas más inmediatas que la vida o la muerte eterna, y esas cosas son mi sueño, el sueño de esta noche próxima, de cada noche futura. Mi buen sueño a pierna tendida. Si no duermo de noche estoy todo el día nervioso y la señora me dice: ¿Qué te pasa? ¿Estás azogado? Eso es. Duermo mal y estoy azogado, para que ella duerma bien, porque las cosas feas no las hizo ella sino que las hice yo. Adivinando su voluntad. Ni siquiera daba ella las órdenes ni las sugería. Yo no duermo ahora para que ella pueda dormir. No es remordimiento, pero en mi conciencia deben estar armoniosamente compensadas la sombra y la luz para que uno pueda dormir. Y no lo están. Ya veo, para ti la prisión ha sido un paréntesis que hay que olvidar. Para mí esas cosas son muy lejanas porque he seguido viviendo sin paréntesis alguno. En cuanto a tu perdón ya sé que no será fácil conseguirlo ni mucho menos. Basta con mirarte a los ojos para comprenderlo. ¿Eh? ¿Qué dices?

Ella pensaba: "quiere que mi perdón le ayude a dormir por la noche." Pero Orlof se acercaba otra vez, parecía dudar un momento y por fin ponía la rodilla en tierra como los enamorados de las baladas antiguas. Ella tenía ganas de reír. Él se dio cuenta y, aunque se proponía pedirle que lo perdonara, se levantó antes de decir la primera palabra:

—Si crees —dijo con altivez— que por haberme suplantado Potemkin en el favor de la señora estoy abandonado y perdido, te equivocas. Tengo aquí demasiados secretos y mientras la señora no me envíe a Pedro y Pablo tiene que cuidar de mí como de la tumba de su propio padre, como de la tumba de su marido o de algunos otros, de otros muchos, más de los que tú crees. Las tumbas están abiertas y los cadáveres pueden salir y escandalizar. ¿No lo sabes? Por algunos años la gente de las provincias del Sur creyó que había resucitado Pedro III, el marido de Catalina, y que andaba ganando batallas contra ella, pero era sólo el bandido Pugachef. Tuvo miedo, ella, y de ese miedo vino su afición a Potemkin. Bien, todo esto a ti te tiene sin cuidado y lo que tú piensas es que yo arruiné tu vida. De acuerdo. ¿Quieres cruzarme la cara con tu linda mano? Será más bien una caricia y no será la primera. ¿Quieres ir a la calle y gritar la noticia de mis crímenes a los cuatro horizontes? Haz la prueba y verás lo que pasa. Te encerrarán por loca. No es que la gente no hable de mis crímenes, pero el escándalo sería intolerable. No es el hecho sino el escándalo.

Se oía el fragor de las llamas en las dos chimeneas y la princesa pensaba tranquila: "A pesar de todo hay una sombra de justicia en el mundo y este viejo león tiene sus fiebres secretas". El conde volvía a hablar:

—Nada me importa. Puedes ir y decir que me he puesto de rodillas aquí a tus pies y que no hay perdón para mí en el universo como va diciendo el príncipe Alejandro, el hijo de Catalina que nos odia a los dos, a ella y a mí. Nos cree culpables del asesinato de su padre. Anda, vete, nada te retiene aquí. Anda a conspirar con él. Sería ésa para ti una carta a jugar todavía si tienes ganas de entrar en el juego.

Alzando la voz airado y descompuesto comenzó a gritar:

—¿Qué esperas? ¿No recuerdas cuando te eché de la cámara imperial del barco?

—No espero nada —dijo ella con una calma fría— y nada de lo que pueda suceder importa porque ni tengo miedo ni tengo esperanza. Ni siquiera tengo miedo de ti. Pero yo podría perdonarte, Orlof, si arriesgaras algo por mí. Supongo que es inútil y no arriesgarás nada porque tienes miedo a ésa —dijo señalando el retrato de Catalina al otro lado de la sala—. Digo, a la señora.

—¿Yo? ¿Miedo yo?

Cogió un pisapapel de la mesa y lo arrojó contra el cuadro de Catalina. No acertó, pero fue a dar contra un reloj de porcelana de Sevres que se hizo pedazos. La princesa se asustó y Orlof contrariado tomó un tintero, lo arrojó también y fue a caer dentro de la chimenea, en el fuego. Los fluidos de la tinta se inflamaron, con una pequeña explosión. La princesa seguía asustada, pero sonreía:

—Dime cómo y donde murió Radzivil y te perdonaré.

—Ah, ¿eso es todo?

La princesa pensaba: ¿Es posible que el remordimiento vuelva loca a la gente? Porque Orlof se estaba conduciendo como un loco.

—Yo no te diré como murió Radzivil —respondió por fin Orlof— porque no lo sé exactamente, aunque tengo indicios. Hay alguien en el mundo que lo sabe y te lo dirá si vas con una carta mía. Escribiré unas líneas a ese hombre que puede hablar y que hablará porque este sello mío le abrirá la boca. Es el mismo sello que se la cerró hace años. El hombre se llama Dimitri Alexandrovich y es coronel en la reserva. Vive entre Troitza y Pereslov en una propiedad donde tiene quinientas almas. La finca y las almas se las dio la señora con la orden de no volver a aparecer más por San Petersburgo. ¿Comprendes? Él sabe. Él te lo dirá todo si le enseñas mi carta.

Llamó y apareció un hombre grande y bovino con traza de eunuco:

—Trae tinta —dijo el conde.

No tardó en volver el criado con un tintero y el conde se puso a escribir. La princesa leía por encima de su hombro: "Dimitri Alexandrivich, la persona que lleva estas líneas pertence al linaje de Pedro el Grande y ha sufrido inocentemente. Háblale como le hablas a tu propia sombra por la noche cuando te acuestas y recuerdas aquella noche del Neva helado, Dios nos asista a todos". Firmaba y ponía el sello sobre la cera tres veces: una al lado de la firma, y otras dos en la doblez final para cerrar el papel a manera de los partes militares. Le dio aquello a la princesa y, tomando otro papel que estaba escrito ya, lo firmó con las armas del Estado Mayor del Imperio que tenía en un pequeño estuche.

—Con esto tendrás preferencias en la posta y el viaje gratis. Naturalmente en primera clase. Cuando las autoridades de la posta hayan visto este papel te lo guardas para la próxima ocasión, hermanita. ¿No sabes? Con eso es como si viajara yo mismo. Llevas la más alta *tchina* del imperio. No te quejarás. Ahora puedes marcharte si quieres. ¿No quieres marcharte todavía? Está bien. Pero cuando hayas hablado con el coronel Dimitri me perdonarás, ¿no es eso?

Ella callaba y miraba al fuego. Orlof continuó:

—¿Cómo sabré que me has perdonado? Tú me escribirás y yo guardaré ese papel con otros ahí detrás del cuadro de san Vladimiro. Allí tengo los perdones en pequeños papeles arrollados porque el archimandrita ha descubierto que tengo un espíritu y que mi espíritu necesita esos papeles escritos y firmados. No los tengo todos, claro. Me faltan muchísimos, pero sigo coleccionándolos. Estoy coleccionando perdones. ¿No te parece cómico eso en un tipo como yo? Son cosas del archimandrita que parece una vieja cabra. No te rías. ¿Crees que hablo en broma? Yo quiero que me canonicen un día como a Vladimiro.

Fue a la otra chimenea y sacó de detrás del cuadro del santo algunos pequeños rollos de pergamino atados con cintas rojas bendecidas. "Oh. —advirtió riendo— son cosas muy meritorias, no creas." La princesa se reía también viéndolo hablar en broma.

—Éste —decía Orolof mostrándole un papel más blanco que los otros— es un perdón póstumo. Un muerto, lo escribió. Juro por Dios que lo escribió en buena letra gótica un muerto. ¿Tu sabes que el príncipe Schlabikin murió hace ocho días? Pues yo quise obtener su perdón también. Era tarde. Llevaba ya cincuenta horas muerto. Sin embargo en estos días la ciencia lo puede todo. No en Rusia, claro. Aquí vivimos todavía como los tártaros invasores. Pero los hombres de ciencia que vienen de Europa lo pueden todo. Esta vez el sabio ha venido de Italia. Hay en la corte un conde italiano que sabe hacer prodigios y gracias a él he conseguido el perdón póstumo del muerto. Delante de mí sacó el caballero italiano un papel blanco sin una sola mancha. Le habló al muerto al oído, le puso el papel sobre los labios y poco después lo retiró y me lo mostró. Allí donde no había antes nada se veían estas letras con la mejor letra gótica: "Te perdono, Orlof y Dios nos perdone a todos". Míralas. ¿las ves? No es broma. Te juro que no es broma.

No parecía escritura de pluma, aquélla. Tampoco impresa. No era tinta, al menos una tinta conocida y usual. El conde italiano era Cagliostro que llevaba algunos meses en la corte. Tenía habilidades aprendidas en Persia o en las cuevas de las brujas de Sicilia o en las tabletas póstumas de Numa Pompilio. Pero aquel perdón era un truco fácil. Consistía en escribir con acetato de plomo incoloro sobre un papel —no se veía nada— y cuando estaba seco lo ponía sobre los labios y la nariz de un muerto. La descomposición *post mortem* empieza en los pulmones y produce ácido sulfhídrico que sale por la nariz y por la boca en forma de gas. De ahí el mal olor de los cadáveres. Este ácido colorea de negro en seguida el acetato de plomo y el conde Orlof que ignoraba el truco mostraba el papel satisfecho y asombrado.

La princesa no sabía qué pensar.

—¿Qué conde es ese? —preguntó.

—Uno que conocí en Florencia y me siguió por toda Europa cuando te llevaba presa en el barco.

La princesa tenía prisa por verse en la calle e ir a Pereslov usando en las estaciones de posta aquel escrito con el sello imperial. En el viaje invertiría probablemente cinco días y cinco noches. Tenía que ir a Ufa y luego al gobierno de Kurgan que estaba cerca. La posesión de Dimitri Alexandrovitch se llamaba Setobka es decir "las lamentaciones". Un nombre sugeridor de veras y muy adecuado al caso.

Al salir al vestíbulo la princesa vio un caballero de piel trigueña y ojos negros vestido de raso azul con encajes, decoraciones y otras galanuras. La princesa pensó que aquel hombre extraño con más aire latino que ruso podría ser el conde italiano. Más tarde había de encontrarlo en la posta. Se asustó cuando lo vio en la calle porque no creía en las casualidades y pensó que Orlof la espiaba.

El conde Cagliostro se presentó quitándose el sombrero y declaró en francés que iba a Moscú y desde allí a Viena y a Italia, pero podía ser que cambiara de ruta según aconsejaran los acontecimientos. Europa estaba agitada y cada día sucedían hechos cuya influencia en el destino de los hombres era inevitable directa e inmediata. Entraron los dos en el departamento de primera clase de la diligencia y la princesa desplegó por vez primera sus labios para decir:

—Yo hablo italiano también. He estado mucho tiempo en Italia.

Recibió Cagliostro aquella declaración con asombro. Tenía Cagliostro un rostro pleno, de ojos separados y fuerte color sanguíneo. El hecho de oír hablar italiano en Rusia estimuló su elocuencia. Aventuró opiniones sobre diversos asuntos, se atrevió a aludir a la política de la emperatriz con Turquía y al ver que la princesa se abstenía de responder se sintió un poco nervioso y cambió de conversación. No sin tratar de rectificar. Hacía grandes elogios de Orlof, de Potemkin y sobre todo —claro está— de la Semíramis del norte a quien elogió en todos los niveles: político, militar, moral, cultural.

Los elogios eran falsos y Cagliostro odiaba a la emperatriz que no sólo se había negado a recibirlo, sino que en las primeras semanas hizo que la policía le siguiera los pasos. La vida se le hizo difícil a Cagliostro en la corte rusa. Y se marchaba encubriendo su fracaso con alardes de retórica conformista y de fingido entusiasmo por Catalina.

Estaba Cagliostro muy intrigado con la princesa y para merecer sus confidencias comenzó por hacerlas él.

Aquel hombre le parecía a ella como un ave exótica de colores. Trataba Cagliostro de hacerse agradable a la princesa y contaba su vida, pero al ver que su compañera de viaje evitaba hablar de la suya se sentía un poco desairado. Por fin a fuerza de preguntas indirectas y deducciones consiguió averiguar que había vivido diez años en Florencia cerca de los jardines Boboli y conocía algunas familias ilustres como los Ferrara, los Médicis y los Lorena, a quienes le gustaría volver a ver.

En las primeras horas del viaje Cagliostro contó que había nacido en Palermo (Sicilia), pero no de padres italianos sino de una religiosa copta que estaba de paso. La religiosa dió a luz y se negó a decir quien había sido el padre. Esta irregularidad llamó la atención de Lizaveta cuyo nacimiento había sido también ilegítimo. Cuando la madre de Cagliostro volvió a Egipto con su niño en brazos el patriarca de Alejandría le preguntó bajo amenaza de excomunión quién había sido el padre y ella confesó... —aquí Cagliostro tomaba un aire modesto y de falsa vergüenza — ella confesó que estando en Túnez había sido visitada por un ángel. El ángel, pues, era el padre. (La princesa creía estar oyendo uno de los cuantos de su vieja nodriza del Cáucaso). No sabía Cagliostro si los jerarcas de la vieja iglesia copta creyeron a su madre o no, pero cuando más tarde Cagliostro fue a Egipto lo nombraron Gran Copto que quiere decir hijo de un ángel e inmortal en sí mismo. Se excusaba Cagliostro de hacer confidencias tan graves, tan íntimas y sobre todo tan difíciles de creer en el siglo de la encicopledia. Mientras el italiano hablaba la princesa se quedó adormecida a pesar de lo extraordinario de aquellas revelaciones.

En un momento en que el sueño de ella parecía profundo Cagliostro registró su bolso de viaje y pudo leer al trasluz contra la linterna algunas palabras de la carta de Orlof dirigida al coronel Dimitri. Aquellas palabras le bastaron para formar su composición de lugar. No podía comprender que siendo aquella mujer de sangre real viajara en la posta sola y disfrazada —creía él— de campesina. Rusia era el país de los misterios. Tampoco se explicaba que una gran duquesa llevara aquel bastón rústico ni que le permitieran a él viajar en el mismo compartimiento y ser testigo de su sueño.

Cuando llegaron a Moscú la princesa dijo que llevaba otro camino. Cagliostro se atrevió a preguntar:

—¿Piensa volver a Italia algún día?

—No he decidido nada, aún.

—En caso de ir, ¿iría a Roma? ¿Conoce vuestra señoría a alguien en Roma?

—No sé. Creo que no.

Se sentía Cagliostro impresionado por el laconismo de la princesa y se abstuvo de hacer más preguntas. Después de vacilar un momento se inclinó, besó su mano y se fue con su aire de pavo real. Ella por el contrario llamaba la atención por su vestido pobre y su bastón de cerezo.

Siguió su viaje, satisfecha de verse sola, hasta Ufa. Allí cambió de carruaje y el postillón que conocía el país le dijo que para ir a Sctokba lo mejor era seguir hasta Pereslov y allí esperar la *telega* del cura que iba los domingos a la posesión de Dimitri Alexandrovitch, a decir la misa. El postillón le preguntó si era la nueva maestra para los sobrinos de Dimitri, porque el viejo oficial no tenía hijos pero sí sobrinos. La princesa negó sin explicar más.

Pensaba en Cagliostro que hablando italiano renovaba para ella los buenos recuerdos de la infancia, siempre a salvo del deterioro de las desventuras o del escepticismo de la edad. Entretanto veía mujics acostados sobre los fardos que habían transportado a la posta, con el sol sobre los ojos, durmiendo como animales, algunos al parecer borrachos.

Los miraba con un sentimiento de amistad y casi de ternura, acordándose del carcelero que tenía pies de campesino.

VII

LLEGÓ por fin a Pereslov y el mismo postillón le indicó que podía quedarse y esperar hasta el domingo en una posada a media versta de la posta, muy cerca de la iglesia.

En la planta baja había una taberna y en ella gentes cantando y bebiendo. Las canciones eran tristes y parecían invitar a la princesa a reconciliarse con la vida por una especie de coincidencia en la desventura. Aunque parezca raro la ayudaban a dormir, por la noche. Su habitación estaba encima de la taberna y se sentía a gusto, allí.

"Esto es —pensaba— como vivir en un país diferente, como viajar en profundidad de arriba a abajo por los niveles oscuros de la gente y de la sociedad."

Había nacido en el palacio imperial y el mundo era para ella más profundo que extenso. Entre aquella cuna imperial y el haz de paja sucia de la prisión ¡cuántos desniveles y matices y diferencias! A la taberna acudían gentes oscuramente criminales, oscuramente honestas, oscuramente viciosas.

Aquella oscuridad de las gentes en los días de cielo bajo y también oscuro le gustaba. Incluído el ruido de lavar platos y el del acordeón y el de aquellas canciones desgarradoras que querían ser alegres. Había una canción que se llamaba *Ykto yeva znayet?* Es decir: *¿Quién sabe?* La cantaba la hija de los posaderos que atendía la taberna, con una voz un poco amarga y por aquella voz Lizaveta imaginaba que la que cantaba era una niña rubia de gruesas trenzas y talle un poco ancho, que no se había casado ni conocía aún el hombre. Decía aquella canción:

Cada día al caer el sol
un hombre viene a mi puerta
y espera y mira y no dice nada,
¿por qué mira a mi ventana?
Yo no sé, ¿quién sabe?
En el baile viene conmigo
y baila y canta alegremente
luego me lleva a casa
y al despedirse suspira.
¿Por qué suspira al dejarme?
Yo no sé, ¿quién sabe?
Una vez le dije: ¿qué tienes?
¿Por qué estás siempre tan triste:
y él respondió: no sé;
creo que lo he perdido.
—¿El qué? —Mi corazón.
¿Qué quiere decir con eso?
Creo que lo sé, pero no puedo
perder mi tiempo en estas cosas
eso le dije y ahora veo
que el corazón se me deshace solo
en dulzura y que lloro a veces
¿Por qué? No sé. ¿Quién sabe?

Liza oyendo esta canción sentía el corazón tierno y los ojos húmedos pensando en Orlof.

El domingo llegó el cura que iba a decir misa a Setokba y la posadera avisó a la princesa quien lamentó que hubiera llegado tan pronto.

No era larga la distancia, apenas veinte verstas que hicieron en algo más de dos horas. Por el camino el pope quiso trabar conversación y cuando vio que aquella mujer que parecía una campesina vulgar hablaba con el acento de la aristocracia de San Petersburgo se quedó confuso y la miraba y no decía nada. Al llegar a Setokba los sirvientes de la casa de Dimitri Alexandrovitch se acercaron a la telega y la princesa después de comprobar que vivía allí la persona a quien iba dirigida la carta de Orlof se la dio al que parecía mayordomo.

Poco después bajaba apresuradamente Dimitri, hombre

seco y alto, de pelo gris quien olvidado por completo del cura llevó la mujer al interior, la hizo sentarse al lado de una gran chimenea y pidió a una vieja criada que preparara el samovar. Luego tomaron el té juntos sin cambiar más que las palabras de rigor sobre la fatiga del camino y la molesta promiscuidad de los carruajes de posta.

La princesa lo observaba todo a su alrededor con una curiosidad no disimulada. Era la primera vez que estaba en una casa de campo rusa. Tenía la casa proporciones imponentes, pero estaba descuidada y se podía ver que a pesar de los años que llevaba allí el dueño no se había adaptado todavía al lugar. No sabía la princesa si Dimitri era casado, soltero o viudo, rico o pobre. Tampoco le interesaba. Ella quería saber sólo como murió Radzivil.

Tenía Dimitri costumbres campesinas un poco toscas. Por ejemplo, quería beber el té que estaba demasiado caliente vertiéndolo en el platillo porque de ese modo se enfriaba. Pero no se atrevió. Y sorbía ruidosamente como los kirghises en sus campamentos a pesar de lo cual se debió quemar porque hizo un pequeño gesto de dolor que a Lizaveta le pareció cómico. "Veo las cosas y las gentes — pensaba ella — como si me hubiera muerto y mirara desde una nube." La gente la trataba a ella también con un poco de la distancia fría que se tiene con los muertos.

Allí junto a la chimenea se quedó la princesa toda la tarde. A veces se acercaba una mujer a la puerta a mirarla. A veces asomaba no una mujer sino una cabra de color ocre y manchas blancas y contemplaba a Lizaveta con ojos amistosos.

Preguntó de una manera inesperada mirando al fuego y sin alzar la voz: — Dimitri Alexandrovitch ¿quiere decirme cómo murió Radzivil, paladín de Vilna?

Echó el coronel una mirada alrededor y dijo después a la princesa: "No repita aquí el nombre de Radzivil, señora. Digo en voz alta".

Dimitri se puso a hablar del precio del trigo, de los caballos de la gobernadora del distrito que eran de pura sangre normanda y del agua del manantial del bosque y sus propiedades medicinales. De lo que no habló fue de Radzivil.

Escuchó la señora hasta cerca de la medianoche y entonces se retiró. La cama tibia era un placer. Antes de dormirse estuvo pensando en Florencia, en la iglesia de Santa María y en el cardenal que quiso ser papa,

Al levantarse al día siguiente muy temprano encontró animales por los pasillos: gatos, perros, un osezno, un pequeño cabrito montaraz. Todos parecían amistosos y satisfechos de la presencia de la princesa. Los gatos eran la especie más numerosa y la princesa contó nueve de diferentes colores. "Esto es —se dijo— el arca de Noé." Y pensó que Dimitri debía ser soltero.

Algunos de aquellos animales vivían permanentemente en la casa. El día anterior habían sacado a la cabra y al oso para que no los viera la princesa, pero ellos no se resignaban y volvieron a entrar. Amaba Dimitri especialmente a sus gatos. Los otros animales los tenía sólo, según decía, por piedad y en cuanto a los perros se complacía en castigarlos a la vista de los gatos que miraban altivos y silenciosos desde lo alto de los muebles, como si pensaran: "al fin todos sois hijos de perra."

Tenía una vieja cocinera que se atribuía dentro de la casa autoridades sospechosas. La princesa fingió no darse cuenta y se hizo especialmente amiga de la cabra que a pesar de todo parecía bastante civilizada y de dos gatos que la seguían a todas partes. La princesa cuando estaba sola besaba a los gatitos en el cuello y a la cabra que tenía un perfil gracioso de niña en la frente. Los animales comprendían que eran sus amigos y se encariñaron con ella. Pero la princesa sólo se permitía alguna efusión cuanto estaba segura de que nadie la veía. También amaba las plantas que había en los distintos tiestos y se cuidaba de ponerles agua. Delante de las personas de la casa tomaba una expresión fría y distante y no sabía cómo entenderse con ellas. La gente la intimiadaba aún. Los *otros* la congelaban y paralizaban. *Los otros* eran el mal. El pecado.

Tratando de explicarse aquellas reacciones pensaba en el Neva helado y se decía que, aunque ahora tenía el cuerpo caliente, su alma seguía congelada como aquellos témpanos que chocaban con las piedras de la espelunca debajo del agua, con un ruido a veces musical.

Miraba Dimitri Alexandrovitch los vestidos casi miserables de la princesa y su báculo de cerezo sin saber qué pensar. Aquel bastón golpeando en el suelo de madera por los pasillos anunciaba a la princesa antes de que llegara. Al oscurecer Dimitri y la princesa se reunían cada día frente a la chimenea y al lado del samovar hirviente. Ella se había acostumbrado a la presencia de aquel hombre nervioso de gran rostro descarnado y él suspiraba y se quedaba mirando al fuego. Al lado de la princesa había dos gatos durmiendo sobre una piel de cordero. La cabra silvestre se asomaba a la puerta porque no le permitían entrar en el salón y a veces balaba pidiendo permiso.

Dimitri y la princesa miraban al fuego en silencio y cuando se oía lejos un rumor cualquiera (el simple crujido de un mueble) él contenía el aliento, alzaba la cabeza y la ladeaba en aquella dirección. Se quedaba así un rato hasta que comprobaba el origen del ruido. La princesa lo observaba sin mirarlo de frente y se decía: "Tiene miedo. En cambio yo no tengo miedo a nada porque todo mi miedo se quedó en la prisión".

Aquella noche Dimitri quiso presumir de liberal, dijo que leía a Rousseau y a Voltaire y que si los domingos se celebraba misa en su casa era porque no quería escandalizar a los sirvientes y sobre todo a los mujics que eran gente supersticiosa y se agarraban a la religión por creer que los preceptos del cristianismo les daban alguna clase de derechos morales.

—Eso es verdad —dijo ella una vez más—, pero usted tiene miedo. Mucho miedo tiene usted Dimitri Alexandrovitch.

Y pensaba en Orlof. Sólo Orlof podía darle tanto miedo a Dimitri.

El pobre hombre dijo en voz baja:

—Excelencia, esta noche cuando se acuesten todos, le diré como murió Radzivil.

Cumplió su promesa. Antes hizo un largo preámbulo: "Yo no soy un ciudadano civil ni militar, es decir, no soy nadie. Soy sólo *el hombre que vio*. Unos han nacido para hacer cosas, otros para explicarlas y yo nací sólo para mirar y ver. Y vi. De veras, vi. Muy temprano en mi vida, bueno, no tan temprano porque tenía ya cerca de cuarenta años. Después de haber visto lo que vi salí de San Petersburgo y vine aquí, digo a esta vieja casa donde continuaré hasta el último día de mi vida. Por orden superior y porque no tengo nada que hacer en ninguna parte. Ya hice todo lo que tenía que hacer en la vida".

Sorbió té, comenzó su narración y no la interrumpió hasta el fin. "Yo tenía cuarenta años como dije y desde hacía dos era capitán ayudante del regimiento de Paulowski en San Petersburgo. Para capitán era yo viejo. Una noche que estaba acuartelado y dormía en mi habitación al lado del cuerpo de guardia alguien me sacó de mi sueño diciéndome al oído:

"—Capitán Dimitri Alexandrovitch, levántese y venga conmigo.

"Abrí los ojos y vi un hombre al lado de la cama. Aquel hombre repitió las mismas palabras al ver que estaba despierto.

—"¿Ir con usted? —dije—. ¿A dónde?

—"Lo único que puedo decirle es que vengo de parte del conde Orlof. Levántese y venga.

"Salté de la cama y me vestí. Entretanto miré con atención al hombre que había venido a buscarme. Creí reconocerlo como un antiguo esclavo turco a juzgar por su rostro sin pelo y su piel brillante. Un eunuco.

"—Estoy listo —dije abrochándome el cinturón.

"Mi inquietud aumentó al ver que el eunuco en lugar de llevarme fuera del cuartel bajó por una escalera de caracol hasta los sótanos del enorme edificio.

"Después de algunas vueltas y revueltas nos encontramos frente a una puerta que me era desconocida. Durante nuestra marcha no habíamos visto a nadie, alteza. Se habría dicho que el edificio estaba vacío. Recuerdo una o dos sombras entre los pilares de los sótanos, pero no sé si eran seres humanos o manchas de luz o ilusiones y se desvanecieron pronto, señora. Yo no salía de mi asombro: *Orlof me llama.* ¿Qué podía querer de mí el amigo de la emperatriz?

"La puerta que teníamos delante estaba cerrada. El eunuco llamó de una manera especial y la puerta se abrió sola, aparentemente. Luego pasamos y vi detrás a un hombre que volvía a cerrarla con cuidado y sin hacer ruido.

"El lugar donde habíamos entrado era un pasadizo de una anchura de tres metros con el suelo de tierra bastante húmedo. Las paredes estaban cubiertas con paneles de color gris que hacían sobre la piedra rojiza un contraste agradable. Yo estaba más intranquilo cuanto más caminábamos.

"Al final del corredor que tenía unos quinientos pasos había otra verja de hierro. Mi conductor sacó una llave, abrió, pasamos, volvió a cerrar y me invitó a seguir caminando. Misterio, señora. Al final de aquella excursión íbamos a encontrarnos con Orlof. ¿Para qué?

"Comencé entonces a recordar que según los viejos oficiales de mi regimiento aquella galería comunicaba el cuartel con el palacio rojo. Llegamos delante de otra puerta que estaba sólo entornada. Se abrió y volvió a cerrarse detrás. Entonces nos encontramos frente a una escalera por la que fuimos subiendo, despacio. Una escalera limpia y decorada con lujo que nos llevó a otra parte del edificio donde se percibía ya el aire caliente. Pronto vimos que aquel lugar —decía elocuentemente Dimitri— tomaba las proporciones grandiosas de un palacio. Era la residencia de invierno de la emperatriz. Pensaba yo en otro oficial amigo mío a quien la emperatriz hizo ascender en tres días tres grados por un capricho de mujer como se suele decir, pero no podía esperar que una cosa como aquélla me sucediera a mí. En todo caso llegamos a la última puerta delante de la cual había un centinela. El eunuco le dijo algo en voz baja y el soldado saludó rígidamente y abrió. Entramos. Era una sala amueblada con lujo. Un hombre de talla elevada, vestido a la prusiana con botas que le llegaban a medio muslo y casaca bordada de plata se acercó a mí.

"Reconocí al conde Orlof, lo que no era difícil porque nos pasaba revista cada semana. Recuerdo que algunos días antes me llamó aparte y me hizo una serie de preguntas sobre mis orígenes sociales y mis costumbres en la corte.

"Aquel recuerdo me inquietaba más. No había duda de que Orlof tenía reservada para mí alguna clase de misión.

"El eunuco se inclinó y dijo: excelencia, éste es el capitán Dimitri Alexandrovitch. Y entonces Orlof dijo algo confusamente entre dientes, tomó de una bandeja que había sobre la mesa dos cerezas —¡cerezas en enero! —, las comió e hizo una señal a mi acompañante para que saliera. El eunuco me dejó solo con Orlof. Al fondo había una puerta entreabierta y dentro se oían risas y voces femeninas.

"Iba y venía Orlof sin decir nada y como si estuviera solo en la sala. Luego pasó al cuarto del fondo. Yo miré alrededor y podría decirle a usted cómo eran las cortinas, las alfombras, de tal modo se me quedó grabada la escena. Por fin salió Orlof otra vez y me dijo:

"—¿Quién eres tú? —sin dejarme tiempo para responder añadió: —Tú no eres nadie. Eres menos que nadie.

"Yo saqué fuerzas para decir: En este lugar, desde luego. En este lugar y en este momento no soy nadie, señor.

"—Hum... —dijo Orlof. — No me respondas.

"Y volviéndome la espalda se puso a pasear otra vez, tomó de la bandeja otras dos cerezas, con ellas salieron enzarzadas tres más que se cayeron a la alfombra. Orlof las recogió y se volvió hacia mí:

"—Cuando te dan una orden tú sabes que debes obedecer como se obedece a Dios mismo, si la orden sale de este lugar.

"Me miraba fijamente a los ojos. Tenía los ojos redondos, hundidos y fijos, quiero decir que no parpadeaba. Yo tuve que apartar la mirada. Nunca había podido resistir la mirada de Orlof.

"A él le pareció bien mi timidez y fue a una mesa, tomó un papel, lo leyó para sí, lo dobló, lo selló y después se me acercó otra vez:

"—La señora te ha elegido entre mil para ejecutar sus órdenes. A ti, pobre oficial de granaderos, que eres en este momento menos que un gusano.

"En aquel momento volvieron a oírse al otro lado de la puerta voces y risas de mujer. Unos segundos después la puerta se abrió y apareció Catalina, vestida de gala. Yo me arrodillé delante de ella y me incliné para besar la fimbria de su vestido. Ella me miró, con atención, cambió con Orlof unas palabras en alemán y luego me dijo gravemente:

"—¿Eres tú?

"—Es él —dijo Orlof respondiendo por mí.

"—Está bien. Pareces hombre honrado, capitán. Obedece al conde Orlof y él te dirá lo que tienes que hacer.

"La señora me sonrió, me dio a besar su mano y se fue sin añadir una sola palabra. Entonces Orlof me dijo:

"—Toma este pliego, llévalo ahora mismo al gobernador de la fortaleza de Pedro y Pablo, asiste como testigo a lo que él haga y luego ven aquí otra vez a decirme: lo he visto. ¿Entiendes? *Lo he visto.* Ni una palabra más, pero tienes que verlo. ¿Me oyes? Eso es todo.

"Salí y al otro lado de la puerta volví a encontrar al eunuco que esperaba con las manos en las mangas del caftán. Volvimos a caminar, pero esta vez por un corredor diferente. Yo me preguntaba qué sería lo que tenía que ver y el eunuco me impresionaba porque parecía estar en el secreto. Naturalmente no le pregunté.

"Aquella nueva galería conducía a una explanada frente a la fortaleza de Pedro y Pablo. Al salir al aire libre vi que un trineo nos esperaba. Montamos. Era una noche helada. La puerta de la fortaleza se nos abrió poco después sobre el puente de la Fontanka y el trineo avanzó al trote largo. Cruzamos una explanada y llegamos al borde del Neva por el lado sudoeste. Atravesamos el río helado y dejamos atrás el campanario de Pedro y Pablo donde una esquila agitada por el viento sonó dos veces.

"La noche era muy oscura y el viento soplaba de una manera lúgubre que nunca he podido olvidar. Nos detuvimos frente a unas escaleras que partían de la superficie helada del Neva.

"El centinela recibió la consigna por el ventanuco y abrió. Una racha de viento metió algunos copos de nieve delante de nosotros antes de que el centinela cerrara otra vez. El gobernador estaba acostado, lo hicieron levantar y apareció disimulando su disgusto. Nos miró un momento, interrogante, y sin decir yo nada le di el papel que había recibido de Orlof.

"Se acercó el gobernador a un candelero, examinó el

sello a la luz, se inclinó, hizo el signo de la cruz y abrió la carta. Luego me miró, volvió a leer la carta y preguntó:

"—¿Su señoría viene para ver? ¿Sí? ¿Y... qué es lo que espera ver?

"—No lo sé. Supongo que es usted quien lo sabe.

"Se quedó un momento pensativo.

"—¿Han venido vuestras señorías en un trineo? ¿Cuántas personas caben en ese trineo? ¿Dice tres? Está bien. Preparen un segundo trineo —dijo a los carceleros— y elijan cuatro soldados uno con una palanca de hierro, otro con un mallo y los restantes con hachas.

"Entonces el gobernador me dijo:

"—Venga conmigo.

"Echó a andar delante y lo seguí. El eunuco se quedó en la portería. Un carcelero venía detrás todavía, con las llaves.

"Caminamos hasta llegar frente a una puerta. El carcelero abrió y alzó la linterna para iluminar el lugar. Bajamos diez escaleras de piedra y llegamos delante de una fila de calabozos con las puertas numeradas. El gobernador se detuvo delante de la puerta número once e hizo una señal muda. Se diría que en aquel lugar todos habíamos perdido la facultad de hablar.

"La humedad de los subterráneos penetraba hasta los huesos. Yo estaba helado y sin embargo tuve que secar dos veces el sudor de mi frente como les pasa a los enfermos de tercianas. Se abrió la puerta, bajamos seis escalones todavía y nos hallamos en un calabozo cuadrado como el fondo de un aljibe antiguo. Nunca podríais, alteza, imaginar un lugar como aquél y yo renuncio a describirlo. El resplandor de la linterna descubrió una sombra humana en un rincón.

"Se oía el ruido de las aguas del Neva que por debajo de los hielos azotaban los muros.

"—Levántese y venga con nosotros —dijo el gobernador.

"Era el preso un hombre joven, pero maltratado y envejecido en la prisión, con barbas borrascosas y piel de una malsana blancura. Llevaba una pelliza harapienta y rota y por algunos lugares se veía su cuerpo desnudo y magro. Era Radzivil.

"Yo pensé que tal vez aquel hombre en otro tiempo había vestido fastuosamente de gala con el pecho cubierto de condecoraciones.

"Se acercó. Las miserias de la prisión lo habían casi aniquilado, pero su mirada era firme.

"—Está bien —dijo el gobernador—. Venga con nosotros.

"Y salió delante. El prisionero lanzó una mirada lánguida sobre su cubo de agua, sobre la paja en la que estaba acostado poco antes.

"—¿A dónde?

"El gobernador repitió la orden:

"—Venga con nosotros, Karl Radzivil.

"—¿Pero a dónde?

"—Ya lo verá.

"—¿Es para ponerme en libertad?

"—En cierto modo.

"—Lo digo porque tengo algunos papeles que querría llevar conmigo.

"—No es necesario, ahora.

"Siguiendo al gobernador el preso pasó junto a mí. No olvidaré nunca su mirada. Me penetró como un puñal. Yo me aparté un poco para evitar que aquel hombre me rozara. Esos calabozos de Pedro y Pablo me han causado siempre horror. Y sus ocupantes. Por el simple hecho de estar allí el hombre más virtuoso del mundo toma calidades casi monstruosas de criminal, señora.

"El carcelero cerró cuidadosamente la puerta y me dijo en voz baja: ¿a dónde llevan a ese pobre hombre? ¿Qué van a hacer con él? Yo no lo sabía. Frente a la puerta exterior encontramos los dos trineos. Hicieron subir al preso en el carruaje que me había llevado a mí. El otro lo ocupaban los cuatro soldados. El gobernador iba al lado del preso y llevaba atada a su cintura la cadena que enlazaba juntas las dos manos de Radzivil. ¿A dónde íbamos? Yo lo ignoraba y me abstenía de preguntar. El hecho no era de mi incumbencia. Yo debía *ver,* nada más, y decir después con entera verdad: *he visto.* Por mi posición en el trineo tenía las piernas junto a las del preso, que temblaban a veces. Iba el gobernador envuelto en pieles de oso. Yo en mi capote forrado de lana. El preso iba igual que había salido de su calabozo. Busqué la manta que había en el fondo del trineo y sobre la cual poníamos los pies. Quería dársela al preso para que al menos cubriera sus rodillas, pero el gobernador adivinó mi intención:

"—No vale la pena —dijo—. Llegaremos enseguida.

"El viento del Báltico soplaba con violencia. Era una de esas celliscas que sólo existen en el golfo de Finlandia. Por muy acostumbrados que estuviéramos a la oscuridad, a diez pasos no se veía nada. Nuestros caballos relinchaban, se encabritaban, se negaban a avanzar.

"Qué noche, alteza, ¡qué noche terrible!

"Nos detuvimos en el centro del río helado. El gobernador bajó y se acercó al segundo trineo. Los soldados habían descendido también llevando cada uno en la mano la herramienta que habían tomado en la prisión.

"—Hagan un agujero en el hielo —dijo el gobernador y lo señaló con la bota indicando sus dimensiones.

"Yo comenzaba a comprender y no podía, no debía decir una palabra.

"—Ah —dijo el preso con voz insegura—. La emperatriz se acuerda de mí, al parecer. Está bien.

"Diría yo que sonreía, pero debía ser el frío que mantenía sus labios distendidos. Los cuatro soldados se pusieron a la obra. Rompían el hielo con los martillos haciendo saltar esquirlas brillantes, alzaban los bloques con la palanca, tallaban los bordes con las hachas.

"De pronto saltaron hacia atrás. El hielo estaba cortado y el agua subía al nivel máximo como si hubiera estado comprimida. El preso rezaba. El gobernador le desató las manos. Y ahora usted puede suponer lo que sucedió.

"No estaría el preso rezando más de medio minuto. Luego los soldados fueron sobre él. Yo cerré los ojos, pero recordando la orden de Orlof volví a abrirlos. Apenas vi nada, tan rápido fue aquello, pero oí el ruido de un cuerpo que era zambullido en el agua. El preso había desaparecido. Yo me dirigí al trineo y la voz del gobernador me detuvo:

"—No hemos terminado. Hay que esperar aquí.

"Nos quedamos en aquel lugar más de un cuarto de hora todavía.

"—El hielo se ha cerrado otra vez, señoría —dijo por fin uno de los soldados tanteando el suelo sólido con la palanca.

"—Está bien —respondió satisfecho el gobernador—. Vámonos.

"Otra vez en los trineos los caballos partieron al trote perseguidos por el viento finlandés.

"En menos de diez minutos estaba yo otra vez al lado de mi extraño conductor el eunuco, quien dijo al cochero:

"—Al palacio rojo.

"Poco después la puerta de las habitaciones privadas de la emperatriz se abrían de nuevo. Y dentro apareció Orlof vestido de gala.

"Lo demás, alteza, no necesitas saberlo. Al día siguiente salí de San Petersburgo y no volví ya nunca a la capital. Esta es la primera vez que cuento la cosa a un alma viviente. Y lo hago cumpliendo la orden escrita del conde Orlof, mi superior jerárquico."

Dimitri echó una mirada alrededor, contempló con melancolía la cabra que seguía vigilando desde la puerta y dijo: "Ahora sabe vuestra alteza tanto como yo".

Hervía el samovar con su familiar borboteo. Sonreía la princesa tristemente con sus labios lívidos y miraba al fuego recordando que una noche en la fortaleza de Pedro y Pablo había tenido la impresión de que Radzivil estaba en el río, nadaba tratando en vano de subir a la superficie (su cabeza chocaba una y otra vez con la bóveda helada), decía el nombre de la princesa y daba gritos. Aquello pudo coincidir tal vez con la noche a la que se refería Dimitri.

Pero no hizo comentario alguno. El silencio pesaba lúgubremente en la sala.

—¿Cuándo se marchará su alteza? —preguntó torpemente el coronel.

—Nada me detiene ya aquí —dijo ella.

La muerte de Radzivil con todo su natural espanto no era sólo la muerte. Era al mismo tiempo la ignominia. Lizaveta, mirando las llamas y oyendo su tenue y sostenido fragor en el hueco de la chimenea, se decía: "No puedo odiar a pesar de todo a Orlof".

Ni a nadie. No odiaba a nadie, en el mundo.

Amaba las cosas, y las gentes, aunque sólo tibia y serenamente y pensaba que su amor era tal vez una parte del amor de Dios para sus criaturas. Aquel dios ya no tenía cara de rata, pero tampoco de hombre. Callando, miraba al fuego Lizaveta y dejaba su imaginación suspendida en un punto muerto.

Dimitri alargó los pies hacia el fuego. Luego se dio cuenta de que con el calor sus botas húmedas desprendían vapor y las retiró poco a poco. Pensaba: "Esta señora es una agente de Catalina que quiere comprobar algún detalle sobre lo que sucedió aquella noche en el Neva".

—Permítame una pregunta, señora. No es frecuente hacer viajes sin alguna maleta aunque sea pequeña. ¿Dónde tiene el equipaje?

—Lo dejé en Pereslov, coronel —dijo ella al azar, mintiendo.

Siguieron callados, frente al fuego. Recordaba Dimitri que en el desván había un baúl lleno de trajes que habían pertenecido a una barina de aquel gobierno muerta hacía cincuenta años. Le dijo que si quería, allí podía escoger vestidos o quedarse con todos y con el baúl. Un poco pasados de moda debían ser porque correspondían a la juventud de la barina, pero tal vez podía hacer reformar los trajes que más le gustaran.

Ella rehusó, pero al día siguiente volvió a pensarlo y fue al desván donde se probó los vestidos que parecían más adecuados a su talla, aunque estaban muy anticuados, realmente. Eran casi todos de damasco verde o rojo. Había uno de color salmón. Demasiado llamativos, pero de una evidente riqueza y lujo. Decidió la princesa aceptar todo aquello, el baúl incluido. Y se sintió alegre como una niña. Había elegido para el camino un vestido que no dejaba de ser práctico. Suponía que llamaría la atención, pero ya no sería una atención galante, porque su cabello gris y su cojera la excluían del mundo de las mujeres deseables. Esa circunstancia le parecía a un tiempo lógica, triste y cómoda.

Habría querido irse a algún sitio —a alguna posada campesina—, y quedarse allí.

Aquella noche en su cuarto la princesa estuvo recordando las palabras de Dimitri y pensando en Radzivil, en sus últimos momentos. Sin duda el paladín quiso nadar, tropezó en todas partes con aquella techumbre dura y helada que se lo impedía y debió sufrir una agonía larga. Era posible que en algún lugar hubiera un espacio vacío entre la superficie del río y la techumbre de hielo porque a veces después de haberse helado la superficie el caudal desciende y queda un espacio entre el agua corriente y la techumbre dura.

La historia estaba llena de crueldades y violencias. Recordaba Liza haber leído las crónicas de Tácito, porque eran lectura obligada en la educación de los príncipes, y por ellas se enteró de que a los dos hijos de Sejano los hizo matar Tiberio. Tenían siete u ocho años nada más y cuando el verdugo los llevaba al lugar de la ejecución ellos preguntaban qué les iban a hacer y de qué eran culpables. El verdugo les decía que habían sido malos y que los iba a castigar con la muerte.

Los niños no entendían y cuando la niña vio que el verdugo estrangulaba a su hermano con una cuerda volvió a preguntar por qué no les daban de azotes como otras veces. Luego el verdugo —extraña virtud—, pareciéndole mal que una virgen fuera ejecutada—, la violó antes de extrangularla. "Así deben ser —pensaba Lizaveta— las virtudes de los verdugos."

Los hijos de los príncipes y los príncipes mismos están sometidos a leyes diferentes a las de los demás mortales.

Así y todo la vida era la vida, ciertamente, pero en aquel momento estaba segura de haber oído desde el calabozo los golpes de la cabeza de Radzivil, contra el hielo. Era posible que Radzivil nadara hasta la boca del sumidero. Seguramente al ver lo que iban a hacer con él decidió que nadando hacia el mar o hacia la orilla podría salir a algún espacio donde le fuera posible respirar. El mar estaba demasiado lejos para poder llegar y sacar la cabeza a flote. Entonces optó tal vez por dirigirse a la orilla y era posible que fuera a dar contra el sumidero de las aguas sucias y que allí muriera sin saber que estaba a pocos pasos de Lizaveta.

Tal vez tuvo en el último instante la intuición de aquella proximidad, como la tuvo también ella.

Entretanto, Orlof vivía. Lizaveta se daba cuenta de que lo amaba y el cielo estrellado con su luna, el cielo soleado durante el día y el cielo turbio y nublado pero grande y extenso eran hermosos. Radzivil tenía ambiciones en cuya realización estaba tal vez implicada la vida de mil o de diez mil soldados polacos o rusos que en el fondo carecían de ideas políticas y a quienes les daba lo mismo una cosa que otra. Si era así no tenía más remedio la princesa que hallar alguna congruencia en lo que sucedió. Era cruel la muerte de Radzivil pero ¿no lo habría sido la agonía de un herido en alguna de las batallas que él planeaba, un herido abandonado en el campo a los lobos rusos, aquellos lobos que preferían los cuerpos vivos a los muertos porque su carne era más sabrosa ya que estaba aún caliente y la sangre fluida y no cuajada? Así los lobos solían hundir sus hocicos en las entrañas vivas, en el hígado, en el vientre de algunos hombres heridos e ir devorándolos antes de que murieran. A Radzivil lo castigaban anticipadamente como causante posible de aquel suplicio de los soldados heridos cuyas entrañas humeantes eran comidas por los lobos en las noches de invierno.

Ella no acusaba a nadie y quería seguir viviendo, aunque fuera con frío en los huesos y sin amor ni esperanzas de amor. En su imaginación estaba tan fatigada que lo mejor que podía esperar, según se decía a sí misma, era que después de la muerte no hubiera nada. Sólo silencio mineral y olvido. La nada eterna era una manera casi gloriosa de descansar.

Pensaba estas cosas mirando en su cuarto desplegados los vestidos rojos, verdes, grises. No le disgustaban, sobre todo, uno color cereza. "Ese color —pensaba la princesa —es el que las modistas francesas llaman *rouge cramoisi.*"

El baúl tenía grapas de hierro y refuerzos de lata en las esquinas en forma de flores de lis, un blasón por cierto que ella tenía también en su linaje. Le gustaba la casa del coronel, pero quería salir cuanto antes. Siempre quería salir de los sitios como si tuviera miedo de que la encerraran.

Antes de marcharse se vistió el traje gris que tenía una cola demasiado larga, pero podía recogerla y además pensaba que aquel vestido lo usaría sólo dentro de casa. Para la calle usaría otros sin cola.

Acababa de vestirse cuando vio en el fondo del espejo que la cabra la miraba desde la puerta. Y detrás de la cabra apareció la vieja cocinera, quien dijo de una manera inesperada y chocante:

—¿Cuando se va vuestra excelencia? ¿Mañana? ¡Y no ha venido Dimitri Alexandrovith a declararle su amor! Me extraña. Lo digo porque los hombres se atreven a todo cuando una mujer hace las maletas y se va.

Miraba la princesa a la cocinera pensando: "En el campo las mujeres de cuarenta años parecen viejas." Se abrochaba el guante y pensaba que con aquel vestido parecía una dama salida de un retrato de otros tiempos. El alto bastón y el pelo gris contribuían a darle una apariencia de veras anacrónica.

Dimitri le ofreció otro bastón, pero ella se negó. Por nada del mundo dejaría aquel cerezo sin pulir que le había regalado el carcelero. Hizo conducir su baúl a la telega y se fue. Era una mañana de cielo gris e iba pensando que la tarea más importante de la vida de cada cual es su muerte. La destrucción de uno en la cual colabora Dios de una manera importante y eficaz. La tarea lenta —a veces rápida —de la destrucción de cada uno de nosotros. Era lo único que contaba en cada caso.

Orlof la había ayudado en aquella tarea. Orlof y no Radzivil, que quería salvarla para quien sabe qué clase de falsas glorias. El pobre Radzivil había ido a su propia destrucción sin darse cuenta y sin protestas inútiles. Y cuando el reo dijo sobre el río nevado "veo que la emperatriz se acuerda de mi" era sin duda todo lo que pensaba. Es decir que no pensaba en ella, en Lizaveta. Si hubiera dicho algo de ella, el viejo coronel, es decir *el hombre que vio,* se acordaría también. Los hombres nacidos para mirar y para oir no pierden detalle.

VIII

En la silla de posta de Voronezh iba Lizaveta hacia la frontera occidental, es decir la de Europa, todavía pensando en Orlof y negándose a ser distraída por las cosas que veía y las personas que le hablaban.

Cerca de Usma subió al coche y al mismo departamento un hombre joven de aire concentrado y adusto. Al verla saludó, pidió perdón si la molestaba con su presencia y por fin se presentó como el médico titular de Tuzlov, distrito agregado de Usma. El nombre del médico sonaba de un modo no muy serio: Trifón Ivanovitch. La princesa, vaciló un poco y dijo el suyo: Lizaveta Romanov. Ese nombre extrañó un poco al recién llegado, quien pensaba: si ella me da un nombre falso yo podría haber hecho lo mismo. aunque sólo fuera por mejorar el mío, que es un poco grotesco.

Ella estaba pensando en que había enviado su perdón escrito a Orlof y se preguntaba si aquel hombre todopoderoso la permitiría o no salir de Rusia. Poco después de dejar la casa de Dimitri Alexandrovitch se encontró en una estación de posta con un joven correo de alto rango. Para darle caballos a él se los quitaban a los demás. Resultó ser un correo privado de la casa imperial. Se apresuró ella a escribir un billete para Orlof y preguntó al correo si quería llevarlo. El joven recibió el mensaje abierto y allí mismo, delante de ella, lo cerró sin leerlo, lo selló y lacró y le aseguró que dos días después estaría en manos de su excelencia.

Pensó la princesa: ese correo era un hombre de bien,

A veces tengo suerte con las personas que encuentro al azar. Desde entonces habían pasado ya cinco días y cinco noches.

En su billete, Lizaveta le enviaba su perdón a Orlof y le pedía pasaportes para marcharse hacia las tierras de Austria e Italia con la esperanza de llegar algún día a Florencia. Decía en su billete: "Me quedaré en Voronezh esperando la respuesta".

El médico Trifón Ivanovitch vestía de negro y su expresión era tan lastimosa que Lizaveta pensó que alguno en su familia acababa de morir e iba al entierro.

En la primera parada el médico bajó y regresó oliendo a vodka. Antes de arrancar el coche sucedió algo de veras inesperado. De la taberna salieron veinte o treinta hombres de distintas edades y razas. Los había morenos como gitanos, rubios como finlandeses, gordos y flacos, pequeños y grandes. En una cosa parecían coincidir: todos estaban borrachos.

Se acercaron, se cogieron de las manos y formando un gran corro alrededor del coche comenzaron a dar vueltas y a cantar:

Al matasanos don Trifón
las seis botellas de la boda
se las robaron del balcón.

—Es verdad —confesaba el médico—. Me robaron el vino de la boda. Pero ¿qué necesidad tienen de insultarme? Permítame que le explique. Había nieve en el balcón y puse a refrescar las botellas. Y esos pícaros se invitaron a sí mismos y me las robaron.

La princesa preguntaba:

—¿Hace mucho que se casó usted? ¿No? ¿Y es bonita su esposa?

Luego se arrepintió Lizaveta de la pregunta que le pareció boba, pero ya no tenía remedio.

—¡Qué quiere usted que le diga! —contestaba el viajero—. Si en lugar de ser usted una mujer fuera un hombre yo le diría que sí, que es hermosa y que estoy enamorado. Tenemos el pudor del fracaso. Pero a usted puedo decirle la verdad. Estoy enamorado aunque no de mi esposa sino de una sombra, de una hermosísima sombra.

El coche había conseguido arrancar y el grupo de alborotadores quedó detrás gritando. Uno de los que más gritaban se ponía el bastón en la entrepierna como un falo grotesco y daba saltos. El médico alzaba la voz para cubrir las de ellos. —Cada uno —decía Trifón— está enamorado de algo o de alguien, ¿verdad señora? Y yo lo estoy aunque no de mi esposa.

Anochecía y pronto encendieron las linternas del coche. La de la izquierda proyectaba dentro un rayo amarillo que iluminaba al sesgo la mitad de la tapizada camareta. El médico se ponía en el lado de la sombra para evitar la proyección de la luz amarilla sobre su rostro y seguía hablando:

—Yo me casé. Fue hace algunos años. Me casé con una hija de campesinos acomodados y ya que hablamos se lo diré todo. Mi mujer traía siete mil rublos de dote. Es una mujer estúpida, con menos sesos que una gallina. Pero se considera superior a mí porque su padre vende la leche de seis vacas todos los días. Así son las cosas. La noche de la boda había puesto yo las botellas a refrescar en la nieve del balcón y se las llevaron. Luego los ladrones anduvieron bebiendo y cantando y diciendo obscenidades por el pueblo porque daban a aquel hurto un sentido simbólico. Desde entonces no se habla en la comarca de otra cosa. Pasan los años y pasarán las generaciones y la gente lo olvidará todo, pero siempre habrá alguien que señale ese balcón de mi casa y diga: "Al médico que vivía ahí se le bebieron el vino de la boda. Todo el mundo se embriagó con aquel vino menos el novio, menos el doctor."

No hacía la princesa el menor comentario y su silencio llegó a azorar al médico. Cuando el día clareó vio don Trifón que Lizaveta dormía y pensó que tal vez no le había oído la ridícula historia de su boda y que, por otra parte, no había tenido ocasión de decirle la parte noble, es decir, lo que se refería a la sombra de otra mujer de la que estaba enamorado de veras. Por todo esto se sentía bastante insatisfecho de sí, como viajero comunicativo.

Por fin llegó el coche a Usma. El médico disponiéndose a bajar se quitó el sombrero y dijo a la princesa:

—En el distrito de Uzlov, agregado de Usma, me tiene usted a sus órdenes y perdone que le haya hablado tanto de mí mismo, pero era necesario para que formara usted una idea un poco menos miserable de mí. Lo digo por lo de las botellas. Si es así, muchas gracias.

Estuvo la princesa contemplando un momento aquellos ojos sin luz y le sonrió como saludo de despedida.

El coche continuó su camino y la princesa se puso a pensar otra vez en sus problemas. "No sé exactamente adónde voy, para qué, pero cuando una persona está viva y camina tiene que ir a alguna parte y hacer algo."

Al llegar a Voronezh se instaló en un hotel grande y feo y al día siguiente fue al palacio del gobernador a preguntar si había llegado algo de San Petersburgo para ella. Fue tímidamente y con el recelo y temor de ser mal recibida. El secretario la hizo pasar a las habitaciones privadas del gobernador y éste presentó la princesa a su esposa.

No había llegado nada de San Petersburgo y en la manera de decírselo observó Lizaveta que aquel deseo de saber si en San Petersburgo se interesaban por ella lo entendía el gobernador como una forma de locura inocente.

En el mismo hotel donde se alojaba hizo la princesa conocimiento con el único huésped distinguido que andaba por allí. Era un tal Chichikov, hombre de aspecto corriente, estatura media, facciones sin relieve ni notoriedad, que, según dijo, llevaba dos meses recorriendo las aldeas y las haciendas importantes dedicado al extraño negocio de comprar esclavos, es decir, mujics, con vistas a un vasto plan de colonización agrícola. Pero la princesa recibió una sorpresa enorme cuando alguien le dijo que Chichikov compraba sólo esclavos muertos. No comprendía la princesa. En dos ocasiones bebió champaña invitada por Chichikov y pudo preguntarle, pero no lo hizo porque nunca preguntaba nada a nadie y se limitaba a escuchar lo que querían decirle. Lizaveta tenía miedo al laberinto de circunstancias tal vez peligrosas que una pregunta podía abrir e inaugurar.

Se extrañó la princesa de recibir una invitación a una fiesta en casa del gobernador.

Acudió la princesa una hora más tarde de la anunciada para el baile y halló la casa llena de invitados. En cuanto a Chichikov estaba también en la fiesta, pero en aquel momento se entretenía con un grupo de tres mujeres y dos hombres al otro extremo de la sala, que era muy grande. Los hombres vestidos de gala formaban corros y discutían animadamente. Ella anduvo de un lado a otro y fue a sentarse en un sillón cerca de un grupo donde se hablaba precisamente de Chichikov.

El jefe de la oficina de correos de la ciudad parecía llevar la voz cantante en el grupo más cercano a la princesa. El gobernador era de apariencia vulgar a fuerza de empaque y prestancia. Tenía la cara picada de viruelas y tal vez esa circunstancia le hacía reaccionar frente a las mujeres por el lado contrario y mostrarse galán y un poco demasiado seguro de sí.

Había cuatro hombres más en el grupo, entre ellos, el jefe de policía, un hombre flaco con sombras azules en las mejillas, en las sienes, que escuchaba a los que hablaban con avidez y sin hacer comentarios. El jefe de Correos, que lo era también de los servicios de transportes oficiales, era en cambio muy gordo.

Tenía la princesa curiosidad por aquel hombre que vivía en su hotel y que compraba esclavos muertos.

—Chichikov no es Chichikov —decía el jefe de correos oscilando un momento sobre la pierna izquierda y doblando ligeramente la derecha—. No lo es y puedo asegurarlo. ¿Ustedes han oído hablar del capitán Kopeykin?

Unos decían que sí y otros que no. La princesa observaba que el jefe de Correos, en la misma mano con la que sostenía el vaso, llevaba una luneta de aumento con mango de plata de tal forma que cuando quisiera beber se daría con ella en la nariz y por el contrario cuando quisiera mirar a través de ella vertería el vodka.

No comprendía por qué no usaba las dos manos.

Y aquel hombre hablaba del capitán Kopeykin. Era un verdadero discurso el suyo: "Después de la campaña de Turquía, señores, el capitán Kopeykin fue enviado a la retaguardia con los heridos. Ese capitán era un torbellino, un verdadero hombre de guerra, pero había perdido la pierna derecha y el brazo izquierdo. Ustedes saben, señores, que por entonces no se había arreglado aún la cuestión de los inválidos —¿no se dice así?— digo el cuerpo de los inválidos de guerra. Tal vez no existe aún, pero al menos se habla de él. El capitán Kopeykin no podía seguir en el ejército. ¿Cojo y manco? Imposible. Tendría que trabajar como un ciudadano civil, pero con un solo brazo la cosa era difícil. Fue a San Petersburgo y anduvo de oficina en oficina. Había dado la sangre por la patria y todos le palmeaban la espalda viendo su manga vacía y su pata de palo, pero sólo le daban buenas palabras. Y lo que sucede, señores. La ciudad estaba llena de tentaciones, las mujeres vestidas con trajes ligeros, los parques en flor. El pobre Kopeykin con su pierna de palo seguía de oficina en oficina. "Yo por decirlo así — repetía — he dado la sangre por mi patria." Volvían a colmarle de elogios, pero nadie le daba nada y el capitán se hartó un día y los insultó a todos. Entonces un coronel salió de detrás de una mesa y le dijo: "¡Cuádrese usted!" El capitán obedeció. "Sepa usted que si se niega a escucharme y se atreve a insultar a sus superiores tengo una solución para usted. Una solución que no va a gustarle nada. Lo arrestaré y lo enviaré a prisiones militares." Entonces Kopeykin le dio un buen puñetazo, con su mano única, lo derribó debajo de una mesa y salió sin que nadie se atreviera a detenerlo. No se ha vuelto a saber más de ese capitán herido y mutilado, señores míos. Desapareció como si se lo hubiera tragado la tierra y antes de dos meses una banda de ladrones hizo su aparición en los caminos cerca de los bosques de Ryazan. El jefe no era otro qué...

—Permítame, amigo mío —dijo el jefe de policía—. Antes dijo que Kopeykin había perdido un brazo y una pierna.

El jefe de policía miró a Chichikov que seguía en el otro extremo del salón y dijo:

—Como ven ustedes tiene sus miembros enteros. No puede ser él.

—¿Y eso qué? — respondió el jefe de Correos —. Ahora hay piernas y brazos de madera en Alemania y la pierna acaba en un bota como otra cualquiera y el brazo termina en una mano con un guante. Lo que están ustedes pensando es verdad. Ese que dice llamarse Chichikov es el capitán de bandoleros Kopeykin.

Oyendo aquello la princesa se decía: ¿"Cómo puede ser un bandido ese hombre tan correcto?" Pero poco después nadie dudaba de que Chichikov fuera el capitán de bandidos cojo y manco.

Asistían a la fiesta las personas más notables de Voronezh. Algunas mujeres miraban a la princesa disimulando su extrañeza. Vestía Lizaveta el traje color cereza de larga cola, mangas abullonadas y media capa de raso blanco a la espalda. Los guantes eran también blancos. Las mujeres más viejas reconocían en aquel vestido la moda de las abuelas. La única que no parecía darse cuenta de su excentricidad era la princesa.

Chichikov en su frac color de avellana con encajes blancos esperaba para el minueto y la gobernadora llevó a Lizaveta a su lado y los emparejó para el baile.

No dejaba la princesa su bastón y Chichikov observó que con bastón y todo bailaba mejor que las otras. Lo que no entendía era que Lizaveta no sonriera. Todos después de dar la tercera vuelta se inclinaban sonriendo, pero ella se inclinaba grave y seria, lo que resultaba un poco inquietante. Una persona que se mueve al compás de una orquesta, que gira sobre sí misma y que se inclina con los ojos perdidos en el aire, la expresión ausente y los labios plegados acaba por producir una extraña sugestión.

El gobernador quería comprobar si Chichikov era realmente el capitán de bandoleros cojo y manco del que hablaba el jefe de Correos y cuando su esposa y alguna otra dama pasaban cerca de él trataban de pincharle por indicación suya con un alfiler en el muslo o en el brazo.

La primera vez que Chichikov sintió la aguja cerca de la rodilla dio un salto de costado. La princesa Tarakanov lo miró extrañada porque aquel salto no estaba en las normas del minueto. Renunció a comprender y siguieron bailando. Poco después Chichikov recibió un pinchazo en el brazo izquierdo que le hizo perder la compostura, volverse en aquella dirección y contemplar con aire amenazador a una señora muy pintada y empolvada que le sonreía de oreja a oreja. Lizaveta no podía comprender la conducta de Chichikov puesto que ignoraba la causa.

Al llegar la mudanza y cambiar de pareja lo miró en el fondo de un espejo, muy extrañada. El pobre Chichikov recelaba de todo el mundo. Cuando hacía la reverencia después de la mudanza sintió otro pinchazo en el tercio superior de la pierna, se volvió iracundo y con voz balbuceante de ira dijo:

—Maldita sea, señora, si se repite eso por Dios vivo que voy a perder la paciencia y dejar esta casa, que es un lugar de tortura.

La iracundia le hacía tartamudear.

Se retiró de la danza y se fue a sentar en el lugar más alejado del grupo de los anfitriones. Cuando vio que Lizaveta se le acercaba apoyada en su bastón rústico pensó: "Bien, tampoco parece divertirse mucho".

—¿Se fatiga usted? —preguntó ella.

—Me fatigan los demás, señora, pero por Dios —añadió galante—; no crea que lo digo por usted. Suceden cosas que no puedo comprender.

Y se frotaba el muslo disimuladamente en el lugar del pinchazo. Ella dijo:

—Parece que la presencia de usted los intriga mucho. Una señora vieja decía que usted anda comprando mujics muertos. ¿Para qué los quiere, señor?

Miró Chichikov a su alrededor antes de responder y por fin dijo: "Compro los esclavos que murieron y por los cuales los dueños tienen que seguir pagando impuestos hasta el nuevo censo dentro de tres años. ¿Comprende? Yo les compro legalmente esos esclavos muertos, ellos dejan de tributar y con los documentos que me califican a mí como propietario de esos esclavos que en realidad no existen sino legalmente espero conseguir créditos bancarios y adjudicación de tierras en Siberia. ¿Comprende? Hasta ahora he comprado unas tres mil almas y si llego a cinco mil ¿quién sabe?, es posible que me adjudiquen algo en el círculo polar ártico, también, digo por encima de Murmansk. Tal vez el círculo polar entero.

—¿Y qué va usted a hacer allí?

—Vivir como viven otros, como viven los esquimales,

y esperar. Con los documentos de propiedad de cinco mil almas y las tierras del ártico llenas de posibilidades (al menos osos, zorras y focas) yo conseguiré fácilmente cien mil rublos de préstamo. O doscientos mil. Tengo hechas averiguaciones y podría llegar a medio millón.

Aquí Chichikov siguió hablando, pero sólo para sí mismo: "Entonces mi plan —pensaba— es morirme. Es decir, ponerle en el bolsillo a otro mis documentos, a otro que haya muerto. Cumplido ese trámite podré gozar de mi medio millón de rublos con otro nombre. Nada más fácil que salir de Rusia por el Artico donde no hay ni puede haber vigilancia ni fronteras ni aduanas ni policía".

Todo esto pensaba Chichikov para sí mismo y sin el menor deseo de comunicarlo a nadie. Viendo que Lizaveta seguía esperando su respuesta dijo:

—Entonces tal vez me casaré.

—¿En el polo norte?

—¿Por qué no? Hay mujeres esquimales muy hermosas.

Contaban las mujeres en el extremo opuesto de la sala y en voz baja cómo le habían pinchado en la pierna a Chichikov y éste había brincado. No podía ser Kopeykin aquel hombre porque sus miembros eran naturales y sensitivos y no de madera.

Pasaban algunas parejas con el ritmo de la danza, todavía, en sus movimientos. Chichikov añadió soñador:

—Tendré que marcharme pronto, señora. Digo, de Voronezh. Las mujeres se van poniendo imposibles. Me pinchan. Y ya sabe lo que dice el refrán:

A la cour
quand on perd l'estime
on perd l'amour.

Dijo estos versos alzando la voz como siempre que hablaba francés.

La gobernadora si tomaba más de dos copas se ponía a hablar del amor que le unía a su esposo. Y era discreta en sus maneras, pero su risa recordaba el gorjeo de los pavos de Navidad. Allí se derrumbaba su empaque ya que con aquel rumor nasal y tremolante resultaba cómica. Era como si se hubiera escapado un pavo de la despensa y anduviera entre los invitados.

Llegó el gobernador con el pecho constelado de cruces y medallas acompañado de su esposa quien se dirigió a Chichikov:

—Usted debe ser —le dijo— un hombre de cuidado, digo, en materias de amor. Si yo tuviera una hija no se la daría a usted.

Pero el marido la fulminó con la mirada:

—Querida, estás resbalando al terreno personal.

—¡Cállate! —dijo ella y añadió dirigiéndose a Chichikov: —Perdone, pero usted debe ser un verdadero monstruo.

—Vamos, querida —repetía el poncio—. No caigas en lo personal.

—La señora me hace un favor —murmuró Chichikov —tratándome con tanta confianza.

Pero se había puesto pálido y después un poco ruborizado. La gobernadora obtenía en aquellos cambios de color una especie de placer discretamente perceptible. Chichikov se inclinó como si hubiera decidido alejarse, pero la gobernadora lo tomó por el brazo tratando al mismo tiempo de averiguar si éste era de madera o de carne humana:

—Usted no cree en lo que está diciendo. Yo sé que hace poco amenazó a una de mis amigas con no sé qué clase de venganza.

—¿Yo?

—Usted, y no se marche aún, querido señor, que no he acabado de hablar.

Asustado y como si pidiera auxilio Chichikov miró a la princesa preguntando para sí: ¿No cree usted que esta señora está loca? Y la gobernadora alzando un dedo en el aire —que él miraba fascinado— declaraba:

—Tengo que interrogarle. No no se asuste. Solo una una pregunta.

—Ten cuidado —le rogó su marido—. No seas entrometida con nuestros invitados.

—Sólo una pregunta: ¿Dónde ha vivido usted hasta ahora? ¿Qué clase de gente ha frecuentado? ¿Qué libros lee? ¿A qué religión pertenecían sus abuelos? ¿Cuál es su ocupación fija y si no la tiene de dónde vienen sus ingresos?

—Yo contestaría con mucho gusto —dijo Chichikov francamente aturdido—, pero no estoy seguro de recordar. Si quisiera repetir sus preguntas de una en una me haría un gran favor. Contestando a la primera le diré que he vivido un poco en todas partes.

—¿Dentro de Rusia?

Comprendió Chichikov que se iba a ruborizar y no por la pregunta en sí, sino por las miradas directas y agudas del gobernador y de Lizaveta. Dijo por fin:

—Siempre dentro de Rusia, sí señora. No he salido nunca de mi patria.

Lo dijo con prisa y como si fuera una circunstancia atenuante.

—¿Qué clase de gente ha frecuentado? Apostaría a que ha estado enamorado de alguna gitana de Crimea.

—Platónicamente no diría que no —quiso bromear.

—Platónicamente, ¿eh? Repito que yo no le daría a usted una hija mía en matrimonio. Afortunadamente no tengo hija ninguna.

Intervino otra vez el gobernador:

—Perdónela usted, señor Chichikov y vamos a cortar la discusión. Todo viene de un malentendido. Mi esposa creía que era usted el capitán Kopeykin, pero una vez deshecho el equívoco todo esto me parece fuera de lugar.

La gobernadora no había terminado:

—¿Qué libros lee? Vamos, dijo usted que contestaría a mis preguntas.

Vaciló un momento el huésped y dijo, mintiendo:

—Pascal.

—Un filósofo francés —aclaró el poncio.

—¿De esos de la enciclopedia?

—No, señora —rió Chichikov falsamente—. Es un escritor místico. El filósofo del negocio de la salvación del alma.

—Ya veo, es el negocio en el que anda usted... dicen que usted anda comprando almas. ¿No es eso?

—Querida —intervino el gobernador, pálido pero lleno de curiosidad—, estás conduciéndote como un subordinado de tercera clase, digo como un agente de información. Deja esas tareas a nuestros subalternos.

—¿El negocio de las almas muertas? —insistía ella, implacable.

—El de Pascal era de las almas vivas.

—Ya veo. ¿Y qué otros libros lee usted?

—Oh, muy poco, excelencia. De día no tengo tiempo y de noche se fatiga mi vista.

Diciéndolo miraba la araña central, que tenía más de cincuenta bugías encendidas, guiñando los ojos. La gobernadora lo medía en silencio de arriba a abajo:

—No sería usted un marido ideal, ni mucho menos.

Sonrió el gobernador:

—Mi esposa es una gobernadora mucho más ejecutiva que yo, como puede ir apreciando. En casa los pantalones los lleva ella.

Y soltó a reír a carcajadas para que la broma fuera más evidente. Rió también Chichikov pensando que el gobernador quería disfrazar con una broma una verdad incómoda y dijo:

—Estoy recordando un incidente que me ocurrió días pasados en la granja de unos amigos en este distrito mismo de Voronezh. Había una niña de cinco o seis años que desde el principio me distinguió con su amistad. Estábamos en familia y sus papás y sus amigos hablaban de matrimonios recientes o de esponsales nuevos y la niña vino y me dijo: "Yo quiero casarme contigo cuando sea grande". Bien, le dije yo, pero cuando tú seas grande yo seré ya viejo. Y la niña se quedó callada un momento y dijo: Pues entonces no me casaré contigo porque yo quiero un marido nuevo.

La gobernadora volvió al ataque:

—No desvíe usted la conversación. Se me desliza usted como una anguila.

—Señora, le aseguro que cualquiera que sean las ideas de su excelencia sobre mí yo las respeto incluso en el caso de que sean ideas equivocadas.

El gobernador pensaba que Chichikov estaba bien educado.

—¿Juega usted al ajedrez? —preguntó.

—Un poco, excelencia.

Pero ella no había terminado:

—Permítame que le haga una pregunta más. ¿Está usted enamorado, señor Chichikov?

—Estoy enamorado de la vida, señora.

—¿Y qué es lo que más le gusta de la vida?

—Pues yo diría... su misterio. La vida es como un misterio creciente.

—No tanto —dijo el gobernador paternal, y disponiéndose a mostrar sus cualidades de jerarca añadió: —Yo vi hace tiempo la vida, medí sus dimensiones, observé sus misterios y me dije a mí mismo: hay que obtener de la vida lo mejor, las primicias, es decir, ese premio del vivir que sólo muy pocos consiguen. Sólo los mejor dotados consiguen. Y aunque yo no creo ser uno de ellos aquí me tiene usted gozando de la responsabilidad del mando político y administrativo en un distrito de doscientas ochenta mil almas vivas y no muertas que cuando algo les va mal miran en la dirección de nuestra casa. Quizás usted no puede comprenderlo, esto, porque necesitaría ponerse en mi piel. Por eso, querida —añadió dirigiéndose a su esposa— te he dicho otras veces que es inútil generalizar sobre experiencias personales ni decidir demasiado de prisa quien es cada cual.

La gobernadora miraba a Chichikov pensando: "Ya ves lo bien que habla mi esposo para salvarte de una situación difícil". La verdad era que no siendo aquel hombre capitán de bandoleros había decepcionado a la gobernadora y ella quería de todas formas hacer uso de su pugnacidad. Era como esos perros guardianes que gruñen aun después de haber visto que el recién llegado es amigo de la familia.

El gobernador, dando por acabado el incidente, se inclinó delante de Lizaveta y llevándola aparte le dijo en voz muy baja:

—Usted preguntó hace unos días si me habían escrito de San Petersburgo en relación con su viaje al extranjero.

El gobernador le ofreció el brazo y la llevó lejos de los otros:

—Mi esposa no debe saber nada hasta que esté hecho, porque son tareas que exigen lo que llamamos secreto de

Estado. Ante todo, permítame que la llame alteza. Delante de mi esposa y de ese extraño forastero no quise hacerlo para no suscitar curiosidades impertinentes. En fin, y por decirlo en una palabra y de una vez, lo que su alteza deseaba ha llegado. Tengo los papeles que esperaba.

Era tan rara la sonrisa en la cara de la princesa que al verla el gobernador se quedó un momento en éxtasis. Llevó a Lizaveta a un despachito que había detrás de una doble puerta de cristales y llamó a un oficial que al llegar y ver a la princesa juntó los tacones a la manera prusiana y se mantuvo rígido y tieso. El gobernador lo señalaba con un movimiento de cabeza y dijo:

—Es el oficial que llegó esta tarde, excelencia.

No creyendo que aquello justificara una sonrisa la princesa se mantuvo seria, pero preguntó afablemente:

—¿Es verdad que el Don está helado?

—Al menos en los gobiernos del norte, señora. Pero más al sur podría ser que no lo esté todavía, con permiso del señor gobernador.

Extrañado el gobernador de que el Don necesitara su permiso para helarse autorizó a retirarse al oficial, pero éste recordó que la señora debía firmar en un cuaderno que se apresuró a ofrecerle, abierto. Antes de firmar ella leyó cuidadosamente: "Pasaporte y salvoconducto de fronteras número 164 recibido el día tal de tal...". La princesa se decía, contenta: "Me han dado todo lo que pedía sin dificultad y esto ha sido, naturalmente, cosa de Orlof". Le gustaba estar agradecida a aquel hombre y pensaba, en francés, y en verso, imitando a Chichikov:

...qu'il serait doux de trouver
dans un aimant qu'on aime
un epoux qu'on doit aimer!

A través de aquellos papeles creía estar viendo ya su casa de Florencia bañada de sol del mediodía con una ventana llena de flores y oír a algún vecino viejo decirle:

Bella cosa far niente, signorina...

Con aquellos documentos en las manos tenía ganas de salir de casa del gobernador y estar sola para pensar en su propia felicidad. Había alguna distancia hasta la frontera, pero dos días y tres noches bastarían para verse fuera de Rusia, en Rumania. Aquellos dos días y tres noches representaban todavía un período de inseguridad, no sabía por qué.

¿Cambiaría de parecer Orlof, es decir la señora? Recogió sus pasaportes.

Pensaba ir a Roma donde podría ocultar sus desalientos y sus recuerdos mejor que en Florencia, pero antes iría a visitar la antigua ciudad de su juventud. El conde Orlof le había anotado con cuidado al dorso del pasaporte los lugares —embajadas y consulados— donde tendría el dinero de su pensión, si quería hacer uso de él en viaje. En su pasaporte decía que el documento sería válido para Australia, Italia, Alemania y otros reinos. Como Francia había dejado de ser reino su pasaporte no valdría tal vez para Francia.

Pensando reanudar el viaje al día siguiente se despidió del gobernador y de su señora. Como no tenía carruaje y las calles estaban enlodadas, el mismo gobernador la llevó a su hotel en el coche oficial muy contento de hallar aquel pretexto para salir a respirar el aire.

En el hotel, Lizaveta se acostó ya tarde y al día siguiente reanudó el viaje para Jazkov. Los caminos estaban bastante mal, pero el coche era mejor que los anteriores y además se acercaba a la frontera y esta reflexión le daba ánimos. Miraba las llanuras que daban vueltas lentamente bajo las colleras de cascabeles de los caballos. Aquel día —cosa rara— sentía compasión de sí misma, pero la evitaba porque no quería llorar. Su compasión era un eco de la que creía advíniar en Orlof.

A mitad del camino de Jazkov subieron al coche (al compartimiento de al lado) tres hombres de aspecto pintoresco. Hablaban y hablaban y la princesa escuchaba a través del tabique sin acabar de comprender. En el departamento de la princesa sólo había una muchacha joven y bonita que iba también a Jazkov y se llamaba Nadia. Parecía mujer decidida y valiente y al decir que viajaba sola a pesar de ser tan joven mostró a la princesa un pistolete que puso debajo del cojín del asiento. A la princesa le pareció exagerada aquella precaución.

Era curioso lo que sucedía con aquella muchacha. Al oscurecer iba poniéndose triste, lloraba un poco y la princesa tenía que consolarla. Decía Nadia entre suspiros: "Vea usted las sombras como llegan y envuelven los caminos, las personas. Es como si todo se acabara. Todo se acaba en realidad. El sol se apaga para siempre y no veremos más a la luz. No nos queda sino llorar". La princesa percibía el gozo que había detrás de aquellas lágrimas.

Poco después la muchacha dormía en paz.

Al amanecer Nadia despertaba con una alegría de pajarito mañanero. Gozaba de las promesas del día sin saber cuáles eran y eso maravillaba a la princesa, que no se molestaba aunque la hubieran despertado. En realidad no tenía nunca sueño y no se irritaba nunca, la princesa.

Tal vez tampoco se entusiasmaba nunca.

Le gustaba, sin embargo, el entusiasmo de la muchacha, quien miraba por las ventanillas y decía, gozando el espectáculo del amanecer:

—¿No es maravilloso? Es como si nunca hubiera de hacerse ya de noche. No puedo yo imaginar la noche, es decir, noche alguna ya, ahora.

Aquella muchacha era toda fe, confianza, esperanza. Y se decía la princesa: "¿Qué hombre le corresponderá en la lotería del amor y de la vida?" ¿Le correspondería un Orlof como a ella o un doctor Trifón a quien le robaban las botellas la noche de la boda? ¿O algún honrado comerciante?

A veces la princesa se acordaba del conde de Cagliostro. Aunque era un *drôle* había algo en aquel hombre que merecía respeto. "Él sabe usar su imaginación", decía, "y los demás no saben por qué le tienen miedo a la imaginación."

Antes de llegar a Jazkov estuvo escuchando lo que hablaban los viajeros del departamento sontiguo. Entre ellos había un secretario de juzgado de instrucción. Se oía una voz atiplada pero masculina:

—Celebramos mucho que usted sea secretario de juzgado

porque nosotros vamos a Jarkov como delegados de una asociación de ladrones, la primera de su género organizada en el mundo, y representamos a los de Rostov, Jazkov. Odessa y Nikolaiev.

Oyendo aquello Lizaveta creía que era una broma. El orador de la voz atiplada continuó:

—La cuestión que nos lleva ante el comité de administración civil de Jazkov —y aquí el que hablaba carraspeó para mondarse la garganta—, es la siguiente: en los informes que se han publicado recientemente en la *Gaceta de Moscú* se habla de los terribles hechos ocurridos con motivo de los últimos programas en diferentes lugares del imperio y se han hecho sugestiones muy directas y concretas en contra nuestra. Se decía que en el último pogromo (organizado y pagado por la policía, es decir por la escoria de la sociedad formada por borrachos, chulos y matones de la peor especie) habíamos intervenido nosotros. Al principio callamos, pero finalmente hemos creído necesario protestar contra una acusación tan seria y tan injusta. "Los ladrones y otros delincuentes intervinieron en la persecución y matanza de judíos"... Así decía. Una acusación como esa nos presenta ante la sociedad bajo una luz desfavorable. Yo sé muy bien que nosotros somos (al menos eso dicen) enemigos de la sociedad. Pero imaginen ustedes la situación de esos llamados enemigos de la sociedad cuando son acusados de una ofensa que no han cometido y que no cometerán y contra la cual se opondrían con todas las fuerzas de su alma.

Oyendo aquella voz la princesa era toda oídos porque el honor de los ladrones en una silla de posta brindaba un espectáculo lleno de novedad. La voz atiplada seguía:

—No es necesario advertir que nosotros sentimos la ofensa de un modo más profundo e hiriente que un ciudadano ordinario. Nosotros vamos pues a Jazkov a declarar que la acusación que se ha hecho contra nosotros está desprovista de fundamento. Y podemos probarlo, caballeros. Representamos una organización de hombres que tienen una manera de ganarse la vida un poco —digámoslo— inusual, pero difícil y meritoria. Bien, no voy a hablar del aspecto moral de mi profesión ni de sus implicaciones sociales. Ustedes saben en todo caso que Dios no instituyó la propiedad en el paraíso terrenal ni en ninguna otra parte. Nadie ha dicho nunca que hacerse con alguna clase de bienes terrenos sea una virtud. Ni los abogados ni los jueces ni los gordos curas de las parroquias me podrán desmentir. Al contrario. Pero veamos los hechos tal como son. Por ejemplo, un padre acumula un millón de rublos por medio de la especulación y lo lega a su hijo cuando muere. Su hijo es, supongamos, cobarde, perezoso, degenerado, idiota. Un vulgar parásito. Pero he aquí, señores, que intervenimos nosotros y sacando ese capital de manos, por decirlo así, impías lo ponemos rápidamente en circulación y producimos alguna forma de actividad y de felicidad a nuestro alrededor. Entonces, ¿no es nuestra profesión en cierto modo un medio de corregir una injusticia social? ¿No es al menos una protesta contra las monstruosidades creadas por ese vicio de la propiedad que Dios condena y que los gordos frailes de nuestros monasterios no se atreven a defender públicamente? Yo sé que un día desaparecerá la propiedad y con ella desapareceremos los bravos caballeros de industria, pero entretanto tabajamos en la dirección de la virtud, de la lógica y del orden futuros. Somos, diría yo, los adelantados del bien.

La voz detúvose un momento y se oyeron palabras de aprobación. Poco después se oyó también el rumor de alguien que bebía en el gollete de una botella y la voz atiplada reanudó su oración:

—No voy a sacar de quicio las cosas, pero debo señalar que nuestra actividad se parece a lo que regularmente llamamos el arte. Es un arte, señores. Y para ejercerlo hace falta inspiración. Ustedes han oído hablar de ladrones inteligentes, ¿no es eso? Con frecuencia se ve en las gacetas la noticia de ingeniosas estafas con toda clase de sutiles engaños. En esos casos los padres de familia suelen levantar las manos al cielo y exclamar: ¡Qué talento, qué inventiva! ¡Lástima que esas habilidades no se dediquen al bien de la comunidad! Yo mismo a veces admiro la agilidad de mi mente, pero además tenemos otras virtudes. Casi todos poseemos una sensibilidad de artistas, leemos libros, buenos libros y tenemos una cultura más extensa que el ciudadano corriente. En cuanto a nuestra querida patria el honrado padre de familia la mira a su patria como si se tratara de un pavo trufado y todo lo que quiere es cortar si es posible una buena parte, jugosa y tierna y apartarse a comerla en un rincón para dar después las gracias a Dios. Bien, mi odio a esa clase de gentes y a la vulgaridad que las circunda me llevó a la profesión a la que me honro en pertenecer.

Escuchaba la princesa con melia sonrisa en sus labios pálidos y se asustaba un poco al darse cuenta de que aquel hombre la convencía:

—Finalmente nuestra profesión —decía el ladrón, con acento súbitamente dramático— no es tan fácil como algunos imaginan. Exige experiencia, práctica, y como dije antes un lento y penoso aprendizaje. Pero he aquí, señores, nuestro punto capital. De pronto la policía dice que hemos masacrado judíos en los últimos pogromos. ¡Ah!, señores, nuestra situación de ladrones buscando justicia es tan rara que puede suscitar alguna reacción de humor. Pero yo les hablo desde el fondo de mi corazón y de hombre a hombre. Ni es usted secretario de ningún juzgado ni nada sino un viajero más. Casi todos nosotros, digo, los ladrones, somos gente educada y nos conmovemos con la injusticia y el dolor. ¿Creen que los cosacos persiguiendo a latigazos o a tiros a los pobres judios no ofenden nuestra sensibilidad?

Oyendo aquella voz la princesa acabó por dormirse y al amanecer llegaron a Jazkov. Con las primeras luces despertó y vio que los viajeros del compartimiento de al lado salían para dirigirse a la taberna de la estación en busca del desayuno. Creyó la princesa reconocer a los ladrones. Eran tres hombres esbeltos, finos, más refinados de apariencia que los otros. Caminaban echando los pies hacia adelante —más adelante que el resto del cuerpo— como si el terreno pudiera no ser firme. Se habían acostumbrado sin embargo a aquella manera precautoria y caminaban más rápidamente que los otros. Sus movimientos también eran más elásticos.*

* Este episodio y el tipo del ladrón honesto y locuaz los he tomado de un cuento del autor ruso Kuprín que conocí en París, hombre sencillo, noble y de genuino talento aunque no tan famoso como Gorky u otros de su generación. Tenía una hija muy hermosa que trabajaba en el cine. Hago uso de ese episodio y parafraseo deliberadamente al ladrón de Kuprín no sólo para añadir color a este capítulo sino también como prueba

Aquella manera de andar tenía algo de baile y algo de tanteo elástico antes de aventurarse. Y no caminaban los tres de la misma manera aunque los tres tenían aquel hábito. Uno llevaba la cabeza vuelta hacia la derecha, otro hacia la izquierda, con ojos movedizos y vivaces. Los peligros debían llegarles siempre por vía diagonal.

"Nunca pude pensar —decía la princesa— que los ladrones tuvieran signos exteriores tan evidentes." Ninguno de ellos salió de la taberna y probablemente iban a esperar allí otro carruaje que los llevara a sus destinos.

Al medio día llegó la princesa a Jazkov que era una de las ciudades más grandes que había visto. Mayor que Florencia. Se instaló en una hostería que se llamaba *El Zárevich,* aunque su calidad no justificaba el nombre.

Llevaba la princesa el vestido de seda gris con visos blancos y rosados. Cruzaba el patio entre los otros huéspedes apoyándose gravemente en su báculo de cerezo.

Estaba dispuesta a seguir algunos días en El Zarevitch, pero una circunstancia inesperada le hizo cambiar de planes. Conoció a un caballero de media edad que viajaba con una niña en coche propio. Era una carroza sólida, decorada a la federica. Su dueño se llamaba Sergio Perjotín y la niña Katerina. Al cochero lo llamaban Vasia y era hombre pelirrojo y no muy alto, pero de anchas espaldas y cuello apoplético. Tartamudeaba un poco y era un defecto que trataba de disimular hablando demasiado de prisa cuando las palabras se prestaban.

Sergio se quedó un poco perplejo delante de la princesa, pero la niña Katerina se hizo amiga de ella y aquella pronta amistad facilitó las cosas. Dijo Perjotín que iba a Budapest y como ella se dirigía a la misma ciudad la invitaron a subir al coche. Aceptó Lizaveta con gran contento de Katerina que era una chica con cabellera color de lino y pequeña cara jovial.

Iba aquel coche más de prisa que los de la posta y la suspensión era más cómoda. El señor Perjotín y la princesa evitaban las confidencias, pero estaba ella segura de que al atardecer, con la intimidad de las sombras, le contaría el

de libertad amistosa y de afecto y admiración por el escritor, ya fallecido. — *El autor.*

anfitrión su vida. El atreverse era cuestión de luz. Entretanto, la niña hacía preguntas y por las respuestas de Lizaveta el padre iba enterándose a medias de quien era ella y a dónde iba. La niña quería saber cómo se pronunciaba el nombre de una ciudad: Hodmezovasaergy. El padre decía: Pero no vamos allí, querida.

Cuando la luz de la tarde comenzó a declinar Perjotín se puso a hablar de sí mismo. Hizo alguna alusión a su propia holgura económica con la discreta prudencia con que suelen hacerlo los ricos. Su padre le había dejado algunos bienes que él acrecentó con especulaciones afortunadas. La esposa ya muerta llevó al matrimonio algunas propiedades. Poseía tres mil almas en el distrito de Tula, lugar de tierra feraz y buenos bosques. Con los bienes de la madre de la esposa y los suyos, Sergio Perjotín esperaba poder dar a la niña la más alta educación posible. Katerina había nacido bajo una buena estrella.

Adoraba aquel caballero a su patria, la santa Rusia, país único en el universo. La necesidad de salir al extranjero para cuidar de su salud y de la educación de Katerina le desgarraba el corazón, pero la educación de las doncellas en Rusia no era muy esmerada. Únicamente las aristócratas podían educarse cerca de la emperatriz, que Dios guarde (el señor Perjotín se santiguó). Él no era aristócrata. Pertenecía a la clase mercantil. El padre de su esposa era príncipe y así lo llamaban sus siervos en Tula. Su propio padre podía haber tenido un título, tal vez, pero no era hombre para vivir en la corte. En cuanto a él había vivido en Moscú y si la niña hablaba de Hodmezovasagerly era porque le había oído referirse a aquella ciudad con la que tenía relaciones comerciales.

Lizaveta callaba y escuchaba. La impresión que sacó de aquellas confesiones fue que Perjotín adoraba la memoria de su madre y de su esposa, dos verdaderas santas y no podía acostumbrarse a vivir sin ellas. La princesa se aficionaba a la niña viendo tantas virtudes en su familia.

Refiriéndose a la niña, el comerciante dijo, en francés, para no ser comprendido por ella:

—Esta muñeca es mi salvación, es la ventanita abierta al infinito sin la cual no podría respirar yo en la vida.

Por la noche se acomodaron para dormir y durmieron bastante bien sin dejar de caminar. El cochero y el postillón se turnaban. Uno llevaba las riendas y el otro se envolvía en una manta y dormía sobre una piel de cordero, a sus pies.

Así llegaron a Dubbosary en la orilla del Dniester dos días después. Allí se acababa Rusia. Al otro lado del río comenzaba Rumanía.

Había un puesto militar donde enseñaron sus papeles los viajeros. Sentía la princesa la emoción del destierro a pesar de todo y la disimulaba, lo que daba a su expresión cierta altiva reserva. También Perjotín tomaba una actitud un poco rígida y artificial. La niña, al parecer, no sentía nada particular ni el cochero ni tampoco el postillón.

Por fin salieron de las oficinas y al otro lado ya de la frontera aceleraron la marcha. A media tarde llegaron a Pascani. Desde que salieron de Rusia el caballero Perjotín parecía hablar de otra manera. Rusia era hermosa, pero los rusos eran violentos y obtusos. Él había liquidado su negocio para quedarse fuera de Rusia el resto de su vida porque no quería que su hija creciera allí.

La princesa pensaba: "Yo tampoco voy a volver a mi patria nunca". Pero había aprendido a callarse. Tenía miedo a sus propios sentimientos y todas sus virtudes naturales parecían haberse fundido y convertido en una sola: una inmensa prudencia.

Por el respeto y la ceremonia con que los policías de fronteras hablaron a la princesa después de leer sus documentos imaginó Perjotín que aquella mujer era de un altísimo linaje. Con esto su confianza parecía crecer. La niña había preguntado a la princesa:

—¿Tienes hijos, tú?

—No, querida.

—¿Y nietos?

El caballero intervino:

—Si no tiene hijos, ¿cómo va a tener nietos?

Katerina estaba segura de que podía tener nietos sin haber tenido hijos, pero no se atrevió a decirlo en voz alta porque los mayores tenían respuestas para todo. Lizaveta sonrió por vez primera y aquella sonrisa dio a Perjotín grandes ánimos:

—¿Ve usted, señora? Yo sé que es usted una dama de alcurnia, no me diga que no. Pues bien, si estuviéramos aún dentro de Rusia no me atrevería a decir cuáles son mis opiniones. Ahora, fuera de Rusia el hecho de que sea usted persona de especial consideración en la corte aumenta mi confianza y me empuja a hablar francamente sobre nuestro país. La verdad sea dicha, nuestro país es sucio, atrasado e incómodo. Una pocilga miserable, un estercolero. Es en suma y, por decirlo de una vez, lo más abyecto del planeta.

Siguió hablando en francés. Lamentaba la muerte de su madre y la de su esposa —decía—, pero amar a aquelias personas le había costado inmensos esfuerzos y así y todo —confesaba con pena— no creía haberlo conseguido.

Su vida había sido el esfuerzo constante de un esposo y de un hijo que quiere amar a su esposa y a su madre y no puede. Pero no era eso sólo. Como comerciante y miembro prominente de la sociedad de Moscú había ayudado en tareas de beneficencia y su caridad se perdió en un océano de estúpida indiferencia. La humanidad no tenía salvación. La vida misma... ¿qué era la vida?

Lizaveta dijo algo desde las sombras en las que su rostro se disimulaba:

—Poca cosa es la vida. Venimos, nos hacemos visibles un momento, los otros nos insultan y entonces y antes de poder llegar a comprender nada nos vamos, se nos llevan.

Perjotín, impresionado, meditaba: "Así es. Al nacer nos ilumina la luz del sol y cuando nos ven los otros se ofenden y nos insultan. Se ofenden con nuestra presencia. Luego volvemos a las sombras sin haber tenido tiempo para nada, ni siquiera para tratar de comprender."

Siguió hablando de su familia y después de algunas vacilaciones acabó por declarar francamente que había odiado a su madre. La madre vivía sola y nunca invitaba al hijo a visitarla. Cuando Perjotín iba a Novgorod ella se pasaba el tiempo diciéndole impertinencias y amenazándole con desheredarlo.

El comerciante seguía hablando de su madre:

Era un monstruo, pero no tenía la culpa, la pobre.

Cuando murió mi padre ella estaba ya un poco histérica. A mí por ejemplo no me dejó nunca apoyar la cabeza en los respaldos de los sillones o divanes. Creía que ensuciaba la tapicería. Yo le decía que hiciera poner en cada mueble una pequeña toallita con encajes blancos de modo que se pudieran cambiar y lavar y ella sonreía y decía: "Esas toallitas las ponen los miserables comerciantes hijos de una perra polaca". Tantos años sin poder reclinar la cabeza en ninguna parte comenzaban a pesar, la verdad. Bien, pues cuando me casé, mi mujer por halagar a mi madre dio en la misma manía. En fin, había otras cosas en mi mujer que me recordaban también a mi madre, pero no del género de los trapitos blancos. A esos trapitos los llamaba mi madre *apliques*. Y sólo los comerciantes vulgares hijos de la gran perra polaca los usaban.

"Mi mujer tenía celos de mi niña Katerina, pero esos celos no representaban amor ni respeto por mí. Tenía celos de su infancia, de su juventud que la empujaba a ella hacia la vejez."

Preguntaba la niña por qué hablaban francés y el padre la acariciaba y decía: "Para practicar, hija, porque estamos en el extranjero".

—Pero en este extranjero no se habla francés —insistía ella.

Volvía Perjotín a sus confidencias y la niña pensaba que su papá debía estar haciéndole la corte a aquella señora y que tal vez se casarían. A Katerina aquello le parecía muy bien.

Perjotín seguía hablando: "He fundado asilos para enfermos mentales, pero ¿qué es un asilo ruso? Un ejemplo constante de ingratitud. Un día había una fiesta religiosa y el metropolitano iba a venir. Todo estaba en orden. En la planta baja había una sala donde estaban los enfermos recién ingresados. El metropolitano era hombre fuerte y grande como usted recordará si lo ha visto. Y al entrar en el asilo mientras lo bendecía yo me acerqué a la sala donde estaban los reclusos nuevos. Había uno sólo, aquel día, un hombre pequeño, nervioso, que me miraba fijamente. Yo me acerqué. Para inspirarle confianza le ofrecí la mano. ¿Qué creerá usted que hizo? Me agarró fuertemente la muñeca, puso la otra mano en el antebrazo cerca de mi codo, dobló la pierna y golpeó fuertemente mi brazo contra su rodilla. Me partió el cúbito y el radio como dos débiles cañas. Yo salí con mi brazo roto, pidiendo auxilio. Desde la puerta vi al hombrecito sacar su caja de rapé y tomar un polvo. Luego llegó el metropolitano seguido del personal superior, dio su mano a besar al hombrecito y este hizo exactamente lo mismo, con la diferencia de que rompió el brazo del metropolitano no al primer golpe sino al segundo. El pobre sacerdote salió dando alaridos y el hombrecito quedó junto a la ventana con el gesto del que va a estornudar, lo hizo dos veces y luego dirigiéndose al jefe de la administración que le hacía reproches desde la puerta le preguntó con una expresión cortés a qué hora servían el almuerzo.

"No sé como curarían al metropolitano, pero a mí me quedó este brazo un poco más corto que el otro. ¿Lo ve, señora?"

Fuera del carruaje se oía la voz de Vasia animando a los caballos en un repecho del camino. Perjotín volvía a hablar:

—¿No es verdad que querer a su patria después de tantas miserias tiene mérito? Usted la quiere también, claro, pero ¿qué motivos tiene usted para odiarla? Ha tenido quizás una cuna ilustre, una infancia dorada, una madre amorosa. Toda su vida ha sido un ejemplo de comodidad, de buen orden, de amor. Seguramente usted no ha visto sino el lado dulce, por decirlo así, de la existencia. En mi caso había una madre que me odiaba, una esposa que no me dejaba dormir por la noche, que me despertaba adrede y los enfermos de los asilos que me rompían el brazo como una caña cuando me acercaba y les daba la mano. En mi caso el amor que siento por mi patria...

—¿Pero usted la ama de veras? —preguntó ella alzando las cejas.

Tardaba Perjotín en responder. Cuando vio que ella acariciaba el cabello de Katerina con una expresión maternal debió pensar que Lizaveta merecía las mayores sinceridades:

—Tal vez no tanto como debiera, pero ¿qué voy a hacer?

En el amor o en el desamor no hay leyes que valgan. Se quiere o se odia y eso es todo. Por el incidente del brazo habrá comprendido vuestra alteza hasta dónde puede llegar la ingratitud del pueblo ruso con sus benefactores. Aquel diablejo debía saber anatomía, pues sólo conociendo la forma de los huesos podía conseguir su maldito propósito de un modo tan inmediato y fácil. Pues allí nos tenía al metropolitano y a mí gritando por los corredores mientras el miserable sorbía rapé y preguntaba a qué hora era el almuerzo. El caso es que el metropolitano me hacía a mí responsable de aquello y se santiguaba cuando oía mi nombre.

La princesa lo miraba amistosa:

—Usted odia a Rusia.

—Es posible que sienta algún rencor contra los rusos, pero queda la patria como una ilusión o lo que usted quiera.

Miró a Katerina que se había dormido y le puso una manta en las rodillas extendiéndola hasta cubrirle los pies.

Luego se durmieron ellos, también.

IX

En la primera estación de posta apareció de improviso el conde italiano Cagliostro y al ver a la princesa en la ventanilla se acercó, saludó barriendo el suelo con el sombrero y le besó la mano.

Hablaron como dos antiguos amigos, en italiano.

Viendo Perjotín que se alegraban tanto con su encuentro preguntó a Cagliostro adónde iba y al ver que llevaba el mismo camino hasta Viena lo invitó a subir al coche.

La invitación le pareció un gran favor al conde italiano.

Mientras Lizaveta, Perjotín y la niña desayunaban en la posta y el lacayo llevaba los equipajes del italiano a bordo charlaron todos y Perjotín y el italiano se hicieron amigos.

Llevaba Cagliostro una especie de folleto en cuarto menor bajo el brazo. Una gaceta.

Comprendió en seguida que Perjotín pertenecía a la alta burguesía y lo trataba con una mezcla de reverencia fría y de superioridad. Perjotín agradecía al italiano su presencia en el carruaje porque, según decía, con cuatro viajeros estaría mejor equilibrado, circunstancia importante en las largas jornadas. Cuando Vasia arreó a los caballos Perjotín advirtió a Cagliostro que podía y debía apoyar su cabeza sin cuidado en la tapicería del coche.

Cagliostro se extrañó de aquella obvia tolerancia.

Llevaba en la mano la *Gaceta de Budapest* donde leyó una noticia sensacional: la ejecución de María Antonieta, reina de Francia, en la guillotina. Cuando la hubo leído dio un gran suspiro:

—Ha dejado de existir la reina más bondadosa y más inteligente del orbe.

Lo miraba la princesa con aquella indiferencia que parecía perplejidad desde que salió de la prisión. Como nadie decía nada, Cagliostro se creyó en el caso de declarar que la muerte de la reina era para él una especie de desgracia de familia. Se le veía conmovido y hablaba dirigiéndose a Lizaveta:

—Yo advertí a la señora que tuviera cuidado aunque era tarde para que mis consejos dieran resultado. Perdóneme que hable así pero el mal venía desde el siglo XIII con los Estados Generales. Ella sonreía y me preguntaba: ¿es usted quien habla? Sabía que a mí me gustaban los Estados Generales, pero una cosa es que a mi me gusten y otra muy distinta que les convengan a los reyes. Perdonen que insista, pero no puedo evitarlo. Por desgracia el rey respetaba las asambleas y parlamentos. Y por ahí les llegó la ruina. ¡La reina decapitada! Lo extraño y lo que califica el carácter contradictorio de estos tiempos es que los reyes de Francia creían en el parlamento y yo que era republicano no creía.

Estaba diciéndose a sí mismo que sus predicciones solían cumplirse y fue a decirlo en voz alta, pero se contuvo a tiempo. Desde el pescante Vasia daba grandes voces protestando contra algo y hostigaba a los caballos. Se lamentaba de que cada vez se los daban peores en las estaciones de cambio. Los rusos eran más honrados en aquella materia.

Las palabras de Vasia sobre los caballos llenaban a Perjotín de un vago sentimiento de culpabilidad. "En mis tratos personales con la gente baja siempre salgo perdiendo —se decía—, pero cuando los caballos que nos den no sirvan ya para el camino compraré un par de troncos de veras buenos, haremos jornadas regulares y así podremos llegar a nuestro destino con alguna cabalgadura decente." Por *jornadas regulares* entendía bajar a dormir cada noche en alguna hostería.

El lugar de destino de Perjotín era Viena, es decir desde Viena pensaba subir a Suiza.

Llevaba la carroza una velocidad notable en los trayectos llanos. Si el conde elogiaba el coche, el caballero rico suspiraba y decía en francés:

—*Oh, c'est une charrette, la pauvre, mais elle fait bien son devoir.*

Estaba intrigado con Cagliostro y de vez en cuando arriesgaba una pregunta:

—¿Estaba usted en París en el servicio diplomático de Nápoles?

Cagliostro no contestaba. Volvía a poner los ojos en blanco: "María Antonieta era la antorcha que iluminaba a Europa. ¿Quién ayudó realmente a Rousseau, a Diderot, a mi amigo Bernardín y al mismo Voltaire?" Al citar a Bernardín no dijo el apellido (de Saint Pierre) porque le parecía innecesario, ya que no había sino un Bernardín en París, y, aunque era de origen judío, la reina le había ayudado indirectamente.

Añadió Cagliostro que, en general, despreciaba a la aristocracia de Italia que estaba en manos del pontífice o de los monasterios. También dudaba de la aristocracia española, inculta y primitiva. La alemana era diferente y sobre todo la francesa. Con ellos había podido entenderse siempre y sus doctrinas habían tenido éxito, entre ellos. Era una cuestión de horizonte intelectual. El moscovita aguzó el oído:

—¿Qué doctrinas?

Cagliostro dejó pasar un cierto tiempo en silencio y luego volvió a hablar sin responderle:

—La corte francesa es ilustre por su cultura. El libro de moda durante algunos años ha sido allí el de mi amigo Pierrot "*Les liaisons dangereuses*". ¡Qué inteligente liberbertad de concepto, de costumbres, de palabra! Un libro de veras santo desde el punto de vista que podríamos llamar saturniano. El genio. El genio tiene un *pendant* saturniano y Pierrot lo sabe. En ese sentido se podría decir, pues, que es un libro divino el de mi amigo.

—¿Puede usted decirme el nombre entero de ese autor?

—Con mucho gusto. Se llama Pierre Chloderlós de Laclós. Si lo ve usted algún día en París o en Zurich —supongo que ahora hace la *navette* entre las dos ciudades— dígale que ha encontrado al conde de Cagliostro en el camino de Budapest. El libro de mi amigo lo leen los obispos entre dos antífonas, las marquesas lo tienen en su tocador, los profesores en su cátedra y los pajes en sus antesalas. Todos lo leen, especialmente en las alturas. Todos menos el pueblo. Yo que soy un populista exaltado debo aceptar sin embargo que el pueblo es torpe e inculto. La clase media, por decirlo así, sólo lee "*La princese de Clèves*". No ha salido de ahí ni de Fenelón. Pero ah, señores, la aristocracia francesa es el faro de Europa. A mí me escucharon mis teorías...

—¿Qué teorías? —volvió a preguntar el caballero rico—. Digo, si no es indiscreción.

Recordando la princesa lo que el mismo Cagliostro le había dicho al salir de San Petersburgo intervino:

—Ciencias ocultas, señor Perjotín. Magia.

Parecía Cagliostro decir con la expresión de sus ojos: "La princesa lo ha dicho. ¿Tiene usted prejuicios en contra?" El moscovita siguió preguntando:

—Las ciencias ocultas ¿son verdaderas ciencias o tal vez son una religión?

—Son sencillamente —respondió Cagliostro—, un sistema de relación con el mundo de lo sobrenatural.

Antes de llegar a Budapest se creyó obligado a declarar que las prácticas ocultistas eran una parte de su profesión de médico diplomado por el colegio de Nápoles y lo dijo casi humildemente. La princesa quiso intervenir en su favor:

—Fue médico en Versalles, según he oído decir. Y en Arabia.

Sonrió Cagliostro, complacido:

—Se lo dije a la señora en el camino de San Petersburgo a Moscú, pero he sido también otras cosas si mi modestia me permite decirlo. Fui consejero de la reina en materia espiritual. Además, María Antonieta tomaba mi elixir de larga vida. Por voluntad de los reyes instalé un laboratorio para hacer experiencias en busca de la piedra filosofal y la encontré, pero la obtención artificial del oro era más cara que el oro mismo y entonces no valía la pena. Cada noche de sábado bajo mi tutela invocábamos a los espíritus. A veces acudían. María Antonieta se permitió un día una broma. Me preguntó: ¿Cuántos años de vida me dará tu elixir? Yo le respondí también en broma, pero con alguna tristeza: señora, mi elixir no evita a las cabezas coronadas los accidentes imprevistos y las catástrofes. Eso le dije porque tenía ya el presentimiento de su funesto fin. Le avisaba para que se guardara y sin embargo yo era enemigo de las cabezas coronadas de Europa. Yo era un *voltairien,* pero por encima de todo era un ser humano capaz de amor con todas las dimensiones implícitas, las de la luz y las de la sombra.

Quería el comerciante saber más sobre el espiritismo, del que había oído algo en Moscú. Dijo Cagliostro con la mayor sencillez que durante algunas sesiones había sostenido diálogos con San Luís de Francia, con el inglés Cronwell, con Shakespeare y con Dante.

—Esas cosas —dijo el moscovita, escalofriado— a mí me atraen y me dan miedo al mismo tiempo. No puedo remediarlo. El más allá me produce vértigo como si me asomara al vacío.

Nadie decía nada. Perjotín se volvió a la princesa:

—¿Y a usted?

—No, a mí no —dijo ella impasible—. A mí no me importan las cosas cuando no las entiendo. Tal vez no soy bastante inteligente.

—Oh, hay muchas maneras de ver la cuestión —se dispuso a explicar Cagliostro—. Usted señor Perjotín tiene razón al hablar de un abismo o del vacío, pero es un abismo hacia arriba. Hay quien se interesa en los espíritus sólo porque el trato con ellos y sus revelaciones se han puesto de moda. Hay quien no quiere saber nada porque son misterios en los que jamás podrá hacerse luz totalmente, según creen. Yo lo que le digo a usted, señor Perjotín, es que cuando una persona ha asistido a una sesión de espiritismo se puede sentir autorizada a tener una opinión sobre la materia, pero no antes.

Miraba el comerciante a Cagliostro sin pestañear y el italiano le devolvía la mirada grave e impasible. Por fin le dijo con el acento casual de un médico:

—Usted no está bien del hígado. ¿Qué le sucede amigo mío?

Hizo Perjotín un gesto de resignación.

Cagliostro cambió de tema, como si el hígado de Perjotín no tuviera interés. Y comenzó a referir algunas aventuras de su lejano pasado. Había estado en oriente. La señora tenía razón al hablar de Arabia. En Arabia se dio cuenta de que los musulmanes son el producto humano más refinado de la tierra. Cierto que tenían mala fama los árabes. Pero estaban sencillamente por encima de cualquier prejuicio moral. En su vida, en su muerte, en sus placeres y dolores se medían y juzgaban por leyes diferentes a las del resto del mundo. Sabían vivir contra la naturaleza y a favor de ella, morir por Dios, por el sultán, por el bey, por el *sheik,* por el caid y también por el amor de una mujer o de un muchacho.

Eran leales al amo hasta la muerte en ciertas condiciones, pero en otras le robaban la camisa mientras dormía y tal vez le cortaban la cabeza. El conde Cagliostro gustaba de los árabes, aunque algunas de sus costumbres, sobre todo la pederastia, le intimidaban. Sin embargo, en lo que se refiere a las costumbres eróticas contra natura los frailes de Palermo, donde él había pasado su infancia, eran iguales. Tal vez sucedía lo mismo en los monasterios de Rusia.

El comerciante se apresuró a darle la razón y añadió que las leyes que se habían dictado desde antes de Iván el Terrible no habían logrado sino afianzar y sostener la hipocresía y aumentar el vicio. El disimulo se había hecho más cuidadoso y eso era todo. Escuchaba la princesa sin estar segura de comprender. Con la excepción de las horribles experiencias a bordo del barco de Orlof no sabía nada del sexo. Y había perdido la curiosidad.

En medio de aquella extraña conversación Katerina, que trataba en vano de comprender el francés, señaló a Cagliostro y dijo:

—Tú hablas tanto porque eres Belcebú.

Le dio al italiano una gran risa y dijo que no lo era, pero que podría ser un descendiente de Balaam el egipcio. El de la burra famosa.

Preguntaba la niña si las burras eran inteligentes y las personas mayores siguieron hablando en francés sin hacer caso de Katerina, que siempre que se sentía olvidada tomaba el brazo de la princesa y se acercaba a ella lo más posible. Sergio Perjotín miraba entonces a Lizaveta con una expresión agradecida como diciendo: "Mi niña la quiere a usted".

Cagliostro volvió a hablar de sus tiempos de Egipto y Arabia diciendo que sólo en oriente se tiene sentido del misterio y que en los países europeos todo el mundo trata de aturdirse con cosas triviales. Europa estaba perdida y lo mismo que en Francia pasaría en Rusia ya que el imperio de Catalina seguía por el mismo camino. Hacían bien Perjotín y la princesa en marcharse, porque Rusia iba camino de la catástrofe.

Le preguntó el moscovita si creía que la corte francesa merecía lo que estaba sucediéndole y Cagliostro, sin hacer caso de la pregunta, se puso a hablar de lo que él llamaba tierra de promisión: América, país que encerraba en sí verdaderos tesoros en relación con la salud de la humanidad. Él empleaba muchas hierbas americanas de las cuales estaba regularmente surtido y sin ellas no sabría qué hacer con sus enfermos. Una era el guayacol, otras la menta, la hipecacuana, la coca del Perú, la quina, el boldo de Chile que él y nadie más en el mundo conocía, el *curare* del Brasil y la que en México llaman *mota* y tiene el nombre científico de *cannabis índica*. Sin aquellas hierbas no podría hacer nada como médico. Decididamente, el futuro de la salud del hombre estaba allí.

Había Cagliostro aprendido algo de terapéutica en Nápoles, pero decía que había adquirido sus conocimientos en oriente con los faquires musulmanes que llegaban del Indostán a Palestina, a Arabia y a Egipto. También aprendió Cagliostro en oriente algo de magia negra y en algunos lugares de Francia había llegado a declararse públicamente discípulo de Balaam, el mago egipcio, pero podía más que Balaam porque había asimilado también los conocimientos de Numa Pompilio y de Salomón. De aquellas difíciles cosas no hablaba sino a los iniciados.

El comerciante le escuchaba asombrado, y la princesa atenta pero indiferente.

Lo primero que hicieron en Budapest fue instalarse en el mejor hotel. Se suponía que Liza y Cagliostro eran invitados del ruso. El italiano dijo a Perjotín que si se quedaban allí unos días podría curarle su enfermedad hepática y lo haría sólo por amor a la princesa y por agradecimiento a la atención de llevarlos en el coche. No sería definitiva la curación, sin embargo, y más tarde tendría que ir a Vichy, en Francia, y tomar algunas aguas.

Dicho esto le dio una píldora bastante gruesa de color dorado que el comerciante tomó. Y dejó otra igual sobre la mesa de noche para que la tomara el día siguiente en ayunas. Katerina no podía ver a Cagliostro y le sacaba la lengua cuando su padre no miraba. Pensaba el conde en italiano: "*Oh, la píccola putana*!" No gustaba mucho de los niños, Cagliostro.

Salió aquel día del cuarto de Perjotín con la sensación de tener seducido al padre y asustada a la niña.

Las píldoras que había dado al ruso eran de extracto de la planta que los indios bolivianos llaman *coca.*

Bajó después el italiano al patio y vio que la princesa pasaba despacio entre la gente como un extraño fantasma. Se había puesto el vestido *rouge cramoisi* y daba la impresión de una aparecida de otros tiempos. Pero pensó Cagliostro que detrás de ella podía haber algún riesgo por su parentesco con la casa imperial rusa.

Siguió a la princesa por el patio del hotel y cuando Cagliostro la vio sentarse en un camarín-escritorio se acercó. Uno de los principios de Cagliostro era que en la vida hay que conquistar a los demás o ser conquistado por ellos. Él no había sido aún seducido por nadie. Es decir, sólo se dejaba dominar en su imaginación por el recuerdo de Numa Pompilio, de Balaam y de su burra parlante. Una seducción de la cual recibía inspiraciones provechosas aunque ocasionalmente malignas porque Balaam era un profeta de mala fe. En el caso de la princesa iba a hacer uso de lo que él llamaba la sinceridad dialéctica por oposición a la sinceridad elemental. Esta última no la había usado sino con las testas coronadas en Oriente y en Francia. Con ellas no había bromas y lo mejor era mostrarles su conciencia iluminada y de par en par.

Se acercó a la princesa, la saludó besándole la mano y se instaló a su lado, en un sillón.

—¿Fatigada?

Lizaveta no lo parecía y preguntó a su vez:

—¿Cuándo volveremos al camino?

—Dentro de tres días, señora.

—Tres días son muchos y la vida es corta.

—Sí, es verdad. Los niños franceses dicen en sus juegos una canción encantadora:

Les petites marionettes
ainsi font, font,
trois petites pirouettes
et puis s'en vont.

Dijo Cagliostro que aquel paréntesis en Budapest era por la salud de Perjotín y la princesa se quedó pensando: "Ha convencido a ese buen señor de que está enfermo y lo tiene acorralado en su cuarto". Luego recordó con humor la enemistad de la niña Katerina y dijo, al azar:

—Es usted tan inteligente, señor Cagliostro, que a veces me mareo escuchándolo.

El pareció complacido, pero inclinó la cabeza sobre un hombro lamentándose:

—La inteligencia que en otros es un privilegio en mí es una desgracia. De veras, señora. La uso lo menos posible y actúo en la vida con mis instintos, con mi temperamento. Por eso me conduzco a veces como un monstruo, pero hay una ventaja en esto y es que los instintos no se equivocan, señora. Tienen siempre razón.

Lo miraba la princesa pensando: "Está tratando de seducirme a mí, pero no encuentra la manera adecuada". Viendo el italiano que ella no respondía, añadió:

—La inteligencia nos confunde a todos. Sí, señora. Yo sería la primera víctima de ella, pero por fortuna no tengo tanta como usted cree. Condenados al uso de la inteligencia lo mejor que podemos hacer es comprender su insuficiencia y renunciar.

—¿Renunciar a qué?

—La gente aspira a ser feliz, lógicamente, pero la tristeza, la desgracia, el mal, son dueños del mundo. ¿Por qué seguir buscando esa felicidad? Casi todos quieren huir del mal con la virtud inteligente, pero yo no escapo sino que trato de comprender su sentido secreto y me integro en esa fatalidad del mal de un modo seguro y en cierto modo optimista. Entonces veo que no existe el mal, que es una parte del bien.

—¿Hay un optimismo posible, en eso?

—Yo se lo decía tiempos atrás a María Antonieta: abandónese vuestra majestad a sus propias pasiones sin cuidado, hasta el fin. Y ella reía y negaba, pero luego venía con nuevas preguntas. Siempre me acordaré de aquel incidente con motivo de un baile de gala en la corte. Su rival la amante de monsieur Malesherbes se había encargado un suntuoso vestido color verde. La sala de fiestas estaba tapizada de color rosa y plata y dos días antes la reina hizo cambiar, por indicación mía, todo el decorado del inmenso salón y puso tapicería azul para que el vestido verde de la Malesherbes desluciera. La prisa de los operarios trabajando día y noche era cómica y la reina me hacía preguntas: ¿Qué impresión hará la Malesherbes? Yo le respondía: señora, la Malesherbes parecerá una botella de Bordeaux cubierta de polvo secular. Y así fue. El azul de la tapicería hacía miserables los reflejos del vestido y daba a su cara un color de lagarto. Hice feliz a la reina, una noche.

—¿Eran esas dos damas rivales en amor?

—No. Luis XVI era uno de los pocos reyes honestos que ha tenido Francia. Modelo de esposos, de padres y de jefes de estado. Pero alguien tenía que pagar el mal difuso de la época.

Lo decía con el aire de estar en el secreto. Ella se lo hizo notar arriesgadamente y él respondió:

—No puedo decir que sea mía la influencia que ha levantado la guillotina en las plazas públicas de la nación. No. Un acontecimiento como ése... —y sonreía con cierta voluptuosidad— está fuera de la voluntad de los hombres. Son siglos de circunstancias acumuladas. La vida ya sabemos lo que es. También sabemos que el hombre es un ser dañino (Cagliostro sonreía con placidez), pero hay lugares en el planeta donde la armonía entre las distintas formas del llamado mal se mantiene y otros lugares donde se rompe. No digo que en esa ruptura de Francia haya tenido parte yo, al menos directamente. Pero tengo que confesar que los elementos que forman la base de mi modesta personalidad y su proyección sobre el mundo, usados por la providencia (yo creo en la providencia, aunque sobre bases distintas que la mayoría de la gente) producen la catástrofe. Llevaban muchos años preparándola. Un día apareció Rousseau con la noción de la bondad natural del hombre. Yo no digo que el hombre sea malo, sino que hace mal uso de su bondad. Desde que nace le repiten al niño: no mientas, no robes, no mates, no violes, no difames, no desees el mal del prójimo, no envidies, reprime tus instintos de destrucción, camina por la senda del bien. Pero aconsejan lo contrario de lo que ellos mismos hacen, desde el monarca al campesino analfabeto. Y ya hemos visto lo que sucede. El niño cultiva como bienes inapreciables y secretos —para ser como los mayores— todos esos adorables vicios. El pobre Rousseau si viviera hoy tendría que cambiar de opinión viendo lo que ha sucedido por culpa de él. Tal vez antes de morir había visto la verdad. Se obstinaba en hablar de la bondad natural del hombre y el hombre lo insultaba en las calles, apedreaba su casa en Suiza. Y no era sólo el hombre civilizado, es decir, pervertido por la urbe, porque también el hombre del campo quería matarlo, a Rousseau. Sus amigos sedujeron a su mujer. Voltaire deseaba y anunciaba su ruina. Los aristócratas lo invitaban a su mesa y lo miraban comer como se mira a un chimpancé. Ignoraban que con el mismo acero del cuchillo de la mesa de Rousseau se estaba haciendo la guillotina que iba a decapitarlos. La idea rousseauniana del hombre naturalmente bondadoso fue uno de los factores que levantaron la guillotina. Y sin embargo yo creo también en la bondad del hombre. Pero sobre otras bases. Cuando llegué a París hace diez años la corte bullía de inteligencia y virtud. Ya se sabe. Un rey virtuoso produce una corte virtuosa. Pero aquí, entre nosotros, la virtud de Luis XVI era la tontería, y la sombra de Balaam andaba por los corredores de palacio, por las calles, preparando la atmósfera para la tormenta. Nada más fácil que desencadenarla esa tormenta. El hombre inteligente de nuestro tiempo, Montesquieu, se apartó de la corriente porque veía venir la inundación. Un día le dije a Pierrot el de *Les liaisons dangereuses:* amigo mío, esto se lo lleva el diablo y entonces él me miró abstraído y me dijo: usted parece que se alegra. No me alegraba, pero tampoco lo sentía porque —y recuerdo muy bien mis propias palabras— el estado natural de las cosas es la catástrofe y, por mucho que se haga en contra, cuando las aguas se han acumulado y tienen bastante caudal rompen todos los diques. Yo le dije que su libro era un evangelio erótico con la verdad secreta que nadie osa decir. Eso le dije. ¿No lo ha leído vuestra alteza? Es un libro donde las raíces del misterio de Balaam están descubiertas y vivas. Pero tiene que ser leído con la asistencia de un nigromante. Es el bien, pero no un bien inteligente sino el de la libre voluntad del mundo inconsciente. Es precisamente lo que la razón considera *el mal.*

Le oía la princesa pensando que no entendía aquello, pero que en todo caso era dulce tener calor en las venas, los ojos llenos de una suave luz propicia, el alma quieta y estar escuchando a un conde italiano.

—Hace diez años —seguía Cagliostro—, le dije al rey en Versalles: el peligro de los Estados Generales está en querer hacer un bien inteligente. Eso no existe en el mundo porque este mundo pertenece a Balaam. Los Estados Generales querían hacer el bien inteligente y ese deseo era una provocación que producía torrentes de sangre. El bien natural está en la voluntad y en el instinto, no en la razón. (Diciéndolo, Cagliostro se sentía feliz). Yo sólo hice una labor que podríamos llamar coordinadora, pero me pagaron con la Bastilla. Si yo hubiera tenido enfrente, es decir entre mis enemigos, hombres como Montesquieu habría sido todo fácil. Él sabe que los hombres dependen de la voluntad del viejo profeta egipcio Balaam. Pero los reyes creían en el bien de la inteligencia y tenían que pagar. Todos los que han creído en lo razonable han pagado desde los antiguos profetas como Jesús vencido por la traición de Judas. Los reyes franceses creían en el bien razonable y acabaron con las cabezas cortadas. Yo no hice más que un modesto papel de coordinador. Entre la religión y el bien natural hay un abismo tremendo y yo lo ocupaba y me instalaba en él. Entre el bien natural y la realidad verdadera hay toda una serie de abismos y yo los contemplaba y pensaba: esos abismos se van a llenar de sangre. (Cagliostro mostraba una juguetona complacencia en su voz.) Entretanto, yo coordinaba las fuerzas para la gran hecatombe y ahí está. Toda Francia es una llanura dorada por el sol bajo el cual corren los corceles de Balaam. Todavía le hablo yo a veces a Luis XVI en las sombras de la noche. Cuando vivía y le hablaba del profeta Balaam me decía: ¿pero no es Balaam un profeta del diablo? Porque el rey había leído a San Jerónimo. Yo le respondí: precisamente, señor. Su majestad la reina María Antonieta me escuchaba y sonreía con su buen entender sin necesidad de que yo le aclarara nada. El rey argumentaba humorísticamente a su manera: no tenía grandes fuerzas, Balaam. Al fin su caballería se reducía a una burra y yo le replicaba: señor, esa burra lo salvó de la muerte. Iba Balaam montado en ella y se dirigía al palacio del rey de Moab cuando el animal se desvió del camino y Balaam le pegó. La burra le preguntó con voz humana: ¿Qué te he hecho yo, Balaam, y por qué me pegas? Así comenzó la cosa que acabó por ser nada menos que una victoria del inconsciente de Balaam sobre la providencia. Esto no lo entendía Luis XVI. Yo entonces le dí a leer los ensayos morales de Alejandro Pope. En esos ensayos hablaba de Sir Balaam, un honesto ciudadano que se convirtió en un cortesano perverso y corrompido con el pretexto del bien razonable. Es ahorcado al final y el diablo y el rey se dividen el premio por la denuncia. A ese ciudadano le faltó la burra. Esto hacía reir al rey quien repetía en inglés, de memoria:

The devil and the King divide the price
and sad Sir Balaam cursees God an dies.

Oyendo al italiano la princesa pensaba: es un hombre de cultura y Cagliostro adivinando su respeto añadió:

—Pero Alejandro Pope, el Voltaire de Inglaterra, es católico y antiliberal. Y el de Francia es enemigo del catolicismo, he aquí las bromas de la providencia. Entretanto ¿quién decide? Decide Balaam. El rey Luis me decía riendo: el diablo y el rey se dividen el premio por la vida de Sir Balaam. Yo le advertía: señor, no olvide que en la verdadera historia de Egipto la burra de Balaam vio el ángel vengador al lado del camino y se desvió y así le salvó la vida a su jinete. Y el rey preguntó: ¿quién es ahora la burra en mi reino? Yo le dije: el pueblo. Y el pueblo ha querido salvarte y tú le has pegado. Le has pegado tres veces como Balaam a la burra. Tal vez estás perdido. El rey miró a la reina que estaba muy pálida y entonces los dos se callaron y yo me fui de palacio. Demasiado tarde. Desde aquel día en las calles la burra voceaba y trompeteaba y coceaba admirablemente y luego vino el *affaire* del collar de diamantes y me encerraron en la Bastilla. Grave error.

Bajó el tono y con gesto discreto y como arrepentido de su propia locuacidad resumió sus ideas.

—Aquel *affaire* fue el prólogo de la revolución, señora. Es lo que yo digo, la burra no salvó al rey sino que lo dejó perderse, lo abandonó a su suerte.

Insistía en que él no había conspirado con los Orleans ni con los carbonarios. Y añadía: La emperatriz Catalina de Rusia no me quiere porque en aquella época se carteaba con Voltaire quien le habló mal de mí. Sabía Catalina lo que sucedía en la superficie de las cosas y también en la oscuridad profunda.

La Semíramis del norte le había tenido miedo a él, a Cagliostro, y por eso había ordenado que no lo dejaran entrar en palacio. No quería ser la reina de Moab ni la esposa de Luis XVI. Sabía lo que hacía. "Voltaire murió hace diez años más o menos —decía el italiano— y cuando murió yo estaba en la corte de Francia y todo el mundo hablaba de mí." Pero de pronto Cagliostro miró con recelo al patio del hotel y dijo bajando la voz:

—No valgo más ni menos que los otros, señora, pero un día he gobernado la Meca con mis consejos, he informado y dirigido las sentencias del Gran Muffti. He rechazado ofrecimientos de los reyes de Prusia, he fundado en Londres una secta que vive y actúa según mis normas, he conducido durante algunos años la política secreta de Francia a través del cardenal de Rohan y aquí me tiene vuestra alteza en este momento siendo reclamado a un tiempo por tres países para colmarme de honores. Y por uno, Roma, para ahorcarme. Así es y no sé quién tiene razón. Tal vez Roma. Sí, señora, lo digo en serio.

Iba a mostrar papeles que lo atestiguaban, pero le pareció aquéllo un recurso de charlatán. "Prefiero seguir por el momento al lado de vuestra alteza si no le es incómodo." Parecía conmovido y a la princesa le gustaba escucharlo, pero la sinceridad de Cagliostro, como la de cualquier otro ser humano, era sólo una circunstancia curiosa y no un mérito. Y cuando ella estaba pensando precisamente en su propia indiferencia para un hombre hermoso (Cagliostro se parecía mucho a Alejandro Pope y a Rousseau y también a Luis XVI) el italiano se acercó y le tomó la mano. Al mismo tiempo dijo:

—Señora, el conde de Cagliostro, descendiente del profeta de Balaam e hijo de un ángel copto de Alejandría, os ama. Perdonadme si todo esto os parece un poco absurdo, pero no puedo seguir guardando este amor en el secreto de mi alma. ¿Me oís, señora?

Ella no entraba *en situación.* Pensaba en el *tumor frío* de su rodilla y en la yegua de la que hablaba el carcelero de Pedro y Pablo y sonreía. Había en aquella sonrisa algo de la frialdad de la espelunca, todavía. Cagliostro insistía: "Os amo porque sois joven y hermosa, porque nunca he visto vuestro delicado rostro injuriado por la máscara de la simulación, porque vuestros labios no conocen la falsedad y vuestra alma debe ser como vuestros labios y vuestros ojos." La princesa creía en la sinceridad de aquel hombre y se decía: "Tiene razón cuando dice que no ha visto nunca una mujer como yo. Ni la verá probablemente. Pero mi singularidad consiste en mi desgracia." Sin embargo sonreía.

Viendo que ella no retiraba la mano Cagliostro se mostraba más elocuente, pero la princesa se decía: "Esta es la segunda fase del proceso de seducción. Primero se ha mostrado misterioso, filosófico e importante. Ahora apasionado y ardoroso. Cuando vea que su pasión no me impresiona ¿qué hará? ¿Cuál será su tercer recurso?" Porque Cagliostro debía tener otros.

Creyendo que la princesa estaba conmovida el italiano le pidió que fuera a su cuarto.

—No, —dijo ella, casi feliz—. No, Cagliostro. El amor

es para la mujer un dulce homenaje, pero yo no puedo verme a mí misma como amante de nadie.

—Señora —y ésta era tal vez la tercera parte del programa de seducción— yo la necesito a usted. Sin usted yo seré un alma perdida en los laberintos del mundo.

Pensaba la princesa que esta tercera parte era suplicante y tierna. Si creía Cagliostro que la piedad era el camino del amor estaba equivocado. Seguía el conde hablando en italiano y ella se dio cuenta de que aquella humildad de sus palabras era un pretexto para llamar la atención sobre la inmensa importancia que ella, Lizaveta, tenía en la vida del italiano. Aquella importancia era cierta porque el italiano veía en ella una crudeza y desnudez moral completas como las de un ángel o un demonio. Él necesitaba de aquella desnudez para operar sus prodigios. Cagliostro se acercó y sin llegar a poner la rodilla en tierra esbozó esa actitud humilde, inclinó la cabeza y besó otra vez la mano de la princesa que ella dejó entre las suyas, indiferente.

—Alteza, —dijo Cagliostro esta vez con la voz temblorosa—, yo no soy un agente del mal, pero tampoco del bien razonable. Por otra parte las ideas del bien y del mal están cambiadas en casi todo el mundo, menos en algunas personas como yo. A medida que avanzamos en la vida la realidad cambia. Nuestro sentido de la realidad es más adulto y cuando crecemos la realidad crece con nosotros también. A medida que envejecemos sabemos más de esa realidad adulta y ¿cuándo se ha visto un hombre que diga que esa realidad es buena? Sin embargo la vida está justificada en sí misma y en su horror. Tiene su grandeza y su belleza en ese horror (la princesa parecía escuchar con interés) y nosotros debemos ser agentes tranquilos, satisfechos y conscientes de ese horror. No del mal, que es otra cosa. Hay que saber distinguir. Si amamos a Dios tiene que ser a través precisamente de la conciencia de la *imperfección* tremenda de su obra. Pero debemos saber también que el mal no existe, que existen sólo diferentes grados del bien. Buda —añadió—, es el más conformista de los profetas y ¿sabéis lo que hay en el vientre de ese profeta, resumen de la sabiduría humana y divina? Piedad. Una inmensa piedad para los hombres, los animales y las plantas. ¿Qué supone esa piedad? Supone la aceptación de la más triste y negra desgracia. La filosofía antigua dice que la unidad es el bien y la dualidad el mal. Yo creo que eso que llaman el mal hay que propiciarlo porque es el bien de la voluntad. La dualidad es la desintegración, la disolución, la duda desoladora, pero todo eso es más fecundo y positivo que la llamada felicidad que se desprende del bien llamado razonable. Por eso cuando Luis XVI me decía: "Unidad, falta la unidad en mi reino y esa es la enfermedad de Francia" yo le respondía: "Vuestra majestad destruye esa unidad cada vez que acude a los Estados Generales con una idea razonable del bien". Y era verdad. Yo sabía que los Estados Generales decretarían su muerte y que así debía ser. Demasiada fe en la bondad de las cosas. ¿La vida? Venimos de las sombras, vamos a las sombras y en ese pequeño paréntesis de luz nos hacemos visibles. Entonces podemos hacer una de dos: seducir o ser seducidos. Pero no con la razón. Luis XVI no tenía virtudes seductoras en absoluto. ¿Sabe usted por qué? Sencillamente, porque era honrado. Sólo es seductor el hombre malo. Bueno, ese a quien infantilmente la gente llama *hombre malo*.

—Los protestantes —dijo tímidamente la princesa— creen en la bondad de la vida, pero ¿es también esa la *equivocada bondad?*

—Una de las sectas más dogmáticas, intransigentes y sabias, los cuáqueros americanos —dijo él sin oírla— dejan en ocasiones escapar el secreto de su doctrina. Mire usted lo que dice Robert Barclay: "Hay una luz divina. La luz divina es simplemente Cristo dentro del alma humana y es tan universal como la semilla del pecado". Ya ve usted, alteza. Para encarecer la universalidad de la luz divina no encuentra otra manera mejor que decir que es tan extensa como la semilla del pecado. Ahora bien, el error consiste en que ese pecado no lo es.

Callaba la princesa pensando todavía: "Cagliostro quiere volver a mostrar la naturaleza aventurera y difícil de su alma". Y escuchaba.

Luis XVI —seguía Cagliostro—, me dijo, días antes de encerrarme en la Bastilla, que si toda Francia estuviera reunida a su alrededor podría hacer milagros. Cierto que si todos los hombres estuvieran reunidos, digo, los del planeta, harían verdaderos prodigios. Agrupados en sectas como la mía en Inglaterra y como otras que hay en Francia y España y de las cuales le hablaré tal vez un día, los hombres hacen ya cosas importantes. Como el mismo Balaam, ¿Qué diferencia hay entre el prodigio y el milagro? Bah, los teólogos la encuentran, pero yo me niego a aceptarla. Prefiero los prodigios de las sectas enemigas y contrarias a los milagros de una unidad que por otra parte es imposible. El judío no ha hecho milagros nunca. Es el más disperso y desunido en la historia del planeta. La burra de Balaam preguntando *¿por qué me has pegado las tres últimas veces si yo no he hecho nada?* es un prodigio y no un milagro. Y ese prodigio salva a Balaam incluso de la amenaza de Dios que ha enviado un ángel para matarlo. El judío es malquisto porque es la dispersión. Cada judío es una excepción y la naturaleza de Dios odia y destruye las excepciones. No es malo para mí —debo advertir—. A mí me gustan los judíos y Balaam los apoyó aun sin querer contra el príncipe de los mohabitas. Y ganó. Siempre me han gustado los judíos porque la dispersión es la base de todo en la tierra. No sé lo que será en los otros planetas, pero supongo que debe ser lo mismo porque si los habitantes de otros mundos estuvieran reunidos monolíticamente habrían invadido y dominado el resto de la creación hace siglos. Se dice que la unidad del universo (Dios, alteza, nada menos que Dios) la sentían los pueblos primitivos igual que la sienten hoy algunos pueblos salvajes, ¿pero es la unidad de Dios lo que sienten? Las prácticas religiosas de esos pueblos monoteístas no eran sino el culto del bien inteligente para su tribu y mortal para las tribus vecinas.

Pensaba la princesa: "He aquí un hombre que si yo quisiera me haría comprender mi desgracia". Pero se ponía a la defensiva temiendo que aquello podía ser todavía el origen de alguna catástrofe nueva y se confesaba a sí misma que tenía miedo.

Viendo Cagliostro en ella una luz reverente siguió hablando:

—Tenemos que saber distinguir. El mal es la coyuntura

para la acción y la catástrofe es la acción desencadenada. De ellas ha venido sin embargo todo lo que hoy está de pie en el mundo. Así, pues, al llamado *mal* habría que cambiarle el nombre.

Ella lo miraba, dudando:

—Yo también creo en lo sobrenatural, pero no lo entiendo.

—Ésa es la única manera de creer. No entendiéndolo. Por otra parte lo que la gente llama sobrenatural es lo más natural del mundo.

Daba la princesa una derivación práctica al asunto:

—¿Y puede usted de veras comunicarse con... alguien que ha muerto? ¿Es decir con los espíritus?

Cagliostro la contempló un instante y preguntó a su vez:

—¿Quién era él, digo el que murió?

Tardaba ella en responder y por fin dijo:

—Radzivil, paladín de Vilna.

Sin dejar de mirarla a los ojos con esa rara intensidad con que miran algunos locos, preguntó Cagliostro:

—Su interés por ese príncipe, ¿es una volición por complacencia o una inclinación ciega?

—No sé — dijo ella.

Una carreta pasó por la calle y debió transmitir la vibración al edificio porque una lámpara que pendía del techo se estremeció y dos de los prismas de vidrio chocaron con un ruidito delicado. La princesa, asustada, alzó los ojos hacia la lámpara. Seguían vibrando los cristales y Cagliostro dijo autoritario:

—*Tat tvan así.*

El ruidito cesó en el acto. La princesa preguntaba con los ojos a Cagliostro, quien dijo sencillamente:

—Es una fórmula en sánscrito que dice algo como "eso eres tú", es decir el recuerdo de que el alma de las cosas todas — incluso la lámpara — pertenece a la esencia de lo eterno. Al mostrar nosotros ese conocimiento nos apoderamos de la cosa y ella obedece.

Como la princesa parecía más confusa, todavía el italiano añadió:

—Señora, yo estoy abriendo a vuestra alteza las puertas de mi alma. Vuestra alteza me oculta la suya. ¿por qué?

Ella sonrió como una niña:

—Adivínelo usted, —dijo.

Miraba a la lámpara esperando que se oyera de nuevo el choque de los cristalitos en cuyo caso el conjuro habría sido ineficaz y pensaba de pronto que aquel conde italiano podría ser un agente de Orlof. Comenzó a mirarlo con recelo. Al darse cuenta Cagliostro se consideró frustrado en sus propósitos, cambió de tema y comenzó a hablar de Sergio Perjotín, de los accidentes posibles en el viaje que les esperaba hasta Italia y de la belleza de Budapest.

Luego besó otra vez la mano de ella, se disculpó diciendo que tenía que ir a ver al moscovita y salió lentamente. La brusquedad de aquella decisión de marcharse dejó desorientada a la princesa. Cagliostro había querido llevarla a su cuarto, pero sólo había una persona en el mundo con quien ella podría estar a solas: Orlof. No por amor. Ella no era ya una mujer de amor. Pero con él nada importaba ya nada. Con Orlof, que había matado a Radzivil y había querido matarla a ella después de hacerla sufrir las más abyectas vejaciones. Orlof, ella perdonaba a Orlof y para explicarse aquel perdón tenía que pensar en las cosas más raras y escuchar lo que decía Cagliostro. Pero sentía ganas de descansar y apoyada en su bastón rústico y recogiendo la cola del vestido salió al patio, pasó entre los viajeros y subió a su cuarto. En las escaleras alfombradas su cojera no se notaba. E iba recordando lo que le había dicho el conde italiano. "Yo no estoy segura —se dijo—, de haberlo entendido, pero todas las cosas que decía eran prestigiadoras para su persona y no hay duda de que buscaban un fin: llevarme a su cuarto." Esto le halagaba.

El comerciante de Moscú decía a Cagliostro que no había podido imaginar que hubiera en el mundo aquel bienestar sin nombre, aquel descuido optimista de la vida y de sus problemas. Las píldoras de coca que el mismo Cagliostro fabricaba le curaban, al parecer, todas las enfermedades y molestias. Escuchaba el conde italiano complacido, pero sin poner gran atención pensando en la princesa. Luego se dijo que tal vez tenía en su poder al moscovita. Era posible que también hubiera conquistado a la princesa, pero no a Katerina. La niña que jugaba en los pasillos volvió, miró a

Cagliostro como un perrito que va a morder y dijo: "Este cuarto es mío y no tuyo. ¿Qué haces aquí?" Entre dientes Cagliostro repitió: "*Oh, la piccola putana*". Aquella niña era la única persona que le resistía. Para poder ejercer con ella su seducción necesitaba que ella tuviera una inteligencia activa y propicia. La niña sólo tenía sus instintos primarios y eran más fuertes que los del italiano y más puros, es decir menos mediatizados por la reflexión. Tenía ella su burrita de Balaam. Toda ella era burrita rubia de Balaam.

Reanudaron el viaje al día siguiente. Sentía la princesa la emoción del que se acerca al lugar en el que ha estado soñando mucho tiempo. También Perjotín parecía alegre y seguro de sí.

Al salir de Budapest, en cuanto se vieron otra vez en el camino, Cagliostro tomó la palabra. Decía que estando en Francia hizo un viaje a Grenoble precisamente cuando las ejecuciones públicas eran más frecuentes y en Grenoble vio muchas veces funcionar la guillotina.

—Yo tengo en Grenoble —decía— algunos amigos. Me gusta la ciudad porque se ve siempre a lo lejos alguna cumbre nevada. Con la gente de Grenoble pasa lo mismo. Cuando se establece intimidad con alguna persona se ve dentro de ella un paisaje con cumbres nevadas. En su alma, se entiende. Era lo que pasaba con los Beyle, incluso con un niño pequeño de unos diez años que se llamaba Henry. Henry quería venir conmigo y cuando había tumulto en las calles me cogía la mano y así se sentía seguro. Grenoble es una de las ciudades mejores de Francia y el pequeño Henry, que tenía la cara ancha y los ojos separados como Robespierre, me decía: *Tu país debe ser prodigioso y cuando sea grande iré.* ¿Me escuchan ustedes, amigos míos? Nada más fácil que establecer relaciones y amistades en Francia y especialmente en Grenoble porque todo es allí burgués. Un día vendrá que lo burgués será mediocre y ridículo. Entretanto, son ellos los que representan la mente ciega es decir inconsciente y voluntariosa de la humanidad, pero no la del bien razonable sino la de la salvadora burra de Balaam. Digo, los burgueses. Estos ciudadanos hablan a veces demasiado, la verdad, pero a mí no me importa porque el francés sabe también escuchar. En Grenoble fuimos un día a la plazuela de las ejecuciones. Había bastante gente aunque no tanta como yo esperaba porque las ejecuciones se hacían demasiado temprano. La guillotina se alzaba encima de un tablado y era curioso verla allí, abandonada. No tardaron en llegar los soldados y se oía el redoblar de los tambores. El pequeño Henry, excitado, tiraba de mi mano y me decía: "Eh, tú *gran khan,* ven más cerca". Cuando estuvimos al lado del patíbulo el niño que era amigo de bromas me dijo: *Montez, monsieur, s'il vous plait.* Yo respondí: *apres vous, monsieur.* Y reíamos. La plazuela parecía llena de gente, pero había muchos claros y es que el espectáculo de la guillotina estaba perdiendo interés. Encontramos un buen burgués de aspecto noble que era amigo del tío de Henry. Todo el mundo se conocía allí, más o menos. Era un ciudadano de cincuenta años con su peluca empolvada y una casaca gris llena de encajes. Le ofrecí rapé y no lo aceptó, pero hizo grandes elogios de la cajita. "Digna de un cardenal", me dijo. Se acercaba al tablado, con nosotros. El tío de Henry parecía feliz con su compañía. Nadie suele ir solo a esos espectáculos y si alguno va solo se improvisa en seguida una compañía. ¿Saben por qué? Se sienten culpables de haber ido y les gusta diluir la culpa en el número. Ya digo que estábamos junto al tablado. La mitad por lo menos del sotanillo hueco entre el tablado y el suelo de la plaza estaba descubierto y un hombre podía estar dentro de pie sin tocar el techo con la cabeza. Encima estaba la *viuda.* El genio popular encuentra siempre la expresión justa: la viuda. Nos sentíamos allí como en el teatro cuando se apagan las luces y sin embargo el telón no se levanta aún. Oíamos los tambores hechos simbólicamente con la piel de la burra de Balaam, pero la comitiva no aparecía. Por fin llegaron los soldados. Yo creí que con ellos venía la carreta, pero eran sólo soldados con los tambores delante anunciando la fiesta de la sangre.

Cada vez que Cagliostro decía algo extraño miraba a Perjotín buscando su apoyo. Sabía que Perjotín diría a todo que sí mientras sintiera los efectos de la coca.

—Mi amiguito Henry se alzaba sobre sus pies y los tambores sonaban con un ritmo muy lento porque eran de esos en forma de barril y bastante alargados que descansan en las rodillas y avanzan rítmicamente empujados por ellas. Un ritmo más fúnebre que bélico. Yo me sentía a gusto allí, entre los convencionales. El capitán de la tropa al distribuirla pasó a nuestro lado y le dijo al ciudadano que había elogiado mi cajita de rapé: *Me alegro tanto, amigo Dugascail.* Me gustaba el nombre y después de haberlo oído me parecía aquel buen ciudadano un poco más respetable. Nadie decía mi nombre y yo evitaba ser reconocido. Me había hecho conocido por mi intervención en el asunto del collar de diamantes. "De ahí vino todo", me decía el autor de las *Liaisons.* Gran libro. Refleja las costumbres de nuestro tiempo en un nivel tan universal como el del erotismo. No sucede nada al parecer. Un hombre conquista a una vírgen, cosa relativamente fácil, y después a la esposa de un honesto y principal ciudadano, lo que es ya más difícil. Y escribe cartas a su antigua amante y confidente quien por su lado no se queda corta y es al parecer más sabia y experta que él. Las confidencias de los dos sobre sus extrañas aventuras forman el libro. Todo lo que sucede en el libro de Laclós es que a través de la luz clara de la mente penetra por todas partes la niebla eterna. Porque la eternidad es tenebrosa y no clara, eso no hay que olvidarlo y las *Liaisons* lo hacen presente a cada paso. Yo adoro ese libro porque se atreve a poner en primer término las tinieblas. Mi dios está allí y no es bueno ni malo. Es, simplemente. Yo no sé tanto como un *tathagata,* es decir, un sabio oriental. El *tathagata* viene de una luz mensurable y temporal y yo no. Soy menos, pero, en cierto modo, soy más porque vengo de unas tinieblas conscientes que he podido analizar y que están lejos de la luz temporal. Las figuras de las *Liaisons* también. Ah, señores, mi amigo el autor no es de los que cultivan el escándalo por el escándalo ni es un *sans culot.* Ya entonces era secretario del duque de Orleans. Me refiero al año 89. El duque era el enemigo mayor de Luis XVI y la bestia negra de Versalles. Laclós no es hombre de escándalo, aunque bien mirado, ¿no es la creación entera un escándalo? La tierra, el sol, las estrellas, el aire, el agua, ¿no son verdaderos escándalos? Yo diría que ese libro lo escribió mi buen amigo inspirado por la burra de Balaam. La sabia burra parlante que salva a su jinete.

La princesa tenía que poner a veces atención para seguir los razonamientos de Cagliostro no porque fueran complicados sino porque le eran indiferentes. Aunque aquello de la verdad y de la fuerza del mundo inconsciente comenzaba a parecerle bien.

—Laclós —continuó el conde italiano— escribió un libro helado que incendia las almas. Aquí aparece ya la negación de la unidad. ¿Qué es lo primero que nos demuestra este libro? Lo de siempre. La revolución ha sido hecha por los hombres de sensualidad exaltada, refinada, disimulada y poderosa. Así es siempre, señores. Los libertinos conducen el mundo. Los libertinos secretos son los grandes virtuosos exteriores y públicos. Dualidad, primer paso del prodigio. ¿Cómo se hacía el amor en 1760? ¿Y cómo se hace ahora? Ah, alguna diferencia hay. La gente que es decapitada estos días es gente voluptuosa. Los que cortan la cabeza a los otros son también grandes voluptuosos. Un joven escritor que se llama Chateaubriand, muy amigo mío, me decía a pesar de su acendrado catolicismo: *Soy virtuoso sin placer y podría ser criminal sin remordimiento.* ¿Qué les parece?

El coche seguía y Perjotín y la princesa escuchaban, interesados.

—Pero usted —dijo ella, asustada— es un hombre honesto, Cagliostro.

Soltó a reir el italiano de buena fe, miró a la ventanilla un momento y dijo:

—Las *Liaisons* son la historia secreta de la revolución porque la revolución es una explosión erótica en la cual las multitudes creen satisfacer su antigua sed. Vana ilusión. Esa sed no se satisface nunca. La sed virtuosa de nuestro inconsciente es eternamente insaciable. En la novela de mi amigo, la Meurteuil tiene un nombre que es una sugestión indirecta de la muerte. Todos hacen en esa novela lo que pueden en la mejor dirección posible y sin embargo a todos los podrían llevar también a la placita de las ejecuciones. La horca o la guillotina. A todos, incluso a mí aunque yo he estado siempre en el centro de la catástrofe. Y me ha salvado quien me ha salvado.

—Usted ha debido ser siempre un hombre honesto, —dijo Perjotín, abundando en la opinión de Liza.

—¿Honesto? —rió Cagliostro un poco ofendido—. Gracias señor Perjotín, pero volvamos a la plaza de las ejecuciones. Una placita romboidal con edificios góticos burgueses. La carreta no venía tirada por caballos sino por bueyes y por eso venía tan despacio. Había sido una innovación del comité de Salud Pública, porque los bueyes caminan despacio y así dan lugar a la gente para que vea a su sabor a los reos y también para que la agonía se prolongue un poco. Alguien, observando el paso lento de los bueyes, dijo a mi lado: eso no es reglamentario ni es humanitario. Era el burgués de la casaca gris quien hablaba. En la carreta los siete reos parecían bastante tranquilos y algunos mostraban incluso una expresión feliz. Miraban a la plebe como si pensaran: somos los héroes del día, vamos a morir de una manera ejemplar y vosotros que tenéis miedo a morir no podéis menos de admirarnos. El sol se metía ya por las encrucijadas e iluminaba las escarapelas de los soldados. Los reos eran siete e iban en la carreta de pie con las manos atadas a la espalda. Lo primero que la gente quería saber era quién de ellos tenía más miedo. Si el que mostraba miedo era un hombre hermoso el placer de la multitud sería mayor. Los siete reos eran bien parecidos y la plebe los admiraba. Algunos un poco arrogantes, pero tenían derecho porque iban a morir. El más alto de los siete eran muy rubio y vestía solamente un calzón y una camisa desabrochada mostrando un pecho sin vello como el de una mujer. Hacía frío. Siempre hace frío al amanecer, pero aquel día más, porque en las crestas de las montañas había nieve, todavía.

"La carreta llegó al pie del tablado. Yo ví que las caras de algunos espectadores parecían más blancas y sus ojos más negros. Los reos eran instalados en el patíbulo. Un tal Casenave quedó el último porque era viejo y se supone que los viejos toleran la espera sin esperanza mejor que los otros. El primero parecía un niño. Todos llevaban la nuca esquilada y, naturalmente, iban sin pelucas. El verdugo llevaba un papel en la mano, lo consultaba e iba cambiando la disposición de la fila hasta dejarlos a todos según el orden de las ejecuciones. Monsieur Dugascail consultaba su reloj con frecuencia y cuando se oyeron las horas en la catedral lo puso cuidadosamente en punto. Luego dijo que tenía que volver a casa para llevar sus dos niñas a la escuela. Pero las ejecuciones comenzaban. El primer reo, el más joven, avanzó. El verdugo leyó su nombre y dijo la culpa por la que era ejecutado. Luego le quitó la casaca que tenía un cuello alzado y lo condujo hasta la báscula. ¿Quieres decir algo, ciudadano? El joven negó con la cabeza. Entonces fue atado a la tabla y ésta y el cuerpo bascularon sobre el eje hacia adelante yendo el reo a quedar horizontal con la cabeza sobre el tajo. Inmediatamente después descendió la cuchilla y se la oyó chocar contra los topes de retenida. La cabeza cayó a uno de esos cestos enormes que usan los campesinos para enviar frutas a los mercados y se oyó en la plaza un bramido. La burra de Balaam. Después de cortada la cabeza el verdugo solía esperar un poco a que el cuerpo se vaciara de sangre. Cada ciudadano tiene dos azumbres y media de sangre, más o menos. Subió después al patíbulo un ayudante del verdugo, sacaron el cuerpo de la báscula y alzando una trampa en el suelo del tablado lo arrojaron por allí al interior. El segundo era un hombre enfermizo, pero tan distinguido que rayaba, a fuerza de estilo, en lo decadente. Fue a la báscula y antes de que el verdugo le preguntara si quería decir algo se puso a negar con la cabeza. La ejecución fue todavía más rápida. El tercero tenía un cuello de toro, pero no le valió. El cuarto parecía un poco cínico y miraba a la gente con media sonrisa. El quinto le dijo al verdugo algo, que no se oyó. Los seis pasaron sin violencia alguna y el siguiente que iba en mangas de camisa y con ésta abierta parecía sereno, pero temblaba.

"—¿Tiemblas, ciudadano? —le preguntó el verdugo.

"—Sí, pero es de frío —respondió Casenave. Porque aquel era Casenave.

"Sin perder su temblor ni su sonrisa Casenave basculó sobre el tajo y al mismo tiempo el verdugo hizo bajar la cuchilla. Inmediatamente comenzaron a sonar los tambores y la infantería desfiló dejando sólo un centinela junto a la esquina del tablado.

"Monsieur Dugascail, el buen burgués de la casaca gris,

se acercó entonces al patíbulo por la parte de abajo por la que caían dos chorritos de sangre y poniendo allí la mano se mojó los dedos.

"—¿No es una suerte vivir en estos tiempos? —dijo.

"Como la mano de Dugascail estaba manchada y no sabía con qué limpiársela acabó por meterla en el bolsillo del pantalón donde debió secarla contra el forro.

"Poco después la gente comenzó a marcharse decepcionada de que la ejecución de varios hombres fuera tan poco dramática. Iban aquellos actos perdiendo interés y monsieur Beyle decía que aquella manera de morir era un privilegio. En una fracción de segundo, en menos de lo que dura un relámpago, sucedía todo. No era cruel, aquello. Un segundo antes, vivían. Un segundo después eran ya insensibles para siempre."

Entretanto, en la carroza de Perjotín los tres pensaban en la mano de Dugascail manchada de sangre,

Al llegar a Graz se les planteó un problema. Perjotín quería ir a Suiza y en ese caso debía dirigirse a Viena. Cagliostro y la princesa querían ir a Klagenfurt y Udine para entrar en Italia y cruzarla por el Norte hacia Milán y Torino y dirigirse a Francia. "¿Qué quería Cagliostro hacer en Francia?", se preguntaba la princesa. Aquella noche, antes de retirarse a su habitación en la fonda de Graz, el italiano le dijo que no era precisamente Francia lo que le interesaba sino el norte de España. Iba a Zugarramurdi. También tenía que asistir más tarde a una reunión del cónclave de Lille a donde irían delegados de Inglaterra, de Alemania y de América.

Ella estaba considerando la posibilidad de seguir hasta Francia. Se lo había dicho en San Petersburgo a Orlof y por ese simple hecho se creía obligada a ir. Después de la sórdida experiencia de Pedro y Pablo, la princesa creía que Orlof tenía derecho a influir de algún modo en todos los actos de su vida. Por otra parte no quería separarse de Cagliostro en quien hallaba una especie de auxiliar que resolvía los pequeños problemas prácticos. Cagliostro comenzaba a tratarla de un modo impersonal y aquello le gustaba. Eran amigos y la amistad es buena.

Había decidido Lizaveta seguir con el italiano al menos

hasta Francia. Y fueron los dos a despedirse del moscovita y de Katerina. Decepcionado Perjotín por la separación explicaba las razones financieras por las que tenía que ir a Zurich. Se consideraba seguro y feliz al lado de Cagliostro y lamentaba separarse de él.

—Es verdad —dijo Cagliostro— que usted me necesita aún. Por eso le aconsejo que vaya a Pau, en Bearn, dentro exactamente de dos meses y me espere en el hotel Henry IV, donde nos veremos a primeros de agosto.

—¿En qué hotel? —preguntaba Perjotín, un poco turbado.

Lo repitió Cagliostro, el comerciante lo apuntó y se separaron haciendo ostensible la contrariedad.

Al día siguiente salieron para Klagenfurt y Caporeto la princesa y el italiano y en cuanto entraron en Italia y ella comenzó a oír el dulce idioma del país se hizo más expansiva. Quería charlar con la gente, especialmente con los niños que veía en las estaciones de posta. Cagliostro, a solas con ella y lleno de nuevas curiosidades, le hacía preguntas sobre su vida. Ella hablaba de Florencia y del conde Rasumovski. Iban en el departamento de primera clase de un carruaje de veras cómodo. A veces llegaba otro pasajero y entonces la princesa se callaba y era Cagliostro quien llevaba el diálogo.

Dijo el conde que su plan consistía en continuar hasta Pau y desde allí ir a Zugarramurdi para asistir a los ritos de la víspera de San Juan.

—¡Qué bien! —decía ella sin saber qué ritos eran aquéllos.

De pronto le recordó Cagliostro que no le había dicho su nombre. Ella sonrió y le dijo que debía llamarla Liza. No se atrevía él a decirle que sabía su nombre entero e imperial porque lo había leído en uno de los salvoconductos a la salida de San Petersburgo mientras ella dormía.

Volaba el coche de posta por los caminos llanos y bien cuidados.

Así llegaron a Padua. Era la primera ciudad de importancia que visitaban en Italia y la princesa quería a todo trance pasar en ella un par de días. Cagliostro accedió. En Italia le inquietaba a Cagliostro el aspecto de la princesa con sus vestidos escandalosamente pasados de moda, su bastón rústico y su rostro frío y lavado como el de una campesina.

En el albergo *di Sant Antonio* el conde Cagliostro preguntó a Lizaveta qué clase de parentesco la unía a la emperatriz. Ella sonrió en silencio y se puso a hablar de otra cosa. Estaban en el patio del hotel. Un viejo vendedor de flores se le acercó llamándola *ragazza,* lo que dio a la princesa una impresión cómoda y halagadora. Era todavía una *ragazza* para alguien.

Se llenaba el conde italiano la boca para decir su nombre —Lizaveta— y hablando *ex abundantia cordis* le dijo que sería un fiel esclavo y estaría siempre *sottomesso come un cane fedele.* Es decir mientras ella se lo permitiera. A ella parecióle una humildad excesiva. Pero comenzaba a quererlo, a Cagliostro.

Había pequeños detalles nuevos en la tierra italiana. Al salir de Padua para Milán el postillón sopló en la bocina y Lizaveta juntó las manos con un gesto infantil y pareció transfigurarse:

—*¡Brava, brava! Come suoni bene la trombetta!*

La miraba Cagliostro complacido y paternal porque no había visto nunca tan expresiva a Liza. Era la atmósfera de Italia.

Al conde lo llamaban los postillones *vossignoría* y en cambio a Lizaveta cuando daba una limosna le decían: *il Signore ve lo renda, bella contesina.* Y llegaron a Verona. Cagliostro suspiró y dijo: "Aquí estuvo Dante desterrado. Andaba por las calles y los chicos le tiraban piedras y gritaban: ¡ese hombre ha estado en el infierno!" La princesa se puso de pronto muy seria y dijo:

—Yo también he estado en el infierno.

No entendió Cagliostro sino la última palabra. Pero ella se arrepentía:

—Digo que he leído el Infierno, de Dante.

Cagliostro se puso a hablar de Francia y de la fecha de la víspera de San Juan.

Al salir de Verona ella quería ir a Milán, pero Cagliostro prefería quedarse un par de días en Verona. Nunca estaban de acuerdo sobre los lugares donde hacer escala y acababa por imponerse la voluntad de la princesa. Siguieron hasta Milán. Iban solos una vez más en su compartimiento y por el camino la princesa preguntó al conde italiano si al referir las ejecuciones de Grenoble no había suprimido alguna cosa para situarse en una posición favorable. El conde la escuchaba con una serenidad falsa.

—Tiene usted razón —dijo—. ¿Recuerda que monsieur Dugascail puso la mano debajo del cadalso para mojarla en sangre? Pues yo puse la mano también. El gesto de Dugascail avergonzaba a monsieur Beyle frente a un extrajero y entonces me dije: "Voy a hacer yo lo mismo y así la vergüenza que siente monsieur Beyle será menos incómoda". Puse la mano y froté unas con otras las yemas de los dedos bajo el chorrito rojo. Una impresión así como de glicerina tibia. Glicerina. Esta es una palabra griega ¿sabe usted? *Glicera* quiere decir dulce y es nombre de mujer: Glicera. Si no dije delante de Perjotín que puse la mano en el chorro de sangre fue porque el buen ruso cree demasialo todavía en el llamado bien inteligente. Bajo el primer sol de la mañana en Grenoble yo pensaba que los Orleans, los Turena, los Borbón, los Montmorency y los Montpensier se estaban acabando en Francia. La monarquía no volverá. Porque el burgués monsieur Dugascail que bautiza a sus hijos y los lleva a la confirmación frota sin embargo entre sus dedos la sangre de los nobles. La batalla la ha ganado el animal de Balaam y todos estamos bajo su dulce yugo. *Glicera.* Todos estarán siempre bajo su yugo sapiente. ¿No le parece, señora? El animal salvó a Balaam contra el emisario terrible.

Se quedaban los dos callados y poco después ella cambiaba de tema:

—¿Está Perjotín, realmente enfermo?

—Todos los hombres están enfermos más o menos, dijo Cagliostro.

Lo que le gustaba a la princesa en el italiano era su tendencia a una sinceridad sin atenuantes.

Cagliostro le daba datos complementarios sobre Grenoble: "Dugascail, el de la casaca gris, saludaba atentamente a sus vecinos según sus jerarquías, sin olvidarse de hacer el saludo más corto o más largo según el grado de importancia civil de cada uno. Se adelantaba a saludar a los más ricos y esperaba ser saludado por los más pobres. Así creía contribuir a la unidad de las cosas y a la cristalización del mundo de mañana. Tenía razón."

Preguntaba ella al italiano qué había hecho para curar a Perjotín y él comenzó a explicarle algunos de sus trucos, por ejemplo, el de la coca americana. A Lizaveta aquello le parecía brujería y lo decía divertida.

No estuvieron en Milán sino tres o cuatro horas. Cagliostro le recitaba a veces en voz baja versos que al parecer no tenían nada que ver con la situación del momento:

Tempus erat quo prima quies mortalibus aegris
incipit et dono divum gratissima serpit.

Luego suspiraba y añadía: es de Virgilio. Y así iban dejando atrás el camino, con alusiones literarias y pequeños incidentes amables. Cuando llegaron a Turín se sentía en el aire, según Cagliostro, el olor de la dulce Francia.

—También Italia es dulce, —dijo ella.

—Oh, sí. Toda Italia, hasta el italiano más bajo, ha aprendido la galantería y la suavidad de maneras. La dulzura italiana es del *cuore* y la de Francia de la mente.

Tampoco se detuvieron en Turín sino algunas horas. Entre Milán y Turín vieron mucha gente mal vestida, lo que deprimió un poco a la princesa. Y aquella misma noche llegaron a la frontera de Francia. Cubiertas las formalidades de la policía pasaron adelante. Se extrañaba ella de no haber comprendido lo que los empleados de la aduana decían en francés. Cagliostro explicaba:

—Hablaban más bien *patois* y además hablando con extranjeros los franceses hacen uso de su coquetería. Cada idioma tiene la suya. La de los franceses está en la "on" final y la "r" inicial. Se enjuagan la boca con esas letras.

Y volviendo a hablar de Grenoble decía:

—Cuando el pequeño Henry Beyle oyó a Dugascail decir que las ejecuciones en la guillotina eran incruentas le preguntó si hablaba por experiencia propia. Dugascail respondió fríamente: "*C'est pas une preuve d'esprit ce que tu dis, mon enfant*". Y Henry dijo: "*Je ne suis pas vostre enfant, monsieur, et je ne le regrette pas*". Un muchacho despejado, aquél.

Añadió Cagliostro que algunos cuerpos humanos tienen convulsiones después de haber sido decapitados y los verdugos tenían cuidado porque más de una vez se habían retirado del patíbulo con una patada en un ojo. "Yo me pregunto: si no tienen vida, ¿cómo es que tienen tanta fuerza? Bueyes hay que después de muertos han roto una pierna al carnicero de una coz. Pero los hombres no son bueyes ni tienen bastante fuerza para eso, digo, después de morir."

La princesa parecía respirar con dificultad y dijo en susurro:

—No más, por favor.

Entonces el italiano le explicó que lo hacía deliberadamente porque la única manera de liberarse de un recuerdo consistía en llevarlo a sus extremos más crudos de modo que por un movimiento instintivo de defensa lo eliminara ella de una vez para siempre.

—¿Vamos a Pau? —preguntó ella de pronto—. ¿Para qué?

—A donde vamos es a Zugarramurdi para asistir a un aquelarre. A un *sabbath*.

La última noche del viaje antes de llegar a Pau fue aburrida y la pasaron dormitando. Cagliostro tomaba en sus manos la de la princesa dormida y a veces la besaba con reverencia.

Estuvieron esperando en Pau algunas horas la posta para Bayona. Había comerciantes, campesinos, rentistas y también algunos individuos cuyo traje civil era sólo un disfraz (se advertía en ellos la falta de soltura de los curas que han dejado la sotana en casa), agentes de policía y algunos niños con gorro frigio que iban y venían vendiendo pastillas de miel y pregonaban: "*Miel de Jurancon, citoyens*".

—¿Qué le parece a usted? —preguntó Cagliostro—. Antes los franceses eran súbditos y ahora son ciudadanos. Pero siguen siendo los mismos.

Calculaba el italiano sus actividades en los días próximos. Dos más y sería el 23 de junio, la víspera de San Juan, día importante en el mundo de los tenebrosos, es decir de los siervos de Satanás. Ella escuchaba atentamente: los tenebrosos. Cuando parecía más perpleja se acercó a ellos un caballero flaco, de aguileño perfil y piel tostada. Llevaba botas de montar y un estoque al cinto en su vaina de lujoso cuero rojo. Antes de acercarse dio varios pasos atrás sin dejar de mirar a Cagliostro como si no se atreviera a creer a sus ojos. Pero Cagliostro lo reconoció y salió a su encuentro:

—¡Caballero Spinac!

El hombre flaco del espadín rojo se apartó un poco todavía:

—¿Es posible? —y añadió exaltándose a medida que hablaba.— ¿Es posible que venga por carretera el que puede tener tantas y tan inusuales maneras de viajar? Porque supongo que va vuecencia a Zugarramurdi.

Y bajando la voz añadió en latín: "*Ante mare, undae*". Era la consigna. Repitió Cagliostro aquellas palabras entre dientes y añadió por su parte: "*Emen heta an*", en vasco. Luego presentó a la princesa diciendo en un breve aparte a Spinac: "es de sangre imperial".

Con esto el caballero imaginó grandes misterios en torno a la dama y habría hincado la rodilla (era hombre enfático) si no sospechara que había por allí policías de la revolución para quienes aquellas ceremonias resultarían sospechosas.

Dijo Spinac que después de la celebración de Zugarramurdi tendría el mayor placer en recibirlos en su modesta casa-castillo de Torre Cebrera suponiendo que quisieran hacerle aquel honor. Dio las gracias Cagliostro y para mostrar que tomaba el ofrecimiento en consideración preguntó si Torre Cebrera estaba lejos.

—En las vertientes de la Maladeta, hacia el Sur. Entrar en España por ese lado es como entrar en la luna. Los recibiré con el mayor gusto si vienen a pasar algunas semanas o meses con nosotros. Digo, después de Zugarramurdi. —Hizo una pausa y añadió: —No es preciso que decidan ahora. Tienen dos largos días para pensarlo, pero no olviden que nos darán a mi esposa y a mí un placer. ¿Saben los del cónclave de Lille que va vuestra excelencia a Zugarramurdi?

—Nadie lo sabe. Sólo lo sabe usted, por ahora.

Spic —así lo llamaban sus íntimos—, era hombre de intriga y de misterio.

Citáronse en Zugarramurdi. Había que estar allí el día 23 al oscurecer, un poco antes de que la estrella de la tarde apareciera. Oyendo aquello la princesa se extrañaba y cuando el caballero de la vaina roja se retiró haciendo una gran reverencia se quedaron otra vez solos y ella preguntó:

—¿Quién es?

—Un nigromante famoso. Lo llaman Spic y es noble, creo que tiene un título, pero está un poco... bien, digamos un poco divagatorio. Mis doctrinas discrepan fundamentalmente de las suyas. Él es un tenebroso.

—¿Quiénes son los tenebrosos?

—Los que adoran a Belcebú rey de las moscas.

Añadió que él creía en la luz y no en las tinieblas. Pero la diferencia no era muy grande en los aspectos negativos, es decir en la oposición contra las normas religiosas y políticas establecidas más o menos en toda Europa.

X

Antes de llegar a Bayona se detuvieron en una posada y tomaron otro coche que iba a una aldea cercana de nombre vasco donde se apearon y caminaron un poco, lo que fue incómodo para Lizaveta. Llegaron a una especie de granja palacio que estaba en la misma raya de la frontera. Una cara del edificio miraba a España (eran en aquel lado las piedras color de rosa) y otra a Francia con las piedras color gris oscuro por la dirección del sol y las lluvias.

Llamaron a la puerta con una gran aldaba y se oyó dentro ladrar a un mastín.

Salió el mayordomo, quien los retuvo en el portal sin invitarlos a entrar hasta que Cagliostro dijo en latín la misma frase que había dicho en Pau el caballero Spic. Entonces el mayordomo los hizo entrar advirtiéndoles que la señora no estaba.

Pidió Cagliostro dos caballos y mientras los ensillaban llevó a la princesa a los jardines que daban a la parte de España en los cuales todas las ventanas de la planta baja estaban enrejadas y cubiertas de rosales trepadores.

—A la propietaria de este palacio la llaman en la comarca los franceses *la señora guapa,* en español; y los españoles la *belle dame,* en francés. Para los españoles es francesa y para los franceses española.

—¿Es hermosa, de veras?

—Como la aurora, —dijo Cagliostro con una especie de furia contenida—, pero está enamorada estúpidamente de un marido que la abandonó.

Pensó Liza que Cagliostro se equivocaba y que no había amor estúpido. Subieron a una galería del piso principal abierta al sur. Había palomas en las cornisas arrullándose. Todas eran negras.

Desde la galería se veía una vasta extensión de colinas onduladas y verdes, no muy altas. La princesa miraba pensando: esta tierra es España —otra nación—, pero parece igual que las demás. No lo dijo porque era una idea un poco boba. El conde hablaba mirando el paisaje:

—Hasta llegar a esta frontera la gente piensa de un modo voluptuoso y mata o muere buscando el placer. Desde aquí en adelante todo es metafísico y satánico. ¿Ve usted? La bella dama ha debido ir por aquel camino a caballo hasta la colina del fondo toda cubierta de pinos. En la otra vertiente está Zugarramurdi. Si salimos pronto llegaremos antes de que comience la fiesta.

Pero todavía llevó a la princesa a otra galería, ésta cerrada con cristales, que daba al norte, es decir, a Francia. Había allí muchas palomas.

—¿Por qué son todas negras? —preguntó ella.

—También en la nigromancia hay supersticiones, como en todo. Por un lado la sabiduría y la fe y por otro las fórmulas estériles. ¡Palomas negras, bah!

Cuando iban a entrar en una sala baja que estaba abierta hacia el jardín por grandes puertas de cristales el mayordomo llegó corriendo para impedir el paso:

—Hay alguien ahí. —dijo—. Bueno, está ahí el *sieur* de Bordeaux.

Añadió en voz baja: "Ha venido hace una semana y ustedes pueden suponer. Si hay una alarma puede huir a Zugarramurdi y hasta allí no llegan los comités de salud pública. Es lo que yo pienso, al menos."

Estaba Cagliostro impresionado. El *sieur* de Bordeaux era Montesquieu, una de las lumbreras de Europa.

—¿Trabaja también la *veuve* en Bordeaux? —preguntó.

—*Partout, monsieur, partout.*

Los amigos de Cagliostro eran una tercera clase social, ni aristócratas ni jacobinos, una especie de nobleza revolucionaria. Cagliostro se dolía del trabajo de la guillotina por Montesquieu y se alegraba de su actividad por los nobles partidarios de los Borbones o de los Orleans. Esperaba que todos, hasta el último, fueron decapitados.

Salieron de aquel lugar y Cagliostro preguntó:

—¿Sabe el señor de Bordeaux que la señora ha ido a Zugarramurdi?

—Sí, pero respeta las *relaciones* de la señora.

—¿Incluídos los españoles de Zugarramurdi?

—Ah, esos son vascos, no son españoles. Esos son buena gente: gente que come y que baila.

Meditaba, Cagliostro:

—¿Estuvo aquí el caballero Spinac?

—No, —dijo el mayordomo muy interesado—. ¿Lo ha visto su señoría? ¿Iba a caballo? En ese caso, ¿vio usted si llevaba o no un envoltorio o maleta? Lo digo porque la señora suponía que llevaría un envoltorio y dentro el *macabeo chiquito.*

Cagliostro hablaba español, pero no la jerga de la calle. Los caballos estaban ensillados y el mayordomo llevaba el de Lizaveta junto a la plataforma de piedra desde donde las señoras montaban más cómodamente.

El caballo de Cagliostro era bayo y el de la princesa blanco. Iba pensando Cagliostro con cierta repugnancia en el *macabeo chiquito.* Creía comprender y no le gustaban aquellas cosas. No era magia negra ni blanca aquello, sino superstición y estéril miseria.

Estaban ya en España y se dirigían a un bosque de abetos en el valle de Zugarramurdi. Callaba la princesa y lo miraba todo con una gran curiosidad. No había montado a caballo desde los días de Florencia en que solía trotar por las avenidas de Boboli. Y se sentía un poco insegura.

No había nadie por los alrededores. "Esto es España", se decía, curiosa.

Desde lejos vio Cagliostro en la orilla de la gran colina a una señora sentada en un tronco de árbol con una niña al lado. Solía aquella señora poner una atención especial en la tarea de catequizar o seducir —o pervertir— a las niñas.

Se desviaron para no ser advertidos y entraron en el bosque por un altozano. Apeáronse, ataron los caballos y esperaron entre los árboles en lo alto de la colina. La señora hermosa estaba cerca y tenía a su lado una niña de ocho años, pizpireta y despierta. La princesa dijo a Cagliostro:

—Estamos espiando y eso no está bien.

—Esta noche —dijo Cagliostro con tristeza— voy a jugármelo todo con usted. Es un juego peligroso, pero vale la pena afrontarlo.

Desde allí oían hablar a la niña y a la señora. Esta decía:

—Tu nombre me recuerda una canción. Es una canción un poco tonta:

Marieta corcusí
el traste te cosí
con una mimbre
no estaba curioso
pero estaba firme...

Tradujo la canción Cagliostro y ella se puso colorada. Cagliostro rio y advirtió: "Estamos en España, que es un país sucio y divino. Ni más ni menos. Sucio y divino. Ahora bien, la suciedad de España no es de excremento sino de sangre".

Seguían espiando. Sacó la bella dama un caramelo y se lo dio a Marieta. Luego le preguntó de donde venía.

—De jugar con mis primos que viven en Arbeitua Zarra. Mi tío vino a buscar simiente de nabos y me llevó en el carro, pero me he escapado —decía muy segura de sí —porque mis primos se ponen pesados. Jugamos a un juego francés con una pelota.

La señora y la niña echaban a andar. El camino se bifurcaba. Un ramal iba a Zugarramurdi de abajo y estaba más transitado, el otro subía hacia el bosque e iba haciéndose estrecho hasta convertirse en una senda. La niña pareció dudar y tiraba de la mano de la señora.

—¿En qué lugar del bosque se aparece el diablo? —preguntaba, miedosa—. ¿En el prado del cabrón?

—No se dice así niña. Es una expresión ordinaria.

—Mi nombre también es ordinario: María. Y usted, ¿cómo se llama?

—Águeda —dijo la señora después de vacilar un poco.

Cagliostro se lo tradujo a Liza y añadió: "No se llama Águeda". Repitió la princesa, turbada:

—Pero estamos espiando y eso no es correcto, Cagliostro.

El sacó del bolsillo una caperuza de seda roja y se la puso. Le cubría la cabeza y el rostro con dos agujeros a la altura de los ojos. Liza se asustó y dijo Cagliostro que era la costumbre de los aquelarres. En aquel momento Águeda se ponía una máscara también, pero blanca.

Lejos comenzaba a oírse el sonido de una cornamusa y la niña contuvo el aliento para oír mejor:

—¡La gaita! —gritó y entonces se dejó llevar.

Dijo a grandes voces que todos los domingos pasaba un gaitero por debajo de la ventana de su casa y ella le daba dos cuartos para la cofradía de la Buena Muerte. Cagliostro traducía estas palabras y añadía: *La Buena Muerte* ¿oye? Esto quiere decir que estamos en España donde las muertes tienen adjetivos: la buena muerte, la mala muerte y la muerte bonita y la fea, la noble y la consuetudinaria.

—Atraída por el sonido de la gaita, la niña caminaba delante de la señora. Por su parte Cagliostro trataba también a Lizaveta como a una niña:

—Ésta es la fiesta en honor de *Sabathius*. Hay bailes, músicas y farandolas y chaconas y escarramanes y garrotines y otras cosas que unas veces son graciosas y otras estúpidas y groseras. Hay gente que baila en serio y otros en broma y para reir. Hay payasos, juglares y volteadores y niñas que cantan cosas obscenas y viejas que rezan con palabras sucias. Hay crimen y hay fornicación. ¿No se asustará usted?

Seguían adelante precedidos de la bella dama y de la niña, quien, habiéndolos descubierto, se volvía a mirarlos, intrigada. Se escuchaban voces humanas en algún lugar y explicaba Cagliostro:

—Han hecho al parecer la reunión lejos del arroyo. Es mejor cerca de algún arroyo. Ya le dije que esta noche es la víspera de San Juan y hace falta agua para los asperges.

Se acercaba un hombre a la bella dama de la caperuza blanca. Un caballero de porte distinguido, aunque demasiado flaco, de unos cincuenta años, con capa y espada. La capa de color indefinible entre negro y azul. Cuando estuvo más cerca vieron que la vaina de la espada estaba vacía y se doblaba al andar. Águeda le ofreció la mano:

—Spinac —dijo al mismo tiempo—. Este no es el lugar acostumbrado.

—Señora —se disculpó el caballero— había que celebrar el *sabbath* la víspera de San Juan a pesar de todo. Con el ritual del viernes, día de la blasfemia y del burro negro. *Non timebis a timore nocturno...*

Cagliostro y la princesa escuchaban un poco apartados. Ella dijo:

—Ese es el hombre que vimos en Pau y nos invitó a su castillo en la Maladeta.

El español tenía una barbichuela gris y vestía de negro con una cadena de oro al pecho. Estuvo mirando a la niña y luego alzó los hombros, hizo dos castañetas con los dedos y preguntó:

—¿Sabes bailar el fandango? ¿No? Bueno, es igual porque esta noche bailarán la pavana ciega.

Se reunieron y como nadie presentaba a nadie se quedaron un momento mirándose en silencio. El caballero Spic reconoció a Cagliostro por la compañía de Liza y según la costumbre respetó el anónimo. La niña miraba absorta y preguntaba a Spic:

—¿Ha visto usted alguna vez a su majestad el diablo? —y añadió señalando a Cagliostro enmascarado: —¿No será éste?

El caballero Spic acarició la cabeza de la niña, miró furtivamente a Cagliostro y calló. Águeda dio las gracias a Spic por haber acudido a Zugarramurdi. "Sin usted —añadió— yo me siento un poco perdida en estos sitios."

—¿Han venido las comadres de Itzea? —preguntó Cagliostro.

—Sí, señor —respondió Spic mirando a la princesa con una gran curiosidad—. Han ido a comprar los gallos de los caseríos próximos y a matarlos, así no seremos interrumpidos hasta el amanecer.

Y se puso a recitar:

Ferunt vagantes Daemonas
Laetas tenebras noctium
gallo canente exterritos
sparsin timere et credere...

Lo miraba la niña sin entender que aquel hombre hablara lo mismo que en la misa. El caballero se inclinó y la besó en los labios.

—Su majestad ama la inocencia —dijo en francés— porque es delicadamente sucia.

El hecho de que lo llamaran Spic le gustaba porque Aspic (casi sonaba lo mismo) era el nombre cabalístico del diablo entre los escoceses y los bretones. Había Spic viajado por lejanos países, asistido a *sabbaths* en naciones boreales y en Oriente, y hacía a veces, según decían, pequeños prodigios secretos.

—Nada de prodigios —explicaba Spic— sino fenómenos naturales.

Con eso quería decir que en él la magia era ya segunda naturaleza.

La asociación de las consonantes S y P era importante, según Cagliostro. Había escrito Spic sobre eso un pequeño tratado que circulaba por el mundo. Spic miraba a la niña y pensaba que no era fácil hallar una virgen en el *Sabbath* y menos disponer de ella. La orina de una virgen tenía virtudes especiales. Pero ¿sería virgen Marieta? Entre aquellos campesinos sucedían a veces cosas raras con los niños. Las muchachas en su mayor parte dejaban de ser vírgenes antes de tomar la primera comunión, según decía Spic a Lizaveta, disculpándose con el gesto.

—¿Ha leído ya mi libro? —preguntó Spic a Águeda.

Explicaba Cagliostro a la perpleja Lizaveta en qué consistía. Tenía muchas páginas aquel libro y todas de colores (ninguna blanca). Estaba encuadernado con la piel de un niño bautizado al revés, es decir con los ritos de la extremaunción. El libro era bastante conocido y en un palacio de Bigorre había un ejemplar traducido en diecisiete idiomas imitando y mejorando la biblia políglota, según decia. Su dueño lo tenía dentro de una arqueta de marfil y oro como un objeto precioso. La verdad es que "Sp" — asi se titulaba el libro — iba convirtiéndose poco a poco en una biblia secreta.

Oyendo todo esto la princesa no sabía qué pensar y a veces creía estar entre locos.

Exhibía Cagliostro su erudición con la princesa: "Spanna, nombre primitivo de la península ibérica, quiere decir *patria del dios bicorne con patas de cabra* que vivía en el bosque y tenía el secreto de las catástrofes, las epidemias, las guerras, las muertes viles y otros males de la tierra." El libro del caballero Spic tenía citas latinas y griegas y en la contracubierta de piel seca y sin pulir había un dibujo del autor y debajo el señor de Bigorre había escrito: "*Ainsi qu'on le voit l'Auteur est quelque fois par délégation le diable même et on l'a vu tenant son cheval (celui de Sa Majesté le diable) par le frein avec una chandelle de poix noir dans l'aultre main. Et les dames de l'aquelarre et les seigneurs de la vraie religion s'approchent de lui et le baisent quelque fois au nombril, quelque fois au cul*". Esta explicación al pie del dibujo era uno de los timbres de gloria del caballero Spic.

La princesa disimulaba su asombro y pensaba: aquí todo es diferente. Hay que tener cuidado y no asombrarse de nada. Cagliostro conocía muy bien el libro, que comenzaba diciendo: "Ningún país en el mundo como Spanna (asi escribía siempre el autor el nombre de su patria) tiene tantos hombres y mujeres rindiendo culto a Pan, porque incluso los más católicos y observantes de la iglesia de Roma dicen cada día por lo menos tres veces las palabras predilectas de Pan, así por exclamación airada como por sorpresa y entusiasmo, a saber: el nombre de la bulba (conno) y de las glándulas viriles (cogenitores) en manera no culta como yo lo escribo sino ordinaria y vulgar. Nadie debe espantarse de esto, que es una verdad por todos conocida. ¿Quién va a asustarse de ver escritas esas cosas que hemos oído a nuestros padres, que decimos nosotros y que dirán nuestros hijos?"

"Mujeres y hombres de todas clases dicen en España al menos tres veces cada día y muchos treinta y aun trescientas, esas palabras obscenas para toda clase de afectos encontrados. Y Spanna es el único país en el mundo donde esa cosa sucede." Así se extendía la prosa de Spic a lo largo de doscientas diez páginas, una parte de las cuales sabían algunos de memoria.

Era el libro una consagración de España al diablo a través de argumentos históricos y filológicos. Parecía tener razón. De su "Sp" salía la península ibérica como la patria natural de los faunos, los sátiros y otros subproductos de Pan, es decir del demonio. En Extremadura estaba la puerta del infierno, según Homero, en la laguna de Acherón. Pero Spic hizo a la niña una pregunta en vasco:

—¿Tienes ganas de orinar?

La niña pensaba: ¿Por qué me lo pregunta si en el bosque se puede orinar en cualquier parte? Pero dijo que sí. El caballero fue hacia la yegua que había dejado atada a un árbol. Llegó tan agitado y veloz que el animal asustado levantó la cabeza. Sacó de una alforja de terciopelo con franjas de plata una especie de vaso antiguo y se perdió con la niña detrás de un árbol. La señora se quedó un momento dudando y después siguió detrás del caballero y al alcanzarlo vio que estaba alzándole las faldas a Marieta.

Cagliostro, enmascarado, y la princesa estaban un poco aparte, mirando. Se extrañaba Cagliostro de la falta de reacciones de Lizaveta, quien parecía no sorprenderse de nada. "Tanto mejor", pensó. Había ella rechazado la máscara que le ofrecieron diciendo: "¿Para qué? Aquí no me conoce nadie".

Comenzó la fiesta al asomar la estrella de la tarde en un claro del ramaje. Más de cien personas bailaban al son de una gaita y un bombo situándose de frente, de costado o de espaldas a sus parejas. La niña miraba codiciosa queriendo intervenir.

El sonido agrio de la gaita penetraba por todas partes y la gente bailaba. Aquellas piruetas, contorsiones, saltos, requerían entrenamiento y habilidad. Cagliostro decía refiriéndose a la fiesta: "Ésta es la religión más antigua del mundo. La practicaban ya en el paleolítico, aunque no exactamente igual. Añadía que el lugar del aquelarre no era el de otras veces porque había que elegir entre un lugar con agua o una encrucijada. El agua era necesaria para los asperges con el hisopo, pero si no la había se podía improvisar de una manera un poco indecente. Aquella noche la gente esperaba ver a su majestad tenebrosa en forma de macho cabrío. Para propiciar la aparición del diablo el cruce de caminos era mejor y en su libro el caballero Spic explicaba por qué. Todo lo explicaba el caballero Spic en su libro.

Seguía la princesa escuchando impasible y pensando una vez más: "¿El diablo? ¿Es posible que se aparezca el diablo?"

Se acercó una anciana de aspecto sórdido quien al ver al caballero Spic se volvió de espaldas y comenzó a cantar y a bailar mirando a la estrella con una expresión de arrobo:

Venus lucérnula
canis luperca
un hombre negro
me trajo a sus lomos
junto al enebro
pasaba el camino
y en un revolvino
se acercó el Tenebro

Oyendo Cagliostro la canción miró al cielo por un claro del ramaje y advirtió a la princesa: "Esa estrella es Venus. Ahora la fiesta tomará incremento". Pero Lizaveta prefería mirar a la vieja danzante y pensaba: "Está loca".

Sin dejar de bailar la anciana dijo a Cagliostro que aquella tierra había sido puesta en subasta por el municipio. Explicaba Cagliostro a la princesa que según el ritual languedociano era mejor un lugar en venta. El viejo Pan de la vieja Iberia tiene sus *caprichos* (de capra, cabra). Pero la gente se disponía a bailar la pavana. En aquel momento volvía Spic con el precioso líquido reacomodando con la otra mano su caperuza de seda roja. Mostró el vaso de mármol o jaspe con grapas de oro y corrió a llevarlo a alguna parte. Poco después volvía.

En aquel momento comenzaba la pavana. La niña quería verlo todo al mismo tiempo. "¿Es la pavana?" preguntó Águeda como si quisiera bailar.

—*S'il vous plait,* —dijo Spic inclinándose después de comprobar una vez más que Venus titiladora presidía el cielo por el lado de Occidente.

Salió con Águeda cogidos de la mano como en los minuetos y comenzaron a bailar en el claro del bosque. Marieta los miraba sonriendo. Habría querido bailar también y se lo dijo a Cagliostro. El le respondió: cuando seas más grande.

Algunos minutos después se oyó un aullido agrio (como de un perro atrapado por una carreta) y apareció un hombre grande y negro con cabeza de macho cabrío y enormes cuernos que se alzaban en forma de lira. La barbilla del macho cabrío era rojiza en algunos lugares y gris en otros. Delante de Satán iban siete mujeres con velas negras de pez y recitaban muy tranquilas:

Venus de Escocia y abre, España
Venus de Francia y cierra Spic,
por la gloria del señor Diablo
y de Balaam, el zahorí.

Sonreía Cagliostro satisfecho y apretaba la mano de la princesa. "Esta es la parte genuína del ritual: la que se refiere a Balaam, el egipcio", dijo.

—¿Es de veras el diablo? —preguntaba ella, absorta.

A medida que subía Satán las gradas del trono parecía más grande. Una vez arriba esparció sus miradas por la multitud. Todo el mundo hacía reverencias, genuflexiones, y otros homenajes. El aire se llenaba de un balsámico olor de incienso. Spic, que se acercaba bailando con Águeda, dijo: —Éste fue nuestro rey mucho antes de Gerión, el tarteso.

Y comenzó a recitar los diferentes nombres que a lo largo de los tiempos había tenido Pan en Castilla, en Cataluña, en Galicia, en Vizcaya, en las Islas Canarias, en el norte de África y sobre todo en Cádiz. Muy especialmente en Cádiz. Decía todo aquello sin dejar de bailar.

La niña miraba de lejos al diablo: "¿Ha venido a caballo? ¿O en coche? En coche no es fácil porque no cabe el señor diablo por la portezuela para entrar con esos cuernos. ¿Ha podido venir a pie? ¿Por el aire? No tiene alas. Y es muy grande. Si tuviera alas aunque fuera grande podría venir por el aire".

Cagliostro y Lizaveta se acercaban al diablo, él con reverencia y ella con una temerosa curiosidad. En el bosque parecía que lloraba alguien, pero era una cornamusa que estaba siendo templada.

La niña hacía preguntas: "Puedo arrodillarme? A mí me gusta arrodillarme". Águeda sin dejar de bailar le decía que sí. La princesa perdido el miedo se acercaba al estrado presidencial tratando de averiguar qué clase de diablo era aquél. Tenía Satanás cuerpo de hombre y cabeza de macho cabrío procedente quizá de un amurcón guión de las alturas del Pirineo. Tenía también un rabo pequeño en la base de la espalda, peludo y enhiesto como el de los caballos nerviosos. Era aquella figura vascoespañola una de las que adoptaba el diablo con más frecuencia, al menos en Zugarramurdi. Pero así y todo...

—Tengo una duda, Cagliostro —dijo Liza—. Ese diablo ¿es verdadero o es un hombre disfrazado?

—Puede ser las dos cosas a un tiempo, señora, como el hijo de Adonais, y perdone la irreverencia, es Adonais —respondió Cagliostro con una mano en la cadera—. Hay una trinidad satánica: el padre Satán, el hijo Satán y el espíritu tenebroso Satán. Las guerras, las muertes, los crímenes, tres cuartas partes de los amores y las bodas son obra del señor, digo de Satán. En todas partes Satán conduce al mundo. Del amor al odio, del odio al miedo, del miedo y del odio a la guerra, de la guerra a la sangre inocente. ¡Cuántos cientos de siglos abriéndose y cerrándose ese círculo sagrado!

Águeda, que estaba al lado, contemplaba a la princesa sonriente y sin dejar de bailar. La niña imitaba la cojera de Lizaveta y volvía a preguntar si el diablo fue a pie a la fiesta o en coche o a caballo.

Águeda trenzaba sus pasos con cuidado porque el suelo era irregular.

—¿Es un hombre como los otros o es el diablo? —preguntaba Lizaveta.

—El diablo de esta noche —respondió Spic repitiendo dos veces la reverencia— es una persona a quien llaman el gigante de Undarreta y aunque parece negro no lo es. Se ha embadurnado de pez para venir aquí. Fue concebido hace treinta años en un aquelarre como éste y nació y lo bautizaron con sangre de macho cabrío y con azúcar.

Sin dejar de bailar contaba Spic hechos notables del gigante de Undarreta. Su madre había sido una bruja famosa.

Bailaban discretamente, es decir, con movimientos y mudanzas sólo insinuados —la pavana era un baile de corte, noble y lento— Lizaveta y Cagliostro. Aquel gusto de la princesa por el baile era el único signo de juventud que quedaba en su carácter. Seguía Cagliostro cubierto por la caperuza roja y decía que la danza era un rito de autosugestión a través del cual la gente se ponía en trance con la música de la gaita y los bombos y tambores sordos. Desde la prehistoria. En trance. Un poco de locura entraba por los oídos y bajaba al corazón. En trance Liza sin sonreír bailaba como en casa del gobernador de Voronezh. La pavana. El nombre venía de la imitación de los movimientos del pavo real. Con su larga cola arrastrando por el césped, Liza lo hacía mejor que la dama hermosa.

—El gigante de Undarreta —seguía diciendo Spic, allí al lado, sin dejar de bailar—, es el que roba las hostias en las iglesias para que nosotros las consagremos de nuevo y de esa manera tratamos, como usted sabe, de restablecer el predominio del monarca negro. El espíritu infernal acude, y por acudir después domina y subordina a su antecesor igual que sucede en la vida. Hasta los que creen combatir a su tenebrosa majestad lo sirven sin darse cuenta. ¿Qué hacen los inquisidores en sus prisiones secretas? ¿Quieren decírmelo ustedes? ¿No llevan los inquisidores una cruz verde? El verde es el color del misticismo satánico. ¿No llevan a veces la cara cubierta con una máscara igual que nosotros en el aquelarre? El inquisidor general tiene la barbichuela y la nariz de la oveja judía. En el bosque de Aranda, propiedad de gran inquisidor, encontraron un día huellas de macho cabrío, pero sólo las de las patas de atrás. Es decir de un cabrón que andaba en dos patas, de un sátiro o del antiguo Pan. Las huellas del macho cabrío puesto de pie son las de Satán o por lo menos las de algún *magistellus*. Los hay en Spanna, en el Sur, en el Este, en el Norte y en el Oeste. Y a veces están detrás de la cruz verde del mismo Santo Oficio, que yo lo he visto. ¿Me oye, señora, alteza? Acudí una vez como testigo a una sesión presidida por el teniente inquisidor y aquel día vi la cabeza de nuestro monarca en el techo, yo, con mis ojos. Apareció cuando el verdugo con la caperuza negra dijo entre dientes al retorcerle un brazo a la bruja de Loarre: "¡Ah, la gran madre cornuda!" Esto dijo entre dientes porque en alta voz les está prohibido hablar durante la tortura. Y entonces vi en el techo la cabeza del Tenebro. Se movía con el temblor de la llama de las velas verdes. Y en la sombra el cornudo patriarca parecía mover las mandíbulas como si masticara. Lo tengo dicho en mi "*Sp*" con los incisos en tinta verde. Nuestro señor está en todas partes, señora. ¿No es milagroso?

Nadie contestaba sino Marieta que bailaba sola:

—En la Iglesia —dijo— está el diablo de bulto cerca de la pileta de agua bendita, que lo he visto yo.

—En una forma u otra —concluyó Spic alzando el pie izquierdo y saltando de costado sobre el derecho— Satán domina, preside y rige nuestra patria spica o spánida. En las montañas o en los valles, en el hogar o en el prostíbulo, en los palacios y en las cárceles. Y así debe ser. La vida comienza con fornicio y acaba con muerte y podredumbre. Después de la muerte no hay nada, para nosotros. Y entre el nacimiento y la muerte una cadena de hechos satánicos. Yo tengo unos anales de nuestra patria escritos y para imprimir con el título "*El pensil de los machos cabríos o la Última Hesperia*". Será una obra definitiva sobre esa materia. Es decir, lo que los ingleses llaman *exhaustive*. ¿Qué le parece?

La princesa dejó de bailar y dijo a Cagliostro:

—Me fatigo y además nada de esto es necesario.

—No, alteza y por eso mismo es más grato. Porque está libre del orden de la necesidad.

Ella se acordaba de Orlof, de la prisión, del tumor blanco de su rodilla, del nacimiento y la muerte de su hijo, de las aguas sucias que llenaban el calabozo y subían poco a poco amenazando ahogarla. Tampoco aquello era necesario. Y cambiando de tema preguntó:

—¿Aceptaremos la invitación del caballero de la Maladeta?

Cagliostro era feliz al comprobar que ella se consideraba su compañera natural de viaje. "Tenemos —dijo el italiano— dos meses de espera hasta que Sergio Perjotín se nos incorpore otra vez. Los aprovecharemos en casa de Spic y así veremos cómo viven esos viejos en su nido de águilas o de buitres o de búhos españoles".

A veces Cagliostro se decía: "Voy a descubrirme delante de toda esta gente, voy a quitarme la máscara y a recibir el homenaje que me corresponde". Pero algo le contenía. La mayor parte de los que asistían al *sabbath* eran igual que Spic, no gente de conocimiento, sino de fórmulas y de ritos, como las beatas de las iglesias. Cagliostro los despreciaba un poco, era superior a todo aquello y dudaba, no sabía qué hacer.

Lizaveta no estaba escandalizada sino solamente perpleja. Antes había conocido la injusticia y la maldad y ahora conocía la mojiganga y la burla. ¿Burla contra qué? Cagliostro viéndola confusa le decía:

—¿Quiere que nos marchemos?

Ella no sabía qué contestar. Entretanto Cagliostro seguía con la tentación de descubrirse para que viera ella la importancia que como gran copto tenía con aquella gente. Si decía aquellas palabras —*emen heta an*— los que las oyeran sabrían que él estaba allí. El definidor de Balaam, heredero de Numa Pompilio y de Salomón, el fundador de las sectas de Escocia, el confidente de María Antonieta y del cardenal de Rohan. No sabía qué hacer. En sus labios tenía la consigna vasca: *Emen heta an*. Pero no se decidía, aún.

La de los otros era: *ante mera undæ*.

La princesa advertía en él alguna impaciencia y no

sabía a qué atribuirla. ¿No era aquél su elemento? Había soltado la mano de Cagliostro. Éste rodeó con el brazo su cintura y ella hizo un gesto de incomodidad:

—No.

Cagliostro se sintió en ridículo. Se oían las cornamusas y los golpes a compás de los pies de los bailarines. El italiano preguntó:

—¿Qué clase de persona es usted, Lizaveta?

—Y usted que sabe tantas cosas —dijo ella sonriente—, ¿por qué no lo adivina?

Iba ella a mostrarle la rodilla inflamada, pero sintió vergüenza y se cubrió la pierna otra vez.

Comenzó a caminar en la dirección de Águeda y Spic, cojeando un poco, seguida de Cagliostro, quien sin darse cuenta y por mimetismo cojeaba también. Trataban de evitar a las personas que bailaban o corrían de un lado a otro chillando como aves de presa y que los tropezaban adrede. Esto molestaba mucho a Liza porque tenía miedo de caer al suelo.

Al llegar al lado de Spic vieron que la niña se había arrodillado, se levantaba y se quitaba de las piernas las agujas de pino que habían quedado adheridas. Entre tanto hablaba:

—Su majestad —dijo— es como un caballo negro que tuvo mi padre.

Callaron las gaitas y por un momento el silencio fue total. Marieta tuvo miedo y corrió al lado de Águeda. Un hombre enmascarado que debía de ser importante fue al pie del estrado y dijo:

—Desde la era de Numa Pompilio venimos a rendirte pleitesía los del Rosellón.

Como respuesta se oyó en lo alto del trono un ruido grosero *sub cauda*. Producía el diablo aquellos ruidos con varias vejigas de cerdo llenas de aire sobre las cuales se sentaba. Las vejigas estaban tiernas y al dejar salir el aire por el gollete producían aquellos sonidos de una gran impertinencia. El estrado hueco les daba sonoridad. Al oírlo las brujas se santiguaban con la mano izquierda.

El ruido *sub cauda* había sido la autorización para el besamanos. Todos fueron poniéndose en fila. El primero era el que Spic llamaba *el lucérnulo*. Este subió las gradas y cuando Satán se volvió de espaldas le dió el ósculo nefando que iniciaba la parte solemne del aquelarre. Desde lejos la dama Águeda, Cagliostro, la princesa, y la niña miraban en silencio. Vió Marieta (que no perdía detalle) que Satán tenía debajo del rabo la figura de un rostro humano negro con la expresión sonriente. Allí era donde besaban los fieles.

Miraba Lizaveta con frialdad y sintiéndose ajena a todo, pensando: "Están locos," pero acordándose del barco de Orlof se decía que allí no estaban locos y lo que sucedía era peor.

Continuaba el *besamanos*. Los últimos de la fila acababan de pasar. Sonaba una *panorga* (de Pan) o zambomba con su rústico ronquear. El diablo para agradecer el homenaje se levantó y con el brazo de un muerto como hisopo aspergeó a sus fieles usando en lugar de agua bendita el líquido renal de Marieta. La bella dama se preguntaba: ¿Será Marieta de veras virgen?

—*Emen heta an* — gritó entonces Cagliostro.

Cuando los nigromantes usan fórmulas de encantamiento recurren al idioma vasco. La causa es que los vascos eran los únicos en cuyo idioma no existía nombre para Dios.

Emen heta an — dijo por segunda vez Cagliostro.

La princesa decía para sí: "Ya me extrañaba que el conde no se diera a conocer. La vanidad de la magia negra debe ser tan tentadora como la de los archimandritas".

Al mismo tiempo Spic le decía que los vascos llamaban a Dios *el hombre que vive arriba,* es decir Jangoikoa. Pero así llamaban también al hombre que vivía en lo alto de una colina. Por ejemplo a él mismo los vascos lo llamaban Jangoikoa porque vivía arriba en la Maladeta.

Pan bicorne amaba a la hermosa Vasconia y a los vascos. El diablo spánida era vasco en su origen, como el del Nuevo Testamento era persa. Se había producido una corriente de curiosidad hacia el lugar donde la gente oyó el conjuro vasco. Cagliostro disimulaba y Spic repitió alzando más la voz porque Cagliostro no había gritado bastante:

—*Emen heta an.*

Algunos se volvieron a mirar en aquella dirección, pero no parecían interesados especialmente y Spic dijo a Cagliostro con aire de falsa consternación:

—¿Usted ve?

Era como decirle: "No crea usted que es tan popular aquí como en Lille".

—¿Qué es eso que bailan ahora? —preguntó Lizaveta.

—Es la *pantomina* —repitió el caballero—. *Pantomina.* De Pan. Ahora los escoceses están entrando en el bosque por la parte del vado de las damas. Son la misma pandilla de la noche. *Pandilla* de Pan.

Delante iban algunos músicos con la trompa judía. Seguían violines, flautas, panderetas, cítaras y gaitas. Los escoceses iban a bailar el famoso *kirkyard,* la misma danza que sus antepasados habían bailado en el palacio de Jaime VI de Escocia, quien intrigado por lo que había oido sobre el *sabbath* quiso un día que bailaran delante de él. Y bailaron. Y el rey se sintió sugestionado —decía Cagliostro— por los tam-tams y por las gaitas gritadoras y se sumó a la danza sin saber lo que hacía.

—Kirkyard quiere decir en escocés —explicaba Cagliostro a Lizaveta— corral de la iglesia, es decir cementerio.

Llevaban los escoceses la cornamusa debajo del brazo y se tocaban con un gorrito que tenía dos cintas detrás flotando en la dirección de Venus.

Abriendo la marcha iba un hombre viejo y barbudo que hacía *cabriolas.* Los músicos no tocaban acordados, pero conservaban el compás, lo que bastaba para bailar.

—¡Qué murga intolerable! —dijo Liza cubriéndose los oídos.

Cagliostro se acercó a Spic:

—Serán ustedes famosos —le dijo— por las cruces verdes de Satán. Honor a Spanna que se niega a la mal llamada bienaventuranza temporal y también a la eterna. Honor a Navarra y a Zugarramurdi.

Aquello le gustó a Spic quien se acercó a Cagliostro, hizo como si lo abrazara y lo besó en el hombro. Luego dijo a Lizaveta que Satán había sido el rey de la Última

Hesperia desde los tiempos protohistóricos. En su "Pensil" relacionaba Spic importantes documentos sobre aquella materia por orden riguroso. Todo el país estaba poblado de lamias cada una con su correspondiente macho cabrío en el que cabalgaba.

—Todo era sortilegio —decía Spic— y hechizo en el amor español. Los símbolos rituales del amor tenían nombres satánicos. El anillo nupcial era un diminutivo del *ano*. El hisopo de la bendición era una imagen de falo. El mismo nombre —hisopo— venía del oriente persa, tierra de Arihman. Todavía los mogrebíes llamaban *zupo* o *sopo* al falo y de ahí *cipo*. Todos los símbolos de la boda son así: procaces, es decir caprinos y sabaciales. Pero no es sólo en la vida familiar, sino también en la pública. Los reyes en los países usan el falo (cetro) y en otros la flor de lis (gineceo) como símbolos de una autoridad segura, arbitraria y pánida. Los franceses usan los dos combinados. Y Pan, entretanto, ríe en el bosque. La bella dama oía a Spic y miraba a la princesa que sólo comprendía a medias. Entretanto Marieta marcaba con los pies el ritmo de la trompa judía que era más bien la trompa sefardí de los orígenes.

Una vez más dijo la princesa a Cagliostro que nada de lo que veía u oía le parecía necesario y ni siquiera razonable.

—¿Es razonable la vida de usted? —preguntó él, con cierta afable violencia.

Ella parpadeó nerviosa y se calló. Cagliostro añadía:

—¿O la mía?

El aquelarre continuaba.

XI

MIRANDO todo aquello Liza se decía: "Nunca creí que existieran las brujas, pero ahora veo que hay muchas y que además hay brujos machos y brujas niñas".

Seguía Spic con su tema, retorizando un poco para Cagliostro que a veces gustaba de énfasis y decía: "Desde el sur de Andalucía donde el amor *caprino* toma los nombres más pintorescos hasta los Pirineos con sus *bucardos,* desde las colinas de Galicia la céltica hasta las de Alicante griega y las islas Canarias el viejo Pan va y viene balando, encabritándose y produciendo ruidos *sub cauda.* Es Pan y es también (en la Alta Castilla) Sileno. Todo el país, toda España, huele a macho cabrío y a rosa. Es la tierra de Pan, la tierra del diablo. ¡Es tierra —y esto último lo decía el caballero con la mano en el anca y el talle erguido y tenso de altivez— de privilegio, toda regalía!"

—Eso, no, —dijo la bella dama— porque España es pobre.

—Por eso, por eso. Toda regalía de su majestad el diablo. Es la tierra sin esperanza. ¿No es sublime? Tierra fea, hombres feos, pero con la fealdad llevan implícita la sublimidad y esa sublimidad les viene del Tenebro. ¿No es verdad, maestro?

Cagliostro afirmó mecánicamente para no discutir, pero no creía que viniera del diablo sublimidad alguna. La princesa le pidió que tradujera aquellas palabras.

—Dice que España es pobre, alteza.

Al oír aquel tratamiento de *alteza* la dama Águeda se

volvió a mirar muy impresionada. El caballero Spinac seguía con su discurso:

—No hay tierra como la nuestra. Pobre, calcárea, tierra de lagartos y de aljez. La tierra ideal para verter sangre, para llorar viéndola vertida y para cantar combinando el llanto y el insulto. Tierra de regalía, permítame que lo repita. En muchas ocasiones me han tomado a mí por francés, por valon, por italiano, pero yo me he apresurado a explicar: español, señores. Sin arrogancia, pero con una legítima satisfacción: spánida. Desde niño me hablaron antes del diablo que de Dios y así debe ser ya que de las sombras del pecado ha nacido la idea cristiana de la redención por la virtud. Desde niño. Las uñas que me cortaba se las llevaría el diablo, el diente caído también. Si hacía tal o cual cosa prohibida el diablo asomaría en las sombras o en el fondo del espejo y reiría.

Traducía Cagliostro para Lizaveta y Spic seguía con su oración erudita, una mano en el anca y la otra en el aire hablando ahora francés para que Cagliostro no tuviera que traducirle a la princesa:

—Las botas donde se lleva el vino que bebe el caballista andaluz y el pastor de Gredos y el alcalde de la aldea del Pisuerga y la fragatina de Huesca se hacen con piel de macho cabrío y también las gaitas de la rubia muiñeira. Con los cuernos del macho cabrío se hacen las navajas cachicuernas y los botones de la bragueta. Con los pelos, las brochas para afeitarse. Con su piel los gorros montañeses de los Pirineos asturianos desde Galicia a los vascos y desde los catalanes y aragoneses hasta el Mediterráneo. Dicen que el mapa de España es una piel de toro extendida. No. Es una piel de macho cabrío extendida. La diferencia es notable, señoras y yo podría demostrarlo. Los mejores odres se hacen con la piel escrotal y testicular y yo tengo uno en casa lleno de vino consagrado a la manera de Numa Pompilio.

—Eso es otra cosa —dijo Cagliostro.

—¡Desde luego! se apresuró a declarar Spic—. ¡Si yo he dicho siempre que en el fondo pensamos lo mismo!

Añadía que por su parte se había sentido más cerca del macho cabrío que del hombre. Y miraba al macho cabrío presidencial murmurando según decía una jaculatoria persa. Era Persia la patria adoptiva de Satán, pero Spanna era su patria natural. Mucho antes que los persas aparecen los españoles con su adoración de Pan. Así debe ser porque Venus Cornuta apareció por Occidente —Hesperia— cuando llegó a nuestros cielos en forma de cometa hace ahora setenta y nueve siglos.

Comenzaba entre la gente la merienda sabática sin pan y sin sal. La sal —que se usa en el baustimo— y el pan en la comunión cristiana —explicaba Cagliostro a Liza— estaban prohibidos. Tampoco se permitían las olivas ni el aceite por el monte Olivete y por ser de uso ritual en la extremaunción. Iban y venían algunas viejas con carne asada cuya grasa burbujeaba en las parrillas y avisaban para abrirse paso:

—Carajuelos, plaza, que pringo.

Se apartó Lizaveta asustada y sintió en la cara el calor de las parrillas y el olor a carne asada.

Había carne de todas clases, menos de macho cabrío. Carne humana, incluso "según dicen, que yo no he intervenido" deslizó Spic al oído de Águeda. "Es una vieja costumbre desde antes de Maní. Hay personas que lo encuentran mal. Yo no digo que esté mal ni bien. Es un hecho".

El olor de carne asada seguía siendo suculento, en el aire.

Hablaba otra vez español. Liza quería que le tradujeran y Cagliostro la engañaba diciendo palabras inocentes. Su majestad tenebrosa consagraba las sustancias trisagias. La princesa miraba fijamente y pensaba: ¡qué raro que no me escandalice yo con estas cosas!

—Ese que pasa frente a nosotros es monsieur Cotton, vicario de Saint Paul —explicaba Cagliostro—. Un verdadero ministro de Roma convertido a los predios del profeta egipcio, al de la burra locuaz. Un momento, señores, Spic nos invita a arrodillarnos.

—Yo no puedo —dijo la princesa— pero aunque pudiera sería igual porque no me arrodillaría.

Los otros la miraban con curiosidad. Era verdad que la princesa no podía doblar la rodilla del todo y se quedó de pie. Cagliostro tampoco se arrodilló por cuestión de principios.

Explicaba el caballero de la Maladeta con falsa humildad:

—El diácono leerá la jaculatoria —palabra que viene de eyaculación— en mi "Sp" que lleva alternados pliegos rojos y negros. Está encuadernado en piel sin desbastar incluso con los pelos del animal y se cierra con grapas hechas con dientes de relapso penitenciado por la inquisición. Todos los requisitos de nuestra magia, ¿no es maravilloso? Ahora pondrán a su majestad una casulla color violeta con figuras edificantes bordadas en oro y plata y una estrella azul en lo alto. Símbolo de nuestra vieja Spanna. Algunas iglesias nos han robado esos símbolos de los glandes y las azucenas. Pero no les vale. Aquí estamos nosotros con nuestro ritual genuino. Ahora va a comenzar el *vitandus*. Levantémonos. ¿No es curioso? Digo, señoras, que hacen bien asistiendo a los oficios del burro negro en esta víspera de San Juan. Crecerán vuestras señorías dentro de sus almas —¡vaya si crecerán!— a partir de esta noche memorable.

Escuchaba Lizaveta con una atención natural y sin escándalo y el caballero seguía dirigiéndose unas veces a ella y otras a Águeda:

—¿Qué sucede en la tierra sino todo lo contrario de lo que pregonan los profesionales de la virtud? Yo no les reprocho nada, al contrario. Los valores están cambiados al menos para la orden orgiástica de los iniciados como el gran copto y yo. Celebran el ritual de nuestra Spanna, pensil del macho cabrío. La religión imperial. La casulla de S. M. satánica lleva en la parte alta como digo una estrella azul y debajo un hombre y una mujer sin que quepa duda alguna sobre sus atributos. Una obra de arte. Luego le pondrán al diácono de Saint Paul la casulla suya color de sangre seca con la cabeza de S. M. pintada en el centro. El bucardo negro rampante. Ahora nos bendice: *asperges diaboli*. Luego le pondrán la casulla que tiene, como digo, una cabeza cuyos cuernos recuerdan el ágila bicéfala. Y ahora vuelve a bendecir. ¿Ve usted, señora? ¿No es edificante?

La masa de los fieles respondió a coro en latín:

—*Sanguis ejus super nos et super filios nostros.*

—¿A qué sangre se refieren? —preguntó Lizaveta y Cagliostro no quiso explicarle porque se referían a la sangre humana de un sacrificio.

Ella insistió y él dijo:

—Habla en parábola y no hay sangre ninguna.

Encontraba Lizaveta algunos de los detalles de la fiesta de una maldad que se podría llamar elemental y cruda como la de los animales. Una mujer que estaba cerca le gritaba al diácono:

—Sólo he caído una miajita. Yo, una miajita, padre.

—¿Usted ve? —dijo Spic a Cagliostro—. De mear, meaja y miajita. Todo nuestro idioma spánida es así; sexo y escatología. Y Venus preside en lo alto. ¿No es puro embeleso?

Liza sonreía viendo a Spic tan febrilmente elocuente, aunque no lo entendía. Veía todo aquello desde fuera y sin entrar, como si estuviera en el teatro. A veces Satán hacía una pausa, se inclinaba, se sentaba sobre algunas vejigas y volvía a oírse aquel ruído que hacía reír a Marieta.

—Esta noche vuestra señoría y yo hablamos poco —decía Spic a Liza—, pero en Torre Cebrera tendremos tiempo para todo. ¿No es verdad?

Lizaveta pensaba: Torre Cebrera es un nombre raro para una casa de campo. Seguía la misa de los nigromantes. Al llegar al *renunciatur* se oyó tres veces la trompa de los escoceses y se desencadenó de nuevo el *sabbath.* Danzas, gritos histéricos y sucias y cínicas demostraciones Algunas voces se alzaban sobre el tumulto y gritaban:

—*Domine, adjuva nos. Adjuva nos semper.*

Águeda que se había mantenido hasta entonces cohibida por la presencia de Lizaveta alzó la voz —una voz de soprano— y gritó con todas sus fuerzas:

—*¡Gloria tibi, Lucifer!*

Desde su sitial el diablo volvió la cabeza encornada en aquella dirección y pareció sonreír. La niña tuvo miedo y acudió a refugiarse en las faldas de Águeda. Liza también se sintió de pronto descubierta y como desnuda. "Hay que marcharse de aquí cuanto antes", pensó.

Bailaba el caballero español sin moverse del sitio sobre sus piernas flacas, enmascarado y feliz. A medida que el tumulto crecía y el cura terminaba su misa, el diablo descendía de su sitial y delante del altar con el pie izquierdo que tenía dos pezuñas hizo en el suelo la señal de la cruz. Luego lanzó tres balidos y entre el segundo y el tercero dijo algo en un idioma confuso:

—Aztrayanco belya craso alfaren.

Pensó Liza: "Es natural que el idioma del diablo sea caótico. Pero el infierno mío, en el barco de Orlof, y en la cárcel, fue bastante lógico dentro de la abyección, eso sí".

Aunque Águeda tenía la cara cubierta, la niña comprendió que la señora reía y preguntó por qué tenía pezuñas el diablo. Spic se inclinó, la besó en el cabello y dijo:

—Mira hacia allá, niña. Hay una estrella que se está marchando al otro lado del horizonte y tiene cuernos, pezuñas y rabo. Primero tuvo los cuernos en la dirección del sol, ahora los tiene en dirección contraria pero tú no puedes verlos desde aquí, niña mía. Es inútil que te molestes porque no puedes verlos, desde aquí. Con un buen catalejo los verías.

Liza preguntó otra vez:

—Ese gigante negro a quien llaman el diablo, ¿es hijo de Satanás o no?

—Es lo que se llama en nuestra jerga un cuarterón de la buena entrada —explicó Spic muy cortés y galán—. Tiene un cuarto de egregia sangre ominosa. La majestad negra era su abuelo materno, lo que quiere decir que su majestad engendró a su madre en el *sabbath*. Y que más tarde su madre mulata de su majestad lo engendró a él de un sacerdote. Un canónigo. Yo para vuestra alteza no tengo secretos. Fue canónigo de la catedral de Narbona y si quiere vuestra alteza un día se lo presentaré.

—No, no es necesario. Entonces ese que preside, ¿no es el diablo en presencia y esencia como se suele decir?

Respondió Spic con una declaración de San Jerónimo que comenzaba: "*Ingressi sunt ad Beel-Phegor, idolum moabitarum, quem nos Priapum possumus appelare...*"

Luego añadió que el gigante negro tenía la misma silueta y producía la misma sombra que Satán. Spic juraba que había visto a Satán muchas veces y hablado con él. "No siempre se presenta de un modo dramático e impresionante. Muchas veces se me ha aparecido, sin yo merecerlo, en la persona de un vagabundo de aspecto humilde, siempre con el gorro en la mano, saludando e inclinando la cabeza a cada paso". Liza escuchaba ahora un poco asustada. "Así fue —añadió Spic— como su majestad cohabitó con la abuela de nuestro gigante de Undarreta, quiero decir usando su apariencia afable".

—¿Es posible eso, Cagliostro? —preguntó Liza, incrédula.

—Se dice que ese es el disfraz predilecto de su majestad —dijo el italiano—. En estos aquelarres suele aparecer como esta noche y a veces es su majestad y a veces solo el gigante de Undarreta. Yo he visto al genuino monarca más de una vez también bajo esa misma apariencia. Yo soy viejo y he tenido muchas ocasiones aquí y fuera de aquí. Una vez en Holanda...

Pero pareció arrepentirse de lo que iba a decir y se quedó callado. Spic, que había oído las palabras anteriores con una expresión complacida, exclamó:

—¡Si lo he dicho siempre! ¡Vuestra merced y yo estamos más cerca de lo que mucha gente supone!

Con aire exaltado siguió diciendo que aquella misma noche podría convocar al diablo en persona aprovechando la presencia del copto verde, pero habían acordado que Satán no apareciera hasta el cónclave de Limoges en el mes de noviembre.

La princesa quería saber cosas más complejas. Preguntaba al italiano si no tenía miedo a lo que podía suceder después de la muerte. "No, —dijo él conteniendo la risa—. No hay después, para mí. Puede haberlo para otros, como Spic, pero no para mí".

—Y a mucha honra —dijo el español.

Cagliostro seguía hablando: "Yo no sobreviviré, querida. Lizaveta. Mi alma, fundida con la gravedad y peso de mi cuerpo, se quedará aquí abajo. Entera, aquí abajo. Parezco bastante joven, pero tengo en realidad ciento doce años. Me mantengo joven porque tomo el elixir de vida que yo mismo fabrico con substancias vegetales de América. Todavía me apasiona la vida y el mal glorioso de la vida, pero un día se acabará absolutamente todo. Será la muerte eterna. El alma reintegrada al sueño de la materia. Un gran descanso, Lizaveta. Un verdadero, merecido y definitivo descanso. Porque a veces... la verdad es que comienzo a estar fatigado. Sólo la presencia de vuestra alteza me ha vivificado realmente en los últimos tiempos. ¿Qué sería de mí sin vuestra compañía?".

Y suspiró.

Veía Lizaveta otra vez alejarse a Spic y a Águeda cogidos de la mano. Iban a bailar. Decía Cagliostro:

—Viviré unos años todavía —ojalá sea a su lado, señora— y después dormiré para siempre.

Lo decía con una especie de timidez y luego añadía:

—La pobre gente considera un privilegio eso de la vida eterna y es un error infinitamente e inútilmente corregido por un dios prodigioso y de veras eterno, pero fracasado. Fracasado como dios, digo, y él me perdone. ¡Pobre humanidad soñando con redenciones imposibles! ¿Cuándo aprenderán? ¿Es que aprenderán algún día?

Eran las primeras palabras que llegaban aquella noche a lo hondo de la conciencia de Liza quien callaba, absorta. Creía que la idea de un dios divino pero fracasado la ayudaba a comprender, es decir a comprenderse a sí misma. A veces lo sentía en su alma a aquel dios y se dolia en su fracaso y en el de ella, es decir, en los dos fracasos juntos, que eran uno solo.

En aquel momento soltaron al pie del estrado de Satanás algunas docenas de murciélagos y tres o cuatro búhos que salieron volando y dando chillidos. Pero cada alimaña tenía atado un cordel a la pata. Y fueron recuperadas una a una y sacrificadas a los pies del diablo. Acabados estos sacrificios algunos niños se acercaron al estrado llevando pequeñas jaulas de las que fueron sacando sapos vivos vestidos de negro y otros de terciopelo escarlata con pequeños cascabeles cosidos en la tela que sonaban de un modo delicado. En una bandeja de oro le ofrecieron seis de ellos a Satán.

Todos callaban y esperaban.

El diablo tomó uno, lo alzó en la dirección de Venus, le abrió el vientre con las uñas y lo acercó a sus ojos. Buscaba en sus entrañas alguna revelación. Águeda vio que Marieta estaba llena de curiosidad y le dijo, empujándola.

—Anda, querida; es el oficio de la *rana rubeta.*

Pensaba la princesa todavía en el fracaso divino y el humano, los dos juntos e inseparables y aquello la consolaba. A veces pensaba con sorpresa que el fracaso de los dos —de Dios y de ella— juntos comenzaba a tener alguna clase de belleza y grandeza secretas. Pero, claro, tenía miedo de insistir en sugestiones como aquélla.

Un grupo de viejas enmascaradas llegaban con un niño de tres o cuatro años muerto y desnudo, en una gran batea o tal vez era sólo la figura de un niño simulado con cera o con otra materia plástica. Marieta traía en los brazos varios sapos vestidos como personitas.

—Este —dijo— es el sanguindón y tiene en los codos cascabillos rondeles. Así suenan cuando brinca el sapo: cascabillos rondeles, cascabillos rondeles...

Los sapos vestidos de gala agitaban la menudencia de sus cascabeles. El caballero acariciaba la cabeza de la niña:

—No hay como la inocencia.

La niña tomando un sapo con cuidado en la palma de la mano y alzándole la falda para ver si llevaba bragas dijo:

—Este sólo tiene cascabeles en el codo. Este otro tiene siete, todos pequeños y amarillos como el corazón de la manzanilla. Vamos a dejarlos brincar por la hierba. ¿Se escaparán? Y ¿podré llevar alguno a mi casa?

Spic negaba:

—Son sagrados. Algunos tienen una cruz invertida en el lomo. Otros en la barriga. Son sagrados.

Brincaban los animalitos y daban al aire el rumor de los cascabillos rondeles, como decía la niña.

Lejos se oían las gaitas.

Spic volvía a mostrarle a la princesa su cultura de nigromante:

—En tiempos de Gerión el toro blanco de las riberas

del Guadalquivir fecundó a la reina Pasifae de Creta y dio vida al Minotauro que algunos consideran monstruo y yo creo que es un prodigio del orden natural. Después, en la tierra de Pan ha sido el emperador de la noche el que ha decidido la historia del país y la vida privada de cada cual en el mundo. La suya y la mía, señora.

—Es bien posible —dijo Liza con una risita que Spic creyó irónica.

—Hasta en la alta historia y en las tradiciones comunmente aceptadas. En Zaragoza, Montserrat, Guadalupe, Madrid, se reverencian objetos errados. Adoran iconos de nigromancia de la baja edad Media venidos de oriente. Algunos de ellos venían desde Persia y Macedonia y Egipto y la vieja Cartago. ¿Qué pasaba entonces con los reyes hispanos? Los godos degollaban al que estaba en el trono y se coronaban. Casi todos fueron asesinados por sus sucesores y luego les cantaban *tedéums,* coronaban al criminal y bendecían sus manos. El último Rodrigo, sátiro de Toledo, entregó la áspera Spanna a mi señor en forma de invasiones, violaciones, robos y toda clase de promiscuidades a cambio de la doncellez de la hija del conde don Julián. Más tarde Favila fue devorado por un oso mientras Pan hacía sonar su flauta entre los carbayones. ¿No es encantador?

Escuchaba Liza con verdadero interés:

—¿Y en la vida privada? —preguntó a la dama Águeda.

—Yo lo puedo decir —respondió Águeda alzándose la máscara porque le daba calor—, es más o menos lo mismo. Spic lo sabe muy bien. Mi marido se escapó...

Hizo Spic un gesto de incomodidad:

—Con una monja, ya lo sé. Bueno con una novicia. Pero su marido le dejó a usted su fortuna entera si bien recuerdo y a pesar de todo se queja.

—El dinero no importa —dijo Liza en un susurro.

—Precisamente. Me dejó la fortuna ¿sabe por qué? Un día acabó de leer algo en latín, cerró el libro, suspiró y dijo: ¡Qué gran verdad! Al final lo perdemos todo menos aquello que hemos dado voluntariamente, lo que hemos regalado. Él creía hacer el bien y por eso me dejó la fortuna. Sutil maldad. Desde entonces sospeché que hasta el bien, cualquier forma de bien, se convierte en mal. Y al enterarme mejor de las cosas supe que la monja con la que escapó era una lamia del bajo Ebro. Digo, la monja que se fue con él, la novicia. Comprendí y me resigné a mi suerte. Una lamia merece respeto y no seré yo quien se lo niegue. ¿Oye usted, Spic? Es lo que yo digo. Si desde el principio aceptáramos la obra de su majestad nos ahorraríamos algunas contrariedades. La lamia merece respeto y mi marido también porque hasta cuando creen hacer el bien hacen el mal infernal. Me dejó su fortuna, ¿para qué? Para no perder nada al final. Sólo no perdemos aquello que hemos dado. Evidente. Es como los virtuosos que esperan una eternidad de placeres a cambio de evitar comer carne el viernes. Buen negocio, ¿eh? Pero también esos viven para su majestad infernal. Así es todo.

Estaba extrañada Liza de que la dama Águeda hablara tanto, pero le quitó la palabra Spic para explayar el mismo tema:

—Es verdad, señora. Por ejemplo, los viejos textos dicen: *Nemo fidei catholicæ amplius nocet quam obstetrices.* La mayor parte de esas venerables ancianas que danzan ahí son eso: *obstetrices.* Y de ellas viene lo bueno de la cristiandad: el pecado. Sin pecado no hay cristiandad puesto que no hay gracia. ¿Es que el diablo no pertenece a la cristiandad? ¿Es que no la preside? ¿No es la gala del mundo cristiano como del pagano y del ateo? En la edad Media los clérigos se batían por diferencias de dinero o por venganzas de familia y asesinaban por celos. De vez en cuando Pan sale del bosque para recordarnos a todos que somos sus súbditos. La gente se junta al son de la flauta de Pan y la preñez de la hembra es la obra de Pan. Pero al nacer algunos llaman al cura. Tonterías. El verdadero cura ha sido la *obstetriz,* madre del pecado cristiano sin el cual no existiría la gracia. El sacerdote de Pan es la obstetriz. Por fortuna es ella quien oficia antes de que llegue el cura para el bautismo. De tarde en tarde y cuando la gente parece olvidar la verdad de las cosas Pan sale del bosque y recorre el país con una cabalgada de magistellus rojos incendiando, degollando. Por simples palabras: nominalistas, 'unitarios, alumbrados. Palabritas. Dulces y leves palabritas como los cascabillos rondeles de esos sapos encantadores. Entonces se encienden las hogueras en homenaje a su majestad tenebrosa. Pan ha salido del bosque. He aquí un hecho glorioso. Y los sucesos más faustos se acumulan. No tardará en llegar un tiempo en que el hermano matará al hermano por una palabrita, lo mismo que ahora, sólo que en todas las familias del reino. Cascabillos rondeles. El padre matará al hijo y el hermano al hermano. Yo tengo don de profecía, señora. Eso no lo verá usted, pero sucederá en todas las familias de España. Entonces la gente comprenderá la realidad en la que vive, se dará cuenta tal vez de que la vida es cosa de nuestro señor el rey de las moscas y comenzará a arreglarse todo. Nadie protestará. Todos se pondrán a organizar sus negocios lo mejor posible sin discutir y sobre todo sin rezar estériles oraciones. —¿Qué dice usted, Águeda?

—Yo acepto las cosas como son y no digo nada. Era la princesa quien me preguntó y yo traté de explicar algo de mi vida privada. Pero vean ustedes lo que sucede allá, en el altar.

Las brujas obstetrices estaban poniéndole al diablo una mitra copiada de la del papa, en forma ovoidal. Aludiendo al huevo que puso Leda después de haber sido fecundada por el cisne. La mitra —el huevo— de donde salieron los *dioscuros* Cástor y Pólux, la mitra que usaban los equites para ir al templo de Júpiter en procesión.

Se alzaba Marieta en sus pies para ver mejor y el caballero Spic, dándole cuenta, la puso a caballo en sus hombros y dijo:

—¿Qué ves?

—En la bandeja veo una muñeca desnuda. Es de mazapán y se la están comiendo.

La señora se ruborizó un poco debajo de su máscara. Cagliostro dijo algo al oído de Liza quien pareció asustarse. Y Spic protestaba:

—Pesas mucho, hija. Haz el favor de bajar.

—No bajaré hasta que me digas si es muñeca de mazapán o niño.

Liza preguntó:

—¿Es posible que sea un niño?

—Lo que sea lo han comprado con buen dinero —dijo Spic—. Tres ducados de oro suelen costar, que los tiempos de Giles de Rays se acabaron.

—Ese no lo han comprado —comentó la dama Águeda, irónica.

—¿Qué sabe usted? Tres ducados. Ya no son tampoco los tiempos de Montmorency cuando se podían sacrificar setecientos parvos votivos en un año a escudo de ocho por cabeza. Entonces su majestad tenía los homenajes que merecía. Ahora piden más. ¿Quién va a negar autoridad a un padre para pedir lo que tenga por conveniente? Pero no todos los parvos valen. Tienen que estar sin bautizar y ser hermosos y rollizos.

—Ése no lo han comprado —repitió la dama Águeda con una especie de maligna insistencia.

—Cuando son arguellados y mezquinos no sirven. Y los padres no saben qué hacer con ellos, digo con los ruines. Los bautizan y les ponen seis o siete nombres de personas acomodadas de la vecindad y tal vez de castellanos de alcurnia. Van a decirlo a las puertas de los palacios con el bonete en la mano y no es raro que les den cuatro o cinco reales para ayuda de mantillas. Entonces se beben ese dinero. ¿No es edificante? Y las criaturas van desmejorando y decayendo en su rincón hasta que mueren. Entonces los viejos fabrican otro y vuelta a lo mismo.

—Ese niño que han traído hoy es diferente —repitió la dama— y usted lo sabe, pero no le conviene hablar aquí, delante de la princesa.

Desde los hombros del caballero, Marieta volvió a gritar y no era necesariamente un grito de espanto sino de sorpresa:

—El brazo de la muñeca lo han cortado y ahora lo encienden como una candela. Los deditos juntos arden como una vela de la candelaria.

Reía paternal el caballero:

—Es que entre los dedos le ponen pez y así se forma una tea de gloria para su majestad.

—Ahora —siguió la niña, muy excitada— le quitan

la lengua a la muñeca y la dan de comer a las señoras. Eso no le gustaría a mi madre.

En aquel momento tres brujas obstetrices rompieron a hablar, las tres al mismo tiempo:

—Da, da lú — decía una que llevaba un pañuelo rojo en la cabeza.

—Lo, ba, ba — respondía otra que cojeaba un poco sólo por imitar a Lizaveta.

El bracito ardiendo como un cirio era sostenido por una cuarta bruja a la altura del rostro del diablo, para que éste percibiera el olor de la carne quemada que al parecer — según Spic — era el aroma de su majestad. Una anciana bailaba como si estuviera borracha (seguramente lo estaba) y gritaba:

—A la, la, la, li.

Explicaba el caballero a Liza resignado a seguir con la niña en los hombros:

—Hablan así porque se han comido la lengua del parvo votivo que nunca había aprendido a hablar y ahora estas ancianas tampoco podrán hablar de otra manera hasta que amanezca. Hablan y hablan, pero no pueden decir nada. ¿No es un hecho de contagio verdaderamente mágico?

La dama Águeda miraba escéptica a Spic y pensaba: "Ese parvo votivo es tu hijo". Luego se lo dijo a Liza. La primera reacción de la princesa fue salir de allí, pero sucedían cosas nuevas y extrañas a su alrededor y una anciana se acercaba y repetía:

—Nu, nu, ma...

El caballero Spic intervino dando a aquello el carácter de una letanía:

—*Camena egregia...*

—Numa Pompilio — acertó a decir la anciana.

—Jano la salia.

Satisfecha ella de ver que le contestaban alzaba la voz todavía como si quisiera insultar a sus enemigos:

—¡Numa Pompilio!

—Virgos de la vesta. Pitagorano.

—¡¡¡Numa Pompilio!!! — volvió a gritar.

—Rómulo Flavio. Cálmate, hija. Rómulo Flavio.

Bailaba la anciana con expresión adusta y el caballero

se puso a acompañarla sin dejar a la niña que seguía en sus hombros. Marieta dirigía el baile de los dos:

—¡*Virette!* —mandaba, en francés.

Los dos daban una vuelta.

—Rómula Flavia —decía ahora la vieja como resignada.

—Euménide ciega —respondía el caballero—. Canta y baila tus iras y tus calmas.

Pero la niña intervenía otra vez:

—¡*Double virette!*

Obedecían los bailarines con sus dos vueltas y la vieja volvía a su invocación de Numa Pompilio.

—*Lemuræ larvæ* —respondía el caballero alzando la pierna.

Creyó necesario tomar la iniciativa y comenzó a recitar una larga oración con algunos versos del canto de los salios:

—*E nos lases juvate...*

Se acercó un gaitero, se alzó la máscara para aplicar los labios al pitón y comenzó a soplar. Poco después se oía un zortzico y detrás del gaitero apareció una mujer. Se alzó la falda y dijo:

—*Conventu nefario.*

Iba a decir algo el caballero Spic, pero le quitó la palabra Cagliostro diciendo el canto de los salios hasta el fin. Liza lo miraba asustada pensando que también había entrado por fin su amigo en toda aquella barroca confusión. Y una vez más se dijo impaciente: "Debemos marcharnos cuanto antes" La anciana del *conventu nefario* se apartó, se sentó en un poyo y dijo en francés con una voz dulcísima:

—*Mon ami il va a l'aquelarre.*

El gaitero danzando ligeramente sobre un pie le preguntaba como si fuera un diálogo que los dos sabían de memoria:

—*De quelle façon il va?*

—*Il va de son pied, mais qu'est que ça fait?*

—*Ça ne fait rien. Et toi, pimpinelle? Comment tu viens?*

—*Je suis portée sur un baton.*

—*Quel baton?*

—*Sur un balai.*

—*Toujours sur un balai?*

—*Parfois sur un mouton.*

—*Toujours mouton?*

—*Ou buc.*

—*Tu te frottes de graisse?*

—*Quelques fois oui et d'autres non. C'est mon affaire.*

—*Quand tu te frottes, comment tu vas?*

—*Je suis portée.*

—*Qui te porte?*

—*Me porte un vent de tourbillon.*

Seguían bailando y el gaitero tocaba sin dejar de bailar ni de atender a la anciana quien de pronto volvía a provocar al caballero Spic hablando con la lengua del parvo sacrificado:

—Nu, nu, ma, lé.

—Euchologion, — respondía el caballero.

Lizaveta quería hacer una pregunta y no se atrevía. Por fin le dijo a Spic:

—¿Es de veras aquel niño de la bandeja su hijo, como decía esta señora?

—Ese niño no ha tenido realmente padre — se apresuró a intervenir Spic —. Creo que fue un incubo, el padre.

—Yo no creo en los incubos — declaró la dama Águeda, un poco agresiva.

—Está en su derecho, señora — dijo Spic —. Nuestro señor tenebroso nos da la fe o nos quita la fe y contra eso nadie puede nada. Pero los incubos existen y pueden fecundar. Santo Tomás dice en la parte primera de la Summa: "*Si tamen ex coitu dæmonum aliqui interdum nascuntur, hoc non est per semen ad eis decisum, aut a corporibus asumptis; sed per semen alicuius hominis ad hoc acceltum, utpote quod idem daemon qui est sucubus ad vium, fiat incubus ad mulierem*". Eso dice Santo Tomás, el doctor angélico. Menudo doctor angélico, que tomó su doctrina de los moros y que andaba a cintarazos en las universidades. Estupendo. Y San Buenaventura en el libro segundo del *Sententiarum* dice sobre la misma materia: "*Succum-*

bunt viris in specie mulieris, et ex eis semen pollutionis suscipiunt, et quadam sagacitate ipsum in sua virtute custodiunt, et postmodum, Deo permitente, fiunt incubi et in vasa mulierum transfundunt". ¿Qué le parece señora? ¿No está claro? ¿No es una vez más por boca de los santos padres de la iglesia por donde su majestad tenebrosa dice sus verdades? Hable, señora, por favor.

XII

PARECÍA en aquel momento que la fiesta entraba en una fase nueva. Spic se alegraba y la niña batía palmas. Bailaba la gente en dos filas dándose la espalda y entre las filas iba y venía un bailarín con un bastidor en forma de caballo colgado del hombro, con franjas moradas a manera de gualdrapas y brincaba levantando unas veces la parte trasera del caballo y otras la delantera con lo cual dejaba su propio cuerpo descubierto indecentemente. Como la mayor parte de los bailarines, ése a quien llamaban en vasco *zalmazain,* llevaba una máscara de seda roja con los orificios de los ojos y la boca festoneados de amarillo. La misma máscara más o menos usaba otro danzante a quien llamaban, en vasco *kotulun gorria,* éste vestido de hembra.

Cuando el *zamalzain* mostraba sus desnudeces la dama miraba a otra parte. Lizaveta en cambio no parecía escandalizada ni sorprendida. El demonio puesto de pie iniciaba una letanía nueva:

—Por los tres dedos de Balaam, el índice, el corazón y el anular ¡arriba los corazones!

Y tomando de los labios del demonio la letanía Cagliostro gritó:

—Hermanos, por los tres órganos de Balaam. Por los tres palos que Balaam dio a su burra en Egipto.

—Por los tres gritos de Balaam en el desierto.

—Arriba los corazones podres.

—Por los tres bramidos de la burra de Balaam.

—Arriba los corazones emporcados.

—Por las tres razones de Balaam al rey de Moab.

—Arriba los corazones palestinos.

—Por las tres lunas del desierto —gritó Cagliostro, alzando más la voz.

Como si este fuera el final de la letanía la gente hizo una larga respuesta complicada y confusa.

La estrella apenas si se veía en el horizonte. El diablo volvía sus cuernos también en la dirección de Venus fugitiva.

—¿Qué pasa? —preguntó Lizaveta.

Algunas mujeres se ponían de rodillas y la más vieja consultaba con los de al lado preguntando como era el comienzo de los gozos a Venus Luciferina. Al darse cuenta el caballero Spic alzó la voz y dijo:

—Yo soy el de la Maladeta, yo soy el loup-garou, yo soy el caballero Spic y les aconsejo que recomiencen la letanía para que acuda Venus augural. Yo, señor de Aineto, autor de "*Sp*". Óiganme los leales y vayan respondiendo a coro: ¡Venus cornuta!

—Isis agresiva.

—Arihman el persa.

—Baal Zebuth!

La gente pareció quedar muda por algunos minutos, alguien repitió Baal Zebuth y los más próximos dijeron a coro:

—¡Rey de las moscas! Monarca de las moscas, augusto padre de las moscas azules, las verdes, las moscas de los hombres, de los perros y de las vacas. Arriba la aguja marina.

A trechos, la letanía se hacía confusa y no se entendía bien lo que decía la gente. La princesa Lizaveta escuchaba indiferente, pero atenta y Spic le gritó como si fuera sorda:

—El nombre de Venus es todavía, en latín, Lucifer. Por eso, ahora, ¿ve usted?, el diablo se vuelve hacia el lugar por donde aparecerá Venus otra vez en el alba. Esa estrella es nuestra madre, bueno, ese planeta. En el pasado Venus-Lucifer trajo todos los males a la tierra, es decir los bienes, ya que para nosotros el mundo de los valores morales anda al revés. ¿No es soberbio?

La gente miraba a Spic y a la princesa sin saber qué pensar. Y Lizaveta por su parte cambiaba con Cagliostro una mirada y decía:

—Nada de esto es realmente necesario y sin embargo lo hacen con pasión.

Entendía Spic la extrañeza de Lizaveta como escepticismo y se apresuraba a explicar:

—Desde las tabletas de Venus de Asurbanipal hasta el Zend Avesta cuando dice:

Spitana Zaratrusta
la gloriosa y valiente Tistrya
tiene cuernos de oro.

Cagliostro afirmó. Spic pareció cobrar ánimos:

—¿Ves, alteza? El mal se manifiesta, como el bien, por hechos físicos. Venus era en sus orígenes un cometa que causó los más grandes daños que recuerda la historia de la tierra. Todos los documentos de la antigüedad lo dicen. Y fue arrojada de los cielos como tal cometa y vino a nosotros. Rompió continentes, sembró plagas porque el aumento del calor y de las condiciones gestatorias hizo que las ranas, los sapos, las moscas equinas y las domésticas, las culebras y los piojos se multiplicaran fabulosamente. Era el tiempo de la orgía de los insectos. Dos terceras partes de la humanidad desaparecieron, las ciudades eran destruidas, las columnas de los templos se quebrantaron y los mármoles aplastaron a los sacerdotes. La Atlántida se hundió para siempre, las montañas disolviéronse en el mar, dejó de girar la tierra durante seis días y el cielo estuvo seis días oscuro en occidente y seis días iluminado en el oriente. El norte del planeta dejó de serlo y el sur también. Por fin Lucifer se instaló entre Mercurio y la Tierra y desde allí nos rige. Desde allí manda en las almas. ¿No es fabuloso?

Se acercó la princesa a Spic despacio, como una sonámbula, seguida de Cagliostro y entonces Spic bajando la voz le dijo al oído: "Tiene la Biblia a cada paso alusiones a Lucifer en el cielo y al cometa que llegó preñado de catástrofes como tal Lucifer del cielo desterrado. Es

Venus cornuta. Los cuernos de Venus eran las dos colas abiertas de su cabellera cuando iba hacia el sol. Después, al quedar fijado como planeta, las fases lo representan con cuernos lo mismo que la luna. La gente miraba a la estrella azulina, nítida, desnuda, albiceña, titilante, cristiana y adiamantada. Venus auroral. Allí está el arca de nuestros sueños, oh amado. Y el poeta mirando a Venus recita: "Oh amada mía, es el tiempo dulce de la primavera". Y ella, Venus, es la depositaria de nuestros sueños. Con Lucifer (es decir, con Venus en forma de cometa) comienza a manifestarse la divinidad en este mundo. ¿No es verdad, conde de Cagliostro? Y es una divinidad que entroniza desde el primer momento el daño. En el palacio, en la choza, en la montaña, en el valle, en el mar y en los cielos. Venus gira en torno del sol con sus cuernos de marfil. De ahí vino el culto de los egipcios al toro de Apis. Y la mitología cornuda de Creta. La biblia dice de la caída de Venus: *¡Cómo caíste del cielo, oh, Lucifer! ¡Oh, hijo de la mañana, cómo caíste! Cortado fuiste por tierra tú que debilitabas las almas y los cuerpos.* Pero hay muchas alusiones más elocuentes que ésa. Infinitas más. ¿No es consolador?"

Oyendo aquello Lizaveta pensaba: "Este hombre ha sufrido como yo, pero se ha vuelto loco y su locura es todo palabras, mientras que la mía es silencio".

Cambiaba Cagliostro una mirada con la silenciosa Elizabeth y volvía a poner atención en las palabras de Spic que hacía citas pedantes y exactas del libro de Isaías: "Ahora, lucero de la mañana, inclinarse a ti han los que te vieron quieto y te considerarán diciendo: ¿es éste aquel varón que hacía temblar la tierra, que trastornaba los cielos y que cambiaba y destruía los reinos? ¿El que puso el mundo como un desierto y el que asolaba las ciudades?" Y el caballero seguía repitiéndose las maldiciones de Isaías contra Lucifer, estrella de la tarde. Siempre dirigiéndose a la princesa, poseído por su erudición, Spic añadía:

—Nuestra Spanna es la única tierra en el orbe que sigue fiel al culto de Lucifer (Venus). El culto de Apis en Egipto, pasó. El culto del toro y de los cuernos pasó, en

Creta. Pero Spanna está consagrada todavía a la adoración y al sacrificio del toro en las plazas redondas, bajo el cielo azul. En las aldeas, en las ciudades, el héroe se viste de oro y plata para el rito de Isis. ¿Qué le parece? ¿No es en definitiva virtuoso? ¿No es una manera ejemplar de mantener la continuidad histórica? Spanna es un país privilegiado. Pan en el bosque, Isis en la historia, Lucifer en el cielo cerca del horizonte, el toro en la plaza y el macho cabrío en el aquelarre. En cada palabra de nuestro idioma hay una alusión a Satán, a Venus, a la destrucción por el amor, al cataclismo en puerta. ¿No ha observado usted que siempre en la vida de los españoles hay un cataclismo en puerta? Admirable. Pan preside nuestro sentido de riesgo en el bosque, en la plaza pública, en la alcoba. Es un privilegio vivir en esta tierra desolada y magnífica. Yo gozo en lo posible de este privilegio aunque no lo merezca, señora. ¿No es ejemplar? Dígame francamente lo que piensa ya que nos honra visitándonos esta noche.

Ella lo miraba en silencio y parecía decir con la mirada: "Yo no pienso nada". Luego comenzó a decir Spic por qué Asurbanipal se hacía leer tres veces cada día las tabletas de Venus y qué comentarios hacía a cada una de aquellas tabletas. Para imitación de Lucifer los poderosos se dejaban crecer el cabello. Lucifer fue una cometa (cometa quiere decir *peludo,* porque viene de *coma* que en latín es *cabello*) y siendo todopoderoso había que imitarle. También en la biblia la cabellera abundante es signo de poder con Sansón o de fatalidad con Absalón.

Ninguna de las señoras, Águeda o Lizaveta, decían nada. Las brujas cantaban las glorias de Venus que estaba al otro lado del horizonte. El diablo se levantaba y mugía:

—Reina de las plagas, incendiadora de los bosques, ajuntadora de los hombres y de las mujeres bajo el signo de Belial. Reina de las *ranas rubetas*. Reina de los ángeles rebeldes, ángel rebelde tú misma. Reina de los arcos de poniente. Reina de los profetas negros de Egipto, de Persia y de Samaria, Venus melenuda y trapisonda, Venus que bajas del cielo y caes sobre los mares en zig zag.

—¡Arriba la luna idumea! ¡Arriba la rueda de Andrómeda!

—Venus alzamares, calamontañas, crialimañas, Venus lucífera, Venus helénica, Venus semítica, Venus egipcia.

—¡Arriba las tres velas negras de Arihman!

—Venus que acudirás otra vez un poco antes del alba. Venus del véspero frío, Venus oceánida, Venus contraviriata.

—Arriba los corazones bellacos, arriba la campana rajada.

Bailaba Spic solo en el centro de un pequeño grupo mostrando el verdadero salto de la carpa tal y como debía hacerse y no como lo practicaba el cura de Saint Medard sobre las tumbas. Mucha gente estaba borracha de vino o de torpe entusiasmo.

La mayor parte iban buscando una pareja del sexo contrario y a veces del mismo sexo y de vez en cuando el demonio se alzaba y se dejaba caer sobre las vejigas de su asiento y con su mano amistosa bendecía al revés y señalaba aquí y allá a los oficiantes que se entregaban a las mayores libertades y licencias. Miraba la princesa impasible, ni curiosa ni ofendida, y los dos hombres y la dama Águeda la miraban a ella.

Cagliostro agradecía a Spic que hubiera atraído la atención de la gente y entretanto Spic seguía bailando en el claro del bosque rodeado de algunas ancianas de aire noble. Se fatigaba y volvió al lado de Águeda. Los dos se sentaron al pie de un árbol que tenía gruesas raíces descubiertas. Águeda preguntaba a la niña:

—¿Qué te parece? ¿Te gusta?

—Una vez vino un circo —dijo ella, soñolienta— y traía volteadores, perros que hablaban, mujeres sobre caballos trotadores, hombres que se retorcían como serpientes, pero nunca había visto tantas cosas juntas como ahora.

Alzó la voz la dama Águeda dirigiéndose a Liza y volviendo a las confidencias le dijo:

—Usted conoce mi casa. Ha estado en ella, ¿verdad? Allí estuvimos mi marido y yo desde el día de la boda. ¿Qué hacíamos? Amarnos. Nada existía en el mundo más que nosotros mismos. Las golondrinas de la primavera...

El caballero Spic la interrumpió con su risa. Águeda preguntó:

—¿De qué se ríe?

—Ahora —y Spic reía más dirigiéndose a Lizaveta— habla de las golondrinas y luego hablará de las palomas. Vea usted la gente haciendo el amor.

Miraba Liza indiferente y Spic preguntaba:

—¿Ha visto vuestra alteza las palomas negras de la señora? Yo también tenía en Torre Cebrera palomas negras. Copió esa costumbre de la dama Águeda. Tuve el honor de ir a su casa alguna vez en aquellos tiempos. ¡Qué tiempos! Recuerdo que tanto silencio resultaba enervante y los criados no le duraban mucho en la casa. Así son las gentes. Mire usted a su majestad tenebrosa con una lamia obstetriz. ¿No es generoso, por su parte? Es que Satán exige esos ritos. Cuando el cometa Belcebú (ahora es el planeta Venus como le dije) se acercó a la tierra produjo terribles calores y hubo seis días sin noche en el que el sol estuvo parado en lo alto. Las moscas se multiplicaban por millones dentro de las casas, en los patios, en los muladares, en las escuelas. En todas partes. Detrás de cada hombre iba una columna de moscas zumbando en el aire, moscas perrunas, pequeñas y azules, moscas verdes grandes de las que siguen a los caballos. Moscas funerarias de las que ponen sus huevos en las narices de los agonizantes... Ahora se celebra este rito al pie de Belcebú o Baalzebuth como tantos otros ritos, señora. ¿Ve usted? Las mujeres hermosas iban entonces también envueltas en moscas, los niños eran devorados por las moscas. Había momentos en que las moscas cubrían el sol y hacían sombra en el suelo. Los hombres creyeron que la humanidad se acababa y que el mundo iban a recibirlo en herencia otras especies, tal vez las moscas. Los hombres íbamos a perecer y las moscas iban a ser dueñas del planeta y a organizar su vida, su religión, su sociedad y su ciencia entre ellas, más o menos, como lo hemos hecho nosotros. Cosas como ésas han sucedido en el universo. Naturalmente comenzarán por inventar un Dios a su imagen y semejanza, en forma de mosca. ¿No es alucinante?

¡Cómo!, ¿que no sería posible? ¿No ha de serlo, criatura? La mosca es inteligente, ve más que el hombre, se reproduce más de prisa, necesita menos comida y menos defensas, resiste mejor el frío y el calor. Es un organismo admirable. Por el momento parecieron ser dueñas de todo y comenzaron a organizar el culto de su rey Baalzebuth. Entonces lo llamaban así, que como usted ve recuerda el zumbido de las moscas. Al final Venus, sin traicionar a las moscas, protegió al hombre pero Belcebú nos dijo grave y monitor: no olvidéis que debéis a las moscas vuestra preeminencia. Y en esas estamos. De ahí que ese gentilhombre —y se refería a un sacerdote que oficiaba al pie del diablo— esté dejando salir de su canuto gestatorio la procesión muscata. Vea usted como brillan a la luz de las antorchas las moscas fugitivas. ¿No es de veras fantástico?

Cagliostro miraba también encandilado, pero no podía ocultar su disgusto:

—Esto es herético —dijo a Lizaveta en voz baja—. No en relación con la iglesia sino con la nigromancia clásica.

—¿Las moscas? —preguntó ella, confusa.

La dama Águeda se dirigió a la niña:

—¿Todavía tienes la rana rubeta y el sapo en tu falda? Eh Marieta ¿por qué no los devuelves?

—Ni se me ocurre, señora. Estaría bueno. Aquí cada cual hace lo que le da la gana y por eso me gusta. Antes de llevarlos a mi casa los desnudaré y llevaré los trajecitos al altar de su majestad. Digo, si es necesario.

Águeda se dirigía otra vez a Lizaveta:

—Era yo feliz en aquel tiempo, digo cuando...

Spic se rascó una oreja:

—Ahora va a hablar Águeda de la primavera y de las rosas de su parque. De las rosas amarillas de su parque, que trepan por las rejas y las ventanas. Mire usted lo que sucede allí. ¿No es de veras orgiástico?

Ella se negó a mirar y dijo:

—Mi marido era hermoso, inteligente, cortés, respetuoso y yo le era fiel y gozaba de mi propia fidelidad. Había rosas silvestres que trepaban, es verdad. Esa alusión de Spic es justa. Cuando perdí a mi esposo pensé: voy a ser una mala mujer y traté de serlo con cierta alegría como usted sabe. Luego vi que el mal no era el mal. Era la vida misma. Mi felicidad de recién casada no había sido la vida sino algo así como el ideal compuesto, perfumado y decorado de la vida. Había también arrullos no sólo de palomas negras sino de torcaces migratorias. Y yo dije entonces: "él vive la vida tal como es y desertando de mi hogar se ha conducido no como un demonio ni como un ángel sino como un hombre natural. Antes lo amaba y ahora lo adoro, creo yo, y me gustaría volver a encontrarlo para mostrale mi adoración. Hago conjuros sólo para que su alma cambie y se haga conscientemente tenebrosa, es decir perfecta. Supongo que a todo el mundo le sucede eso tarde o temprano, en la vida. Es decir el descubrimiento de la evidencia".

Se volvió sobre Spic:

—Y su esposa, ¿no ha venido?

—Mi esposa está en casa, siempre se queda en casa —dijo gravemente Spic y añadió dirigiéndose a Liza:— Nos casamos hace unos diez años en este mismo lugar con el adalid de los *sbats* actuando como sacerdote auxiliar. ¿Sabe usted quién nos casó? Su majestad misma. No admito medias tintas. O todo o nada. Y mi esposa era entonces una meridiana perfecta, es decir, sin iniciar. ¿No es interesante? El caso de usted es muy distinto, señora y yo lo comprendo. Muchos son los caminos que elige el señor para ganar a sus almas, pero yo era entonces el que soy ahora y su majestad pronunció en español las palabras sacramentales, las que dicen en todas partes, lo mismo en Noruega que en Sicilia:

Ésta es buena para ti,
éste para sí te toma

Quería Lizaveta preguntar algo y se abstenía para no interrumpirle. El caballero continuaba:

—Luego venían los cánticos y bailes y después su majestad Satán desfloraba a mi esposa. ¿No es edificante? Aquella noche desfloró a cinco novias más y tres de ellas fueron arrestadas más tarde por la inquisición. Las confesiones de aquellas criaturas fueron notables y yo no las puedo leer sin que acudan lágrimas a mis ojos. Lágrimas de fervor. Todas estaban de acuerdo en la frialdad de la simiente. ¿No es curioso? ¿No es revelador? Ah, la inquisición es nuestra madre y nuestra gran colaboradora.

Bajando la voz, como para decir un secreto, añadió:

—Mi hijo fue engendrado por Satanás la misma noche de la boda. Vivimos después mi mujer y yo igual que ustedes, es decir, dedicados el uno al otro, y así estuvimos algunos años en nuestra Torre Cebrera. Sin golondrinas ni torcaces ni rosales trepadores. Aunque con palomas negras como las que tiene la dama Águeda. Tuvimos un hijo y vivió sólo tres años porque el pobre cayó un día al foso del castillo. En el momento en que cayó saltó de la ventana de al lado un esparver chillando. Y mi mujer chillaba también. Por fin el ave escapó y mi mujer se quedó dando alaridos por los torreones vestida día y noche con una larga camisa blanca. Hasta anoche mismo. La doncellita de Aix estaba presente y gritaba también y mi señora creía que era el esparver porque sabe imitar los gritos de todas las aves de la montaña. La doncellica de Aix, que es una adolescente de veras memorable por todos conceptos, se marchó después de aquel accidente, pero volverá otra vez a nuestro lado separada ya de la órbita de Gavirus, dios fenicio del tiempo. Yo espero en mi casa a la doncellica, pero sin ningún interés. Ella es virgen y debe seguir siéndolo.

La dama sonreía debajo de la máscara y tardaba en hablar porque no quería que a través de su voz Spic se diera cuenta de que estaba sonriendo. El caballero miró las estrellas con aire entendido y luego dijo:

—A pesar de todo yo le he sido infiel a mi señora sólo con objetos del mundo animal y del mundo vegetal. Esta última es una costumbre que cogí desde niño. La iniciación mía en materia sexual fue... con un árbol. Por estúpido que parezca, con un cerezo en flor. Yo tenía once años o doce y trepaba por el tronco. El roce con el árbol me excitó tanto que conocí por vez primera el delicioso misterio y mientras abrazado al árbol me agitaba en convulsiones caían sobre mí los petalos color rosa. Desde entonces me quedó la inclinación sexual al árbol en flor y sólo con ellos y con ciertos animales soy infiel, si se puede decir, a mi esposa.

Miraba los árboles alrededor con una luz de lascivia en sus ojos saltones. Hablaba del cerezo en flor como la dama Águeda había hablado antes de las aves arrulladoras y de los rosales trepadores. Veía aquella tendencia de los dos a poetizarse en aquel lugar de miserias físicas y metafísicas.

—Estoy pensando —dijo Spic afectando un aire distraído— en el caso de Johanes Alardus que se encerró durante tres años en su casa de París a fornicar con una judía y fue condenado a muerte y quemado con ella por *bestialitas,* ya que según la sentencia de la inquisición *el coito con una judía es igual que el coito con un perro.* ¿No es sublime?

Reía el caballero a carcajadas y comentaba:

—En todo aparece la grandeza de Belcebú.

Entre la máscara de Águeda y el comienzo del vestido había un espacio de garganta desnudo. Allí la besó el caballero un vez y otra mientras ella protestaba con una resistencia blanda. La niña jugaba con el sapo y la rana y había aprendido a conducirlos por el prado.

Los miraba Liza y, entretanto, Cagliostro recordaba cada una de las palabras que había dicho Spic y quería aclaraciones:

—¿Cómo es la llamada doncellita de Aix, rubia o morena?

—Ah, bien, pues... —respondió Spic soltando a la dama Águeda— la doncellica es entreverada. La piel morena y los ojos claros. La piel color canela que seguramente se oscurece un poco en la cintura. Con ella a mí me gusta dar la impresión de lo que la gente llama estúpidamente un hombre honrado. ¿Usted ha visto que la sociedad desprecia en el fondo a los hombres honrados? Yo era en tiempos ese hombre honrado a quien la gente desprecia un poco. A pesar de todo y de que mi esposa aprovechaba todas las ocasiones para... Bien, todas las oportunidades para la...

—...¿La *bestialitas?*

—No, no. No ha ido tan lejos ni tan alto, mi pobre esposa. En el fondo es una dama como su abuela y como su madre. Sólo con vagabundos. En cada vagabundo ve mi esposa al Tenebro y por indicación mía se acuesta con él. Tenemos en el parque del castillo un lugar a propósito. Yo lo hice construir a pesar de que era entonces, y lo confieso francamente y sin falsa vergüenza, ese hombre honrado al que la gente desprecia un poco. Hoy, en el fondo, soy lo contrario. ¿No salta a la vista?

Creía Lizaveta ir comprendiendo poco a poco:

—¿No es bueno ser desgraciado?

Respondía Spic aceleradamente y como asustado:

—No, no. Lo nuestro es la alegría de la materia, la risa.

Miró Cagliostro la hora en su reloj y preguntó a Spic cuándo se proponía volver a la Maladeta. Pero el español no quiso decir cuándo llegaría exactamente al castillo.

Se dio cuenta Cagliostro y después de cambiar una mirada con Lizaveta, besó la mano de Águeda y al verlo el caballero Spic preguntó decepcionado:

—¿Se marchan ya?

—La señora —y Cagliostro señaló con la mirada a Lizaveta— está un poco fatigada.

—¿Es la primera vez? —preguntó Águeda.

—Y espero que la última —dijo Lizaveta sin acritud alguna—, porque no entiendo nada de esto y además me va mal trasnochar.

—Vamos —comentó Spic, incrédulo—, no le ha gustado. Tal vez si se quedara hasta el fin cambiaría de opinión.

Cagliostro y Lizaveta se retiraron después de besar a Marieta quien alzó la cara con disgusto porque la distraían de su juego con la rana y el sapo.

Temía Cagliostro que llegaran los corchetes del rey e hicieran una redada como otras veces. No quería exponer a la princesa a las molestias de la policía y menos de la inquisición, aunque en aquellos tiempos la inquisición era benigna.

Se alejaron despacio, pero se quedaron todavía contemplando el aquelarre desde la orilla del claro del bosque por lo menos media hora más. Entretanto decía Spic:

—Siento que la gente no haya reconocido del todo al copto, pero quizás es mejor, porque Cagliostro es demasiado importante y debe darse a conocer sólo en los llamados *sbats* o *esbats* a los que acuden los iniciados del tercer círculo —vio que la dama Águeda no entendía y añadió: —*Esbats* viene de francés s'esbatre, retozar. Pero ¡vaya unos retozos, señora! Retozos con Gavirus, dios fenicio del tiempo. El símbolo de los *esbats* es la culebra.

—A mí no me gustan las culebras —dijo Agueda.

—Me extraña. No hay como el aspid, señora. ¿No le dice a usted nada ese nombre? Tiene las letras S y P como Spanna y como mi nombre mismo. Yo he escrito una página sobre eso en mi opúsculo *De tenebrarum potestas*.

—¿Pero qué pasa en los *esbats?* —insistía Águeda mirando a Cagliostro y a Lizaveta al otro lado del bosque.

—Ah, eso yo no puedo revelarlo todavía. *Tota turba colluviesque pessima fescenninnos in honores daemonum cantat obsecenissimos. Haec cantat: harr, harr; illa Diavole, diavole, salta huc, salta illuc; altera lude hic, lude illuc, Alia, Sabaoth.*

La señora escuchaba con reverencia y de pronto hizo una pregunta:

—Usted tenía un niño de tres años según todo el mundo sabe. ¿Quién lo arrojó al foso del castillo? Estoy segura de que la única persona en el mundo que podría decirlo sería usted, caballero Spic.

—En el aquelarre de esta noche no hay culebras —dijo él—. Lástima. La culebra es muy importante. No hay que olvidar que como culebra de los cielos apareció la vez primera Lucifer en el aire y que así lo recuerdan los indios mejicanos, los chinos y los japoneses (éstos como culebra en forma de dragón) y los egipcios como la cobra ordinaria.

La dama no renunciaba a averiguar:

—Alguién tiró al foso su bebé. No se cayó sino que lo tiraron. ¿Quién?

—No, no —negaba él poniéndose la mano en el pecho—. Yo le dije aquel mismo día a mi esposa: querida mía, Pan sale del bosque y cuando anda suelto por el ágora o por el extrarradio de alguna ciudad el amante puede ejecutar a la misma amada o al padre o al hijo. Al hijo también. Por amor. Ella me replicó con sus mismas palabras: al hijo, no. Al hijo, por amor, no. Pero más tarde vio que yo tenía razón.

—La gente habla de eso.

—Ya lo sé. ¿Y qué? Estamos en España donde la ley, los cánones y hasta los dogmas sirven a su majestad Tenebrosa. Por fortuna. Yo podría decirle las razones por las cuales la doncellica de Aix se marchó después de suceder la desgracia y eso es todo lo que usted puede esperar de mí. Se fue por razones que nada tenían que ver con la caída del bebé en el foso, pero en todo caso *digitus Sabbacii est hic*. Un día yo leí en las entrañas de un sapo el mensaje profético de la muerte de mi bebé. Tal vez ignora usted que he practicado el *extispicium* por el mismo sistema de Catalina de Médicis. Mucho antes lo practicaron otros en la remota antigüedad, como Balaam, el profeta Balaam, sí señora. Hablando de Balaam dice San Jerónimo que es el profeta del demonio. Creo que Santo Tomás lo dice también en alguna parte. Yo tengo la ambición, quizás excesiva, de ser llamado un día así: profeta del demonio. Por lo pronto sólo tengo un *obh,* es decir, un espíritu mensajero que va y viene como el cazador tiene un perro y un reclamo. Mi bebé no era mío y nadie podía haberlo matado siendo de quien era. Ni siquiera en mi caso cabría el mito de Abraham. Pero lo separé de Gavirus y murió él solo. El hecho merece ser referido. Un día envié mi *obh,* como el cazador envía al halcón, y le dije: tráeme la noticia entera de mi hijo, es decir su imagen tal como será cuando tenga treinta años. Mi *obh* me lo trajo y la cosa no fue tan simple, claro. Allí estaba en mi casa, entre ella y yo, en mi cuarto junto a la puerta del torreón del mediodía. Yo no lo veía, pero lo veía mi mujer. Únicamente mi mujer.

Se detuvo a tomar aliento. Le costaba trabajo aquella confidencia a pesar de que la hacía sólo a medias. Al otro lado del claro del bosque sonaban la cornamusa y los tambores y en el centro la gente seguía bailando. Giraban las parejas sobre sí mismas con las espaldas juntas. Y la antiletanía era ahora conducida —cosa rara— por Cagliostro que no se había marchado aún. Se había quitado la máscara de una vez y gritaba desde la orilla del claro del bosque como un zahorí:

—*Ex* "*qui habitat...*"

—*Quicunque vult Athanasius* — respondían cerca de él.

La princesa tomó a Cagliostro por el brazo y le dijo:

—No más, por favor. Vámonos ahora mismo. Estoy de veras fatigada. Vámonos.

Salieron en busca de los caballos, Cagliostro un poco a regañadientes porque la multitud había comenzado a reconocerlo. Pero dijo todo lo contrario: "Menos mal que nos vamos antes de que la gente haya llegado a saber realmente quién soy". Spic, que los había visto marchar, se quedó mirando en éxtasis el lugar por donde desaparecieron. Águeda repetía sus preguntas y Spic dijo:

—Ahora que estamos solos le diré toda la verdad. Mientras estuvo aquí el gran copto no me atrevía por razones que a él y a mí nos incumben. Ahora es distinto. Poco antes de que el niño cayera al foso y muriera yo encontré en las faldas de la Maladeta tres machos cabrios naturales, quiero decir selváticos, cruzando mi camino de izquierda a derecha. De la estirpe de la *capra hispánica*. Vea usted el nombre de la montaña: Maladeta. Yo sé distinguir, señora, lo natural de lo sobrenatural. Nuestra patria tiene muchas castas caprinas originales: el *sarrio* de los Pirineos, el *bucardo* del alto Ebro, la *capra hispánica* de Gredos, el *amurcón* de Sierra Morena, el *chivato* celta, el *jirco* o *hirco* de Murcia, el *musmón* del Guadiana (éste no genuino, sino derivado), el *buco* de Castilla la Vieja, el *boque* del bajo Ebro, el *bujarrón* de Cádiz, el *choto,* de donde viene *joto* (maricón) y jota, el baile nacional en el que se brinca como los cabritos. Todavía el *ternasco,* el *segallo,* el *íbice,* el *pudú,* la *bicerra...*

—¿Todos hijos de Pan?

—No, todos Pan mismo en presencia, esencia y potencia. El mejor es el bujarrón de Cádiz. Ésta es la tierra donde antes que en ninguna otra Pan sale del bosque y propicia la sangre y la guerra y la destrucción. En Morella la Vella hay dibujos de guerras (en las rocas de unas cuevas) que tienen más de sesenta mil años de vejez, lo que es una antigüedad y testimonio satánico edificante tres veces mayor que ningún otro en la Europa occidental. Es la tierra de los *bujos* o *bucos* de Pan. Con formas corniales diferentes porque los hay cornigachos, corniliros, corniveletos, cornimochos, corniabiertos, corniales y cien más. El objeto que emplean las obstetrices con más frecuencia es el cornezuelo de centeno y lo compran con la moneda típica de Castilla: el *cornado*. La piedra preciosa de mayor uso en nuestras cortes en tiempos de grandeza es la *cornalina*. El fruto nacional, la oliva, tiene diversas formas y clases: la *cornicabra,* la *cornatilla*. En nuestra arquitectura las piezas fundamentales tienen nombres alusivos a Pan: cornijal, cornijón, cornisa. En la decoración la *cornucopia*. Por otra parte la *cábala* —de cabra— viene de los antiguos judíos spánidas y el *abracadabra* tiene la cabra dentro. Hay frutas hispánicas con el nombre típico: *cabrahigo*. En las lagunas hay *cabrajos* que la gente come y pesca, en las obras de ingeniería *cabestrantes* y *cabrías*. Las olas del mar y las estrellas del cielo *cabrillean* (y también las pupilas de la amada). La gente usa *cabujones,* es decir piedras preciosas sin tallar y hay *pánfilos* (de Pan) y *panolis y paniaguados y pandos,* cada uno con su *panza* y hay arbitristas *caprichosos* con sus *panaceas* para todos los problemas y sus *pandemoniums*. Hay la *pandorga* o el *estafermo* que se ponía en los torneos, el *panegírico,* el *panel* y cientos de palabras de uso corriente que vienen del dios pánida. La *ceaja,* la *cabría,* el *irasco*... Así como el árabe tiene más de mil palabras relacionadas con el camello y sus atributos y usos y servicios —base de la civilización islámica— el español las tiene en los que se refiere a la cabra y en general a la cuerna. Las sacerdotisas de Pan tienen en nuestra patria muchos nombres: meiga, pitonisa, sorguiña, bruja, trasgo. Pan manda en España, señora. ¿Cómo iba a engañarme a mí en relación con la identidad de Gavirus en el difícil asunto del bebé? ¿No sería ridículo?

Tomaba Spic una actitud abstraída y soñadora:

—Además de los mil nombres —por decirlo así— adaptados a sus funciones hay otros muchos en España —como diantre (que viene del árabe), *mengue, belcebú, pateta, cachidiablo, lémur, cachano, mandinga, patillas*—, directa o indirectamente relacionados con el sarrio y otros representantes de Pan bicorne. El nombre que nuestro señor prefiere es el de Belcebú. Pero volviendo a la doncellica de Aix ¿por qué la envió su majestad a la vertiente norte de la Maladeta hace más de tres años? Eso es lo que está usted preguntándome en silencio. Bien. Hay razones. De las montañas Maladetas, y no olvide el significado de ese nombre, sale el río Garona. La región matriz de Garona, es la misma del *loup-garou*. Aquí, en este aquelarre hay al menos quince genuinos *loup-garons* y yo soy uno de ellos. Ocasionalmente el lobo auxiliar de Satán oficia en nuestros ritos. No digo siempre, pero con alguna frecuencia.

—Todo eso está bien, pero lo que yo le pregunto es quién arrojó el niño al foso del castillo. ¿Fue usted? ¿Fue la doncellica de Aix? Y en un caso o en el otro, ¿por qué?

—Vamos, vamos —respondió, riendo, el caballero—. En mi condado hay bosques y en los bosques está Pan. El día de la aparición de Gavirus tuvo ella, digo la doncellica de Aix, un pánico repentino y al salir Gavirus de la sala la muchacha se asomó a un torreón descubierto con el niño en brazos y el bebé se le cayó. Luego lo recogimos y lo lavamos. Usted sabe lo sucios que son los fosos de los castillos. Lo hemos devuelto por fin a su padre tenebroso y una vez quemado sus cenizas sirven y seguirán sirviendo para la comunión de los fieles. Tal vez usted misma comulgará con esas cenizas una noche de éstas. Eso es todo.

Miraba la señora el entrecejo de Spic donde la pelambre alzaba un pequeño promontorio bajo la seda roja. Y añadió:

—Usted no estaba seguro de que fuera su majestad tenebrosa quien ganó las primicias de la boda. Como no estaba seguro preguntaba constantemente a su esposa qué había sentido cuando fue poseída por el diablo. Tres años haciéndole preguntas para aclarar si había sido Satán o sólo uno de sus diáconos y ella no salía de lo de siempre. Decía que al recibir la semilla sintió frío. La simiente era fría. Pero después la simiente fosforescía, relucía en las sombras y daba relámpagos y quemaba. Esto era lo que ella repetía. Una sabia contradicción. Ella había leído *De justa hereticorum punitione,* donde esas cosas se dicen. ¿No es eso? Y usted no creía a su esposa. Y después de tres años sin poder sacar nada en claro usted indujo a la doncellica de Aix a asomarse al torreón con el bebé en los brazos en el momento en que salía por el horizonte Venus luciferina. Sea usted amable esta noche y confiéselo de una vez.

A su alrededor crecía el bullicio. La gente se arremolinaba para bailar la *spannoleta* —de Pan— y había un momento de gran confusión.

Las *panderetas* —de Pan, también— comenzaban a tocar. Detrás, a cierta distancia se oían las vejigas de su majestad con el sonido inmundo. El caballero Spic reía a carcajadas y se cubría la boca con la mano por una costumbre con la que disimulaba sus malos dientes, aunque en aquel caso no era necesario porque tenía la máscara puesta.

—Por una sola vez sea bueno y diga también la verdad —insistía ella.

Reía el caballero y aquella risa grata a Belcebú lo sofocaba. Contagiada Marieta se puso a reir con él. Águeda los miraba a los dos tranquila y grave; y a su lado tres o cuatro viejas señalaban a Spic con la mano, reían y las carcajadas llegaban a dominar el sonido de la gaita.

La cornamusa era también hasta en su nombre una alusión a Pan bicorne, erizada de mástiles y banderitas. Y la cornamusa fue antes en España que en Escocia o en Irlanda.

—Sea bueno como un verdadero *homo ibéricus.*

—A mi bebé no lo arrojé yo al foso —decía él—. Tampoco lo arrojó la doncellica de Aix. Si fuera otra persona quien preguntara yo le diría: señora, que la insistencia de usted revela *mala leche.* ¿Qué le parece la expresión? Es lo que decía antes: otra expresión del país de Pan: *mala leche* y *conno* y *congenitores* y *cabrearse* y *cabritos et sic de coeteris.* Así es. De mí dicen en la Val de Aineto cosas raras. Cosas vejatorias que suenan dulcemente en mis oídos. Es la *mala leche* natural y fecunda de la patria spánida. ¿No es verdadero privilegio haber nacido aquí? Eso es lo importante y no lo que usted pregunta.

Iba Spic abandonándose a la risa y esta vez Águeda reía también. No se oía su risa, pero se veía el temblor de sus pechos bajo la blusa de verdugado amarillo y los breves espasmos de la parte de la garganta que llevaba descubierta. De vez en cuando la misma señora decía, suplicante:

—Por favor, no más. Esto también parece mala leche.

En aquel momento vieron que la niña se había dormido.

—Pobrecita —dijo Águeda con ternura—. Habrá que llevarla a casa.

Fue entonces cuando se oyó la llegada de los guardias y corchetes del rey. Rodearon el bosque por todas partes. Despertó la niña sobresaltada y la señora le dijo:

—¿Sabes ir desde aquí a tu casa? Corre, corre sin detenerte. Si alguno te pregunta di que no has estado en el bosque. Di a todo que no.

Salió la niña corriendo y cuando ya estaba lejos volvió a buscar el sapo y la rana rubeta.

Las gentes del *Sabbath,* al ver que no había grandes probabilidades de poderse fugar, en lugar de disimular hacían más ostensible su satanismo.

XIII

Cuando los primeros guardias del rey llegaron al lugar del aquelarre una de las antorchas iluminaba por el lado izquierdo la figura del gigante negro. Los guardias tenían miedo. La mayor parte se quedaba fuera del bosque esperando al cura de Zugarramundi que llegaría con su cruz alzada, dos diáconos y cuatro acólitos.

La gente iba a ser atrapada como los peces en una red. Pero nadie se alarmaba. Ser arrestados bajo la cruz verde de la inquisición era un final previsto y sabiendo desde hacía años que estaban amenazadas muchas brujas aludían a la inquisición con risas y chillidos de amable escándalo. Los hombres eran precavidos, pero en aquellos tiempos la inquisición trataba a los que cultivaban el brujerío como gente de poco juicio más que como criminales o herejes.

En todo caso Spic decía en su libro: "Si Jesús tiene mártires también los tiene Balaam".

Comenzaba el alba a despuntar. Spic llevó a la dama Águeda junto a un árbol de grueso tronco y tupida copa. Subieron como pudieron y hallaron una mujer anciana sentada en una rama con la falda echada por la cabeza "contra *la relente* de la aurora". según dijo. Parecía un pájaro de mal agüero y reía y chillaba como si no hubiera peligro alguno en el mundo.

Comprobó Spic que, a pesar de todo, la fiesta seguía y pensó: "Si tenemos este ánimo ¿quién podrá con nosotros?" Debajo del árbol los bailarines volvían a iniciar su letanía y el caballero miraba de reojo a la señora y decía otra vez para sí, complacido: "¿quién podrá con nosotros?".

La mayor parte de los concurrentes al *sabbath* sabían que serían conducidos a la cárcel, pero pensaban ir cantando y riendo. La mujer que tenía la saya echada por la cabeza comenzó a hablar balbuceando:

—La, la, la, ne, ne...

Era una de las que habían comido lengua del parvo sacrificado. Los guardias miraban hacia arriba con miedo. Satán era demasiado grande, demasiado negro. Cuando el gigante iba hacia los corchetes éstos retrocedían con la espada desnuda gritando: ¡Jesús, María y José! El diablo daba entonces un bramido. En una de aquellas maniobras echó a correr prado abajo, hacia el arroyo. Le dispararon dos arcabuzazos y desde su escondite Spic imaginó que el gigante había salido indemne porque oyó decir:

—¿Desde cuándo se ha visto que alguien con su arcabuz pueda matar al diablo?

Por la parte baja del prado llegaba el cura párroco de Zugarramurdi con su cruz alzada, dos diáconos y cuatro acólitos. Decía en voz monótona:

—*Ab ibsidiis diaboli, liberanos Domine: ut eclesiam tuam secura tibi facias libertatem servire te rogamus audi nos; ut inimicos santae Ecclesiae humillare digneris, te rogamus audi nos.*

Desde su árbol, el caballero Spic añadía en latín sabiendo como sabía el rito del exorcismo:

—*Et aspergatur locus aqua benedicta.* ¿No es admirable también, señora?

Mientras los corchetes del rey arrastraban a toda aquella gente, Cagliostro y la princesa se dirigían en sus caballos a Francia. Ella estaba fatigada y por vez primera la veía Cagliostro disgustada y no sabía qué hacer. Ella lo recriminaba y se extrañó Cagliostro cuando vio que no era el aquelarre lo que la ofendía sino la falta de plan, según decía, en sus viajes y vagabundeos.

—¿Sabemos a dónde vamos ahora? —preguntaba.

—A la Maladeta. Al castillo de nuestro amigo. Pero antes nos detendremos a descansar en un albergue.

—¿Conoce usted a la señora de Spic? ¿Ha tenido relación con ella?

—Relación, sí. Pero no la conozco. Puesto que quiere

usted saberlo todo, Lizaveta, yo recuerdo haberla... fecundado la noche misma que se casó y en ese mismo lugar del aquelarre. Yo, desnudo y pintado con pez negra era aquella noche el diablo. Pero ella no lo sabe. Así pues se da la circunstancia incongruente de que no puedo decir que la conozco y sin embargo fuí el padre de su hijo. De su único hijo.

—¿Cómo puede estar tan seguro de que era suyo?

—Spic es estéril. Tuvo una enfermedad y quedó estéril.

En el horizonte lucía Venus otra vez. Cagliostro se quitó el tricornio y murmuró una jaculatoria. Dijo después que iban a una hostería llamada *Au Lapin Vert* del lado de Francia, si ella no tenía inconveniente.

Ya cerca de la hostería los caballos se pusieron al paso.

El dueño del *Lapin Vert* era hombre pequeño, gordo y locuaz y advirtió a sus huéspedes que el nombre de su posada había sido siempre *Au Sapin Vert,* pero poco después de morir su padre la gente comenzó a decir *Au Lapin.*

Era el posadero hombre jovial y a pesar de su gordura subía y bajaba escaleras ágilmente todo el día.

Se sentía Lizaveta feliz después de haber salido de Zugarramurdi y aquella posada le gustaba. Todo resplandecía en el pequeño hostal y no era raro porque siempre había algún criado frotando suelos o maderas en algún lugar u otro. Uno de ellos era negro y cuando alguien lo miraba, conocido o no, lo saludaba inclinándose con la mano en el pecho. La primera vez que la princesa habló con él se apresuró el negro a decirle que era inglés. Había nacido en Jamaica y fue a Francia como ayuda de cámara de un hacendado británico. Pero luego su patrón se fue a Inglaterra y mientras volvía tuvo el negro que ponerse a trabajar en aquella posada. No tardaría en volver de Londres, su patrón.

A la princesa le gustaba encontrarlo y hablar con él. El negro solía comenzar diciendo: "Nosotros, los ingleses..." Lo hacía para presumir con los otros criados.

Al día siguiente Cagliostro encontró en el patio nada menos que al caballero Spic quien se apresuró a preguntar por madame y después les contó el final del aquelarre, la llegada de los corchetes, los disparos de mosquete contra el gigante de Undarreta — sin herirlo, por fortuna — y la redada final.

—Águeda y yo salimos sin dificultad porque el cura es amigo nuestro. Nos decía que debíamos dejar aquellas locuras y estar bien con un dios que nos había dado bienes de fortuna. Pudimos salir sin molestias. En eso, como en todo, es la gente pobre la que paga. No encontramos materia criminal, creo, porque los restos del infante votivo — o *bodigo* como dicen los tontos vascos — estaban ya incinerados. Menos la cabeza que está a buen recaudo. Nadie puede acusarnos sino de celebrar una mascarada en el bosque y ¿qué daño hacemos con eso? Todo acabará en una amonestación gracias al rey Carlos que es de los nuestros y al respeto que impone ahora en la nobleza de todos los países la guillotina.

Todavía añadió bajando la voz con misterio:

—Y gracias al gran copto que sabe influir a distancia.

Así como otras posadas tenían acomodo para caballos aquella lo tenía también para los perros de los cazadores en unos cobertizos aparte.

El criado negro andaba siempre buscando alguien con quien charlar. Solía hablar de Toussaint el insurrecto de Haiti que había derrotado a los ejércitos franceses de la isla y también a los ingleses que fueron de Jamaica. Era muy valiente y muy listo, Toussaint. No podía nadie con él y aunque lo habían cogido preso no podrían matarlo nunca porque sabía una palabrita que detenía la bala del mosquete en el aire y que detenía también la cuchilla de la guillotina. Era una palabra india que aprendió en Haití y aunque Toussaint estaba todavía en la cárcel cualquier noche lo sacarían por una ventana. Lo sacarían los negros como él, ciudadanos ingleses. "Yo no puedo mezclarme — advertía con arrogancia — porque di mi palabra al gobierno francés de no dedicarme a la política. De otro modo habría ido a la Bastilla, también."

—Ya no existe la Bastilla, — le decía Cagliostro.

—Anda, que no existe — y el negro reía como si se tratara de una buena broma —. Tú sabes, excelencia, que existe. ¿No has estado en París? Anda, qué broma, excelencia. De allí sacan a los marquesitos porque son *mechants* y los alcorzan por aquí.

Hacía el gesto de rebanarse el pescuezo con la mano. Y repetía:

—Anda, que tú lo sabes mejor que yo, pero te haces de nuevas.

Hacia el mediodía se oía al patrón dar voces indignado y al negro disculparse:

—No sabía que era tan tarde, patrón. *Je me suis enrayé, monsieur. Je ne savais pas...*

El patrón le decía entonces algo grotesco sobre el imperio inglés y los clientes franceses reían.

El caballero de la Maladeta y Cagliostro estuvieron hablando sobre el viaje a Torre Cebrera:

—Deben ir directamente a Pau —les dijo Spic— y desde allí a Lourdes y a Luchón. Una vez en Luchón están ya en la Maladeta, prácticamente. Yo les enviaré caballos de Torre Cebrera y un guía, un criado de casa. Mi castillo está entre el pico de la Maladeta y Aineto. Lo llaman la Torre del Marqués, pero no soy marqués sino solamente señor de Aineto. Es la otra rama de la familia la que tiene el marquesado.

Pareció Cagliostro recordar algo de pronto:

—¿Dónde está la señora que le acompañaba a usted en el aquelarre? Tenemos que devolverle los caballos.

—No se preocupen, que el negro de la posada los llevará.

Estaban en la taberna de la hostería. Quería Spic hacer algunas preguntas sobre la princesa, pero Cagliostro mantenía la reserva y el otro pensó que en la Maladeta averiguaría lo que le faltaba por saber. Era curioso Spic como una mujer, pero sabía que las confidencias llegan solas y a su tiempo y que no es bueno forzarlas.

Bajó Spic la voz, intrigante:

—Mi castillo tiene su leyenda. Hay quienes creen que Santiago entró por esa garganta y dejó en mi castillo, que es anterior a la era cristiana, el cáliz de José de Arimatea, ya que no sabía lo que podía sucederle en Sefarad, tierra de Pan. Los judíos llamaban Sefarad a España. Sefarad, país del amurcón balador.

Parecían crecer los ojos de Cagliostro, escuchándolo:

—¿Pero usted lo tiene, el cáliz?

—Un cáliz muy antiguo tengo, es verdad. ¿Quién podría decir si es o no el famoso Graal? Anoche lo llevé al aquelarre. Los papeles que tengo en casa, digo, en relación con ese cáliz, hablan sólo de una tradición anterior transmitida de viva voz. Tal vez no es el que yo traje al aquelarre, tal vez es otro y está en algún escondrijo, en algún hueco de los muros, en alguna sepultura del pequeño cementerio. ¡Quién sabe! La leyenda está viva aún en la lengua de las gentes.

Añadió que enviaría aquel mismo día dos palomas mensajeras a Torre Cebrera. Las llevaba en una jaulita cuando viajaba. Siempre enviaba el mensaje duplicado porque en aquellas montañas abundaban los halcones carniceros y era probable que una de las aves pereciera en el camino. En todo caso la otra llegaría.

Fue a despedirse de Lizaveta y la encontró en el pasillo. Le besó la mano haciendo una genuflexión, como si Liza fuera la misma emperatriz y se retiró caminando tres pasos de espaldas. El negro miraba con grandes ojos asombrados. Luego Spic abrazó a Cagliostro y lo besó ceremoniosamente primero en el hombro derecho y luego en el izquierdo.

Cuando se quedaron solos, Liza, pensando en lo sucedido en Zugarramurdi, dijo que todo aquel escándalo había sido torpe e innecesario.

—Además, sacrificaron a un niño —añadió en voz baja y airada.

—Yo no he intervenido nunca en cosas como esa —dijo apresuradamente Cagliostro —y no sé exactamente lo que ha sucedido, pero según dice Spic cuando los sacrifican, digo, a esos parvos votivos, no sienten nada porque antes los duermen con bebedizos. Una vez me preguntó el cardenal de Rohan (que tiene curiosidad por esas cosas) y yo le dije que la costumbre venía de la Edad Media. Pero en todo caso los niños no se dan cuenta. De un modo u otro sus padres los venden para explotarlos sobre todo cuando se trata de niñas. La iglesia tiene alguna culpa en eso y yo se lo decía a Rohan.

La princesa volvió a su anterior irritación y de dijo que no acababa de comprender por qué viajaban juntos ya que ni sus caracteres ni sus costumbres los unían. Aquellas palabras hirieron bastante a Cagliostro porque eran las primeras de la princesa en las que mostraba algún descuido de la cortesía. Era como decir: "No vale la pena ser amable con un hombre como usted". Eso en una persona tan correcta como Lizaveta era un verdadero ultraje. Pero Cagliostro no quería aceptarlo:

—Hay algo que nos aproxima a usted y a mí. Nos aproxima la falta de fe en todo lo otro. Vuestra alteza mira las cosas desde el otro lado de la vida. Todo es falso y absurdo, piensa vuestra alteza. Todo es falso y admirable, digo yo. Todo es feo y ruin, dice vuestra alteza...

—Llámeme Lizaveta como antes — le rogó ella, incómoda.

—Todo es feo y ruin — dice usted —. Todo es feo y atractivo y al final de todas esas coincidencias y discrepancias pienso que me gusta ser amigo de usted, es decir de su alteza imperial. Yo no soy nadie. En mi caso el título de conde es tramoya. Yo nací José Balsamo y no conocí a mi padre. Un bastardo. Es verdad que puedo invocar espíritus, producir cambios de naturaleza a distancia, adivinar las ideas del prójimo y las intenciones del enemigo y presentir a veces el futuro. No son tareas del intelecto sino de la voluntad.

Dijo otra vez que no creía en nada, que nunca había creído en nada y que aquello los uniría cada día más en el futuro. Pero la princesa lo escuchaba con cierta ironía. Desde su experiencia en Pedro y Pablo la ironía de Lizaveta podía ser corrosiva y mortal, pero no la usaba casi nunca.

—Vaya — le ordenó — en busca de Spic y hágalo quedarse unos días con nosotros porque necesito ver más claro en él y en usted antes de aceptar la invitación para Torre Cebrera.

Aquella súbita energía de Lizaveta extrañó mucho a Cagliostro y no le disgustó. Creyó Cagliostro que sería difícil hacer cambiar de planes a Spic, pero fue todo lo contrario. El caballero de Aineto, que estaba ensillando el caballo, desistió en seguida, y les rogó a los dos que fueran sus huéspedes aquella noche en la posada. Es decir, los invitó a cenar.

Comieron en una sala reservada con vinos de lujo y a la luz de dos grandes candelabros de plata, cada uno de los cuales tenía cinco bugías amarillas de cera perfumada.

No dejaba de observar Lizaveta al caballero Spic que le daba una impresión del todo opuesta a la noche de Zugarramurdi. Era como si al salir del bosque se hubiera dejado allí, entre los árboles, todas sus extravagancias de carácter. Era ahora un hombre grave y correcto.

La princesa no entendía aquel cambio.

También le extrañó que Spic y Cagliostro se mostraran radicalmente en desacuerdo. Discutieron aquella noche de un modo apasionado. Se veía que en último extremo Spic acataba la autoridad de Cagliostro, pero sólo cuando éste, agotados todos los argumentos, le hacía sentir de un modo inequívoco que era el gran copto. Cagliostro no creía que fuera necesario llevar la magia al terreno diabólico y mucho menos limitarla a ese campo, es decir, al de la nigromancia vulgar. Había que eliminarlo, al diablo, como elemento negativo. Para Cagliostro la nigromancia era contingente y subordina a la corriente deísta que todo lo abarcaba y que era más poderosa. El mismo Jesús que tuvo poderes sobrenaturales nos brindaba el ejemplo —decía—. Podía tenerlos cualquier otro ser humano desarrollando especiales aptitudes en una dirección especial. La magia no debía circunscribirse al culto de Satán porque entonces se limitaba y además se hacía esclava del catolicismo.

Para Spic todo el secreto estaba en quitarle a Dios los homenajes tradicionales para dárselos al rey de las moscas. Cuando la discusión se hacía más apasionada el posadero se detenía a escuchar y parecía intrigado. Entonces Cagliostro decía dos o tres frases latinas. El misterio y el prestigio de ese idioma tranquilizaba al posadero quien pensaba que debía tratarse de dos filósofos dedicados a tareas de alta especulación.

Según Cagliostro la magia y el sentido de lo sobrenatural venían de los orígenes más remotos —del bajo neolítico— y tenía bases racionales y ningún propósito de negación ni de oposición. Desarrollaban los hombres poderes naturales en la dirección de lo sobrenatural, siempre afirmativos.

La manera de Cagliostro era una manera de buscar a Dios y compartir aquellos de sus poderes más accesibles al hombre. Una manera como la de los budistas o *shintoístas,* incluso la de algunos cristianos, pero sin estructuras falsas y sin engaño interesado — sin tratar de sacar provecho de los fieles.

En eso discrepaba Spic.

Los dos estaban de acuerdo en la necesidad de una organización natural presidida por un ser sobrenatural. Y Cagliostro declaraba que no siempre debía ser Satán quien presidiera y que éste debía estar subordinado a la virgen-madre-diosa de los ritos clásicos anteriores a la era cristiana.

Mirando Spic con recelo al posadero que entraba y salía se mostraba deseoso de la concordia con el gran copto:

—Repito que en gran parte estamos de acuerdo. Pero la dama Águeda tiene un concepto anacrónico del brujerío. Cree que una bruja tiene que ser vieja y fea y naturalmente se resiste y no quiere hacer lo que hagan las viejas y feas.

—Ignora, según veo, la verdad de las cosas. Dígale que las brujas más notables de la historia fueron vírgenes de quince años, bellísimas. Y que la fealdad de las brujas es un mito creado por los católicos, nuestros enemigos. Lo que pasa es que probablemente la señora se resiste a la desnudez. Usted sabe que la madre-diosa-presidenta debe oficiar desnuda. Y si no lo sabe debe tenerlo en cuenta desde ahora.

Spic estaba nervioso por no haber dormido y tenía la fatiga y la irritabilidad de la noche perdida en Zugarramurdi. Pareció ofendido por las palabras de Cagliostro y disculpándose con la princesa dejó al italiano con la palabra en la boca, arregló la cuenta con el posadero y se fue según dijo a ver a la dama Águeda. Antes de que saliera preguntó a la princesa:

—¿Qué le pareció el aquelarre?

—Fue — dijo ella — un acto de locura colectiva.

—No, eso no — protestó Cagliostro.

Spic hizo un gesto de resignación falsa y salió diciendo que al regresar de casa de la dama Águeda volvería a pasar por la hostería a ver si estaban todavía ellos, pero que no debían esperarlo.

Solo otra vez con Liza tomaba Cagliostro un aire paternal. Encendía un enorme cigarro y decía:

—La danza es respetable y usted vio que casi todo en el aquelarre era danza. El ritmo es natural en todas las cosas vivientes. Hay un ritmo en el movimiento de los planetas, de los soles y las esferas. En el andar, en el latir del corazón. El ritmo es la base de la creación. Para producirlo artificialmente lo mejor es usar instrumentos de percusión: el tambor. La alucinación y encantamiento que nos produce el uso rítmico del pandero o del bombo responden al misterio de la simpatía de los números. Pitágoras dijo, muchos siglos antes de la era cristiana, que por medio de números se podía explicar el orden de la creación entera y tenía razón. El misterio del número se nos hace presente en el uso del ritmo y por lo tanto desaparece. Por la simpatía del número y el uso del ritmo numérico (tamtams, bombos, zambombas) nosotros nos acercamos a un estado de embriaguez por el cual comprendemos que la divinidad podría tal vez descender hasta nosotros. Esto lo han hecho desde la edad de piedra todos los pueblos. En tiempos más modernos, los de Numa Pompilio, por ejemplo, facilitaban ese estado bebiendo vino. De ahí viene también el uso del vino en la misa. Y también las danzas rituales. Y las extravagancias de algunos ritos de hoy como el salto de la carpa que se practica en los presbiterios de París al decir la misa y que puso de moda el cura de San Medardo. Mucho antes que los católicos, lo usaban los campesinos egipcios en sus *zirk* y lo practicaban algunos derviches árabes. Eso, señora, no es satanismo.

—Pero nada de eso tiene sentido.

—¿Tiene sentido el universo? Nada de eso es lógico sino desde el plano de la necesidad de Dios que nosotros no alcanzamos. Se trata entre nosotros de hacer uso de una facultad anormal y esa facultad existe y se halla en la vida ordinaria a cada paso. Yo he logrado algunas evidencias nuevas. Últimamente con el magnetismo se han hecho experiencias asombrosas. Figúrese usted que a una persona en estado de hipnosis le he dicho: "En que pase un millón de segundos gritarás tres veces ¡viva el gran Mufti de la Meca!". Le he dicho eso y el hipnotizado después de despertar ha seguido yendo y viniendo y de pronto ha gritado ¡Viva el gran Mufti de la Meca! Y reloj en mano he comprobado que habían pasado exactamente un millón de segundos. En estado normal sería casi imposible calcular ese espacio de tiempo con entera exactitud. Yo pienso a veces que todo lo que hace un hombre en su vida es obedecer las órdenes recibidas en el estado hipnótico del sueño de la infancia. O de la hipnosis del útero materno. Pero hay otros ejemplos sin recurrir a la hipnosis. Hay gente con poderes sobrenaturales. El poder de seducción de los artistas, por ejemplo. El de los sacerdotes antiguos, también. Todos los pueblos primitivos han tenido ceremonias mágicas y en el fondo de esas ceremonias se trataba siempre de lo mismo: del ritual de la muerte y de la resurrección, es decir, de mostrarse superiores a la fatalidad de la destrucción física.

—Sí, pero hay cosas arbitrarias y feas en ese ritual. Antes decía que la dama Águeda no podía presidir desnuda las reuniones. ¿Por qué se ha de desnudar la diosa o la bruja o en fin la presidenta?

—Ah, esa es otra cuestión. Usted vio algunas personas totalmente desnudas en el aquelarre, ¿no es eso? ¿Se ofendió usted? No. La desnudez es natural y no indecente. Y si la bruja se desnuda para los ritos es porque sólo en esa disposición puede obtener el poder que busca. Es importante la desnudez. Usted sabe que los hombres en el campo de Italia y aquí mismo a veces buscan aguas subterráneas y de ellas depende frecuentemente el precio de una finca rural. Bien. ¿Sabe usted que sólo pueden localizar corrientes subterráneas de agua yendo con los pies descalzos? Basta la suela de un zapato para incapacitar al buscador de agua. Es necesario el pie desnudo. Si en una materia tan trivial como esa la desnudez es importante ¿qué será cuando se buscan poderes excepcionales? La diosa necesita estar desnuda para encerrarse en un círculo, danzar alrededor y también para inducir a los demás a una clase de pasajera locura en la cual se propicia la apelación a lo sobrenatural. Se produce una aureola que con el cuerpo vestido no sería visible, pero lo es en la bruja presidenta, desnuda. Además, ella no se siente desnuda en absoluto, sino sólo natural y cómoda. Y los demás también: naturales y cómodos. Mucha gente nace con poderes sobrenaturales, el más frecuente el de la clarividencia. Mediante ciertos usos y ritos esos poderes no sólo se cultivan sino que se acrecientan y entonces nosotros tratamos de hacerlos útiles a la comunidad. Eso es todo. Como ve usted no será necesario, pero es útil y bueno y sabio. Ahora bien, —y aquí viene la discrepancia mía con Spic— él cree que hay que identificar esos poderes con el satanismo y yo creo que no y que son cosas del todo distintas. No me gusta la misa negra. Realmente me parece una perversión inútil. Muchos van a esas celebraciones con un sentimiento de vergüenza o de orgullo culpable y caen en aberraciones sucias. Ese no es mi *sabbath* y en realidad como ya creo haberle dicho yo no soy hombre de *sabbaths* sino de *sbats*. Es diferente. En todo caso también para mí el verdadero aquelarre debe ser alegre y luminoso, una verdadera anticipación del paraíso.

La princesa aceptaba la nigromancia como un hecho establecido en las costumbres de algunas gentes y no se escandalizaba. Seguía el italiano:

—El *sabbath* es la corrupción de algunos cultos antiquísimos. ¿Usted sabe que en el lenguaje de los nigromantes de todo el mundo para indicar el reino de Satán, es decir, el infierno, se dice *España*? Es el reino de Satanás, es decir, el infierno mismo. La cosa es antiquísima. Homero, el más antiguo escritor de la humanidad, habla ya de que en el suroeste de España está la entrada del infierno. Así como España es el país del diablo y en este país la magia toma la dirección de la adoración de Satanás, en los países del norte es sólo por decirlo así una religión positiva. En nuestros *sbats* se celebran muchos ritos católicos pero tal como eran antes de ser adulterados por el obispo de Roma. En nuestros *sbats* solemnizamos, por ejemplo, la navidad marcando en el suelo un círculo, purificándolo y celebrando el nacimiento del sol en la figura de un niño. Preside la diosa desnuda que hace antes un ejercicio que llamamos el *descenso de la luna.* Sigue luego el ágape traticional y después una danza alrededor del círculo mientras cantan una canción bastante monótona con fines encantatorios. En el centro del círculo hay una olla llena de alcohol encendido y cantamos y damos la vuelta hasta que se produce un estado de común y colectiva exaltación y euforia. La canción es muy larga. He aquí algunas estrofas:

Reina de la luna, reina del sol
reina del cielo y de las estrellas
reina de las aguas, reina de la tierra
tráenos al hijo de promisión.
Es la madre grande quien ha parido
al dios de la vida que nace otra vez
el llanto y las sombras han desaparecido
delante de este nuevo amanecer.

Luego cambian el ritmo —decía Cagliostro— y la letra:

Bendita sea la diosa nuestra
sin principio sabido y sin fin
en la eternidad y también en la era
I. O. EVO. HE. del serafín.

Escuchaba la princesa absorta:

—¿Qué quieren decir esas letras I. O. EVO HE?

—Ah, señora, en los *sbats* hay secretos y ese es uno de ellos. Nos está prohibido decirlo a los que no están iniciados. Pero ¿ve usted algo satánico en todo esto? No. El círculo y la danza circular nos sacan de la tierra. Ese círculo es el determinador de los espacios *entre los mundos*, es decir fuera de los mundos pero no lejos de ellos. Entre los mundos. Ciertamente que a veces usamos un cráneo y dos tibias cruzadas, pero es sólo como símbolo de la muerte y para situarse sobre la muerte, para servirse de ella como de un elemento vital. La diosa toma frecuentemente la posición de los dos brazos cruzados sobre el pecho, como los faraones de Egipto —y de allí nos viene ese rito— para que nosotros veamos su calavera y sus huesos cruzados debajo. Es decir, la muerte que todos llevamos dentro de nosotros mismos. De algunos de esos ritos nuestros han sacado los supersticiosos como Spic la necesidad de la misa negra. Pero es absurdo. Esa misa no es sino una sucesión de blasfemias católicas. El uso de la forma consagrada, de la hostia, no es exclusivo de las brujas del aquelarre. Ya Numa Pompilio la usaba con el mismo fin más de ocho siglos antes de Cristo. Mucha gente que no cultiva la magia negra usa de una hostia consagrada para fines mágicos positivos como apagar un fuego, adormecer un volcán, dar buena suerte, evitar la desventura, alejar a los malos seres nocturnos especialmente al vampiro. Una verdadera bruja o un nigromante como yo no necesitamos recurrir a esos procedimientos porque podemos fabricar amuletos y conseguir encantos más duraderos y poderosos.

Insistía Cagliostro en las diferencias que le separaban de Spic y añadía:

—Son las mismas diferencias que suele haber en las religiones entre los que están iniciados en los misterios y los que no lo están y se conducen sólo por prácticas supersticiosas y empíricas. Todo es en Spic fórmula y beatería. Y es por haber tomado esa dirección la magia española por lo que se le da a España el nombre de *Infierno* en la nigromancia. De España viene el aquelarre con su nombre vasco. El caballero Spic parece ahora diferente que antes de Zugarramurdi pero es el mismo con una diferencia: se ha descargado de sus fluídos. Anteayer era sólo grotesco pero ahora es un verdadero gentil hombre. ¿Cuanto le durará? Tal vez un mes o dos. Los magos obtenemos resultados sobrenaturales y somos condicionados por ellos, es decir, por nuestros logros. Spic no tiene verdaderos logros sino fórmulas aberrantes. Ese no es mi estilo.

Quedaban callados. La princesa tomaba un poco de crema helada y miel con una larga cucharilla.

—¿No cree usted que sería mejor desistir de ir a la Maladeta? — preguntó.

—No. ¿Qué importa si él y yo no estamos de acuerdo? La compañía entre nosotros es importante. Nos ayuda a desarrollar nuevos poderes. Yo discrepo de Spic porque su camino es el que la iglesia de Roma le señala para desacreditarnos más fácilmente. No es que en todo esté equivocado Ni mucho menos. Los nigromantes de la escuela española, es decir, infernal, cultivan la imagen del diablo cornudo. Allí donde interviene alguna criatura cornuda creen que está presente Baalzebuth. La presencia histórica del diablo viene de la aparición de un cometa fabuloso hace cinco o seis mil años, como creo haberle dicho. Un cometa que entró en la atmósfera de la tierra y transtornó mares, continentes, abrió océanos nuevos y hundió la famosa Atlántida. El calor desarrollado por aquel cometa fue tal que más de tres cuartas partes de los seres que habitaban la tierra —animales, vegetales o humanos— perecieron. Los insectos cambiaron de forma y de tamaño, las moscas se hicieron veinte veces mayores y la tierra estuvo seis días quieta y sin girar. El cometa después de chocar con la tierra saltó al espacio otra vez y quedó fijado como un planeta más entre la tierra y el sol con el nombre de Lucifer. Era una serpiente, un ogro, un animal volante y cornudo, hijo de Dios (del Sol) que se rebeló contra él y fue condenado a caer a los abismos de la creación. De todo eso habla la biblia y también algunos códices antiguos egipcios y aztecas mejicanos. También los chinos cuyo dragón es una reminiscencia de aquel hecho. El cometa tenía dos puntas abiertas en la dirección del sol. Después Venus tiene también fases (como la luna) con sus dos puntas. De ahí viene la obsesión de la criatura arrojada del cielo y cornuda. Pero todo eso viene como digo de tiempos más recientes que nuestra religión natural. Y mi posición en esa materia es la posición primitiva y clásica, es decir la genuína. Queremos merecer la posesión de una parte de los poderes sobrenaturales y para alcanzarlos practicamos una serie de ejercicios es decir de ritos mágicos partiendo de la disposición del espíritu humano a ver y a sentir y poseer alguna clase de identidad con lo maravilloso donde no reside lo divino, pero sí el camino hacia lo divino. Spic piensa de otra manera y yo con Spic no me entenderé nunca a no ser que cambie radicalmente uno de los dos y yo no pienso cambiar.

Se quedaron callados. En el fondo del corredor se oía al posadero reñir con el negro quien repetía una vez más:

"*Je me suis enrayé, monsieur*". luego oyeron golpes y la princesa hizo un gesto de incomodidad.

—El mesonero le está pegando al negro —dijo.

Cagliostro se encogió de hombros, pero al oír llorar al negro (a pesar de su orgullo británico) salió. El mesonero, respirando con fatiga y escondiendo el látigo que llevaba en la mano, dijo:

—¡*Cette charrogne!*

Llorando tomaba el rostro del negro las expresiones de la risa. Cagliostro dijo grave y monitor:

—¡Vamos, vamos, bien está!

El ventero gritaba al negro:

—Dale las gracias a su señoría. Anda, miserable, dale las gracias.

Sin dejar de llorar o de reír el negro dijo en inglés: "*Thank you, sir.*" Había una infantilidad increíble en el gesto y en la voz de aquel criado. Cagliostro volvió al cuarto y reanudó su discurso:

—Usted sabe, señora, nuestra sabiduría viene de los remotos tiempos matriarcales. Usamos las mismas fórmulas que usaban ellos para establecer contacto con el mundo de lo sobrenatural. Nuestro mito mayor es hoy, como era entonces, la muerte. El hombre adoraba a una mujer desnuda y hermosa que presidía con los brazos cruzados a manera de los faraones egipcios. El dios cornudo vino más tarde, al caer Lucifer de los cielos, y quedó establecido en aquellos lugares de Europa más situados al Occidente, especialmente España, por cuyos horizontes el cometa había desaparecido. Esa es una de las razones para que los nigromantes digan que España es el infierno. Pero como le digo una gran parte de la humanidad siguió fiel a las costumbres y nociones anteriores sobre todo los hombres del norte y los que practicaban los oficios órficos (en los primeros tiempos del clasicismo grecolatino) y los *sbats* modernos. En aquel mundo preluciferino la mujer era, como digo, la mediadora de la divinidad y la adorábamos. De ahí viene el odio de algunas iglesias contra los *adoradores de mujeres*. En la Edad Media la iglesia fulminó anatemas contra Paracelso a quien llamaba "adorador de hembras", por esa razón. Los ataques de Roma no hicieron sino avivar el fuego y el culto mágico de las formas preluciferinas se mantuvo más secreto, pero no menos vivo. La iglesia difamó a las sacerdotisas llamándolas brujas y confundiéndolas deliberadamente con los satanistas, lo que era falso e injusto. Para ellos, la bruja es una mujer vieja y fea que vuela por los aires montada en una escoba. La realidad era diferente. Las brujas eran hermosísimas y jóvenes y por representar a un tiempo el misterio de la fecundación y el de la muerte forzosamente tenían que serlo. El palo de la escoba usado por la iglesia para difamarlas era y es una reminiscencia de un rito fálico. En los países donde hay tradición celta se han conservado muchas de las primitivas nociones de los ritos preluciferinos.

—Es curioso como lo que se hace ahora tiene antecedentes remotos.

—¿Ha oído usted hablar de los hombrecitos pequeños, misteriosos y todopoderosos del sur de Inglaterra y del sur de Europa? Los *pixies*. Eran gente real y viva aunque se les llama *elfos* y *gnomos* y otros nombres míticos. Existían, y como eran tan pequeños y débiles tenían que defenderse con habilidades mágicas. Conocían los venenos y una de las sustancias que ponían en sus cerbatanas y flechas producía una parálisis completa en treinta segundos. Ellos fueron los que antes que nadie se acogieron al terror luciferino porque encontraban en él una parte de su terrible tarea defensiva ya hecha. Con eso daban miedo a los hombres rubios y grandes del norte. Una casta de aquellos hombrecitos estaba en España en la parte de Extremadura que se conoce como Las Hurdes, nombre prelatino y luciferino. Eran más pequeños que los pigmeos actuales de África. Verdaderas miniaturas y fueron los primeros en incorporarse a las celebraciones de Lucifer aprovechando el terror ya existente. Los hombrecitos eran terribles y entre otras palabras mágicas usaban sílabas repetidas y rítmicas (porque con un ritmo inicial comenzó la armonía sidérea, y con movimientos rítmicos se fecunda a la mujer). Palabras de los hombrecitos que soplaban por la cerbatana y lanzaban una espina no mayor que media aguja de coser mojada en veneno que en medio minuto paralizaba del todo a los gigantes rubios. Esas fórmulas encantatorias todavía se conservan en España y el sortilegio de los números capicúas viene de ahí, también. Los hombrecitos de España fueron los que difundieron la idea de un Lucifer cornudo y dijeron (para asustar a los grandes) que recibían de él su poder nocturno. Porque los hombrecitos actuaban de noche. Lucifer hundió continentes, asoló naciones y pueblos. Todavía algunos pueblos nórdicos creen en los hombrecitos y en su poder dañino.

Dijo Cagliostro que las Hurdes españolas están cerca de la entrada del infierno. No lejos de la laguna de Acherón.

En los *sbats* usaban —en el centro del círculo mágico —una olla con fuego. En la antigüedad, petróleo crudo encendido, y más tarde, alcohol. Ese era el origen del cáliz que se usaba por los druidas también y por los pueblos de Oriente. Un cáliz como el que llevó Spic al aquelarre.

Los tiempos a los que se refería Cagliostro al hablar de aquellos hombrecitos, que siempre bromeaban con un riesgo implícito en cada broma, eran muy anteriores a la aparición de Lucifer. De ellos vino más tarde la reminiscencia del duende y en la Edad Media, el enano bufón que se permitía insultar al rey era también una supervivencia. Había muchas castas de pigmeos en Europa, especialmente en el sur, y esos pigmeos eran maltratados por los hombres de talla mayor y obligados a vivir fuera de poblado en las colinas estériles y desérticas, en los valles sin agua, en las tierras peores. En España en las Hurdes, por ejemplo. Se dice que en Inglaterra los *elfos* robaban niños a veces, pero si se les trataba bien eran amistosos y en lugar de hacer daño a los grandes les ayudaban. En España iban a robar a las huertas y a los rebaños de los grandes, quienes, para evitar que las depredaciones fueran excesivas, le dejaban comida en aquellos lugares y los *elfos* la comían y en cambio y señal de gratitud dejaban talismanes u otros objetos mágicos. Los que comenzaron a cultivar la magia negra, es decir la adoración de Satanás, fueron ellos. La aparición de Baalzebuth asustó a los grandes también y su culto fue una gran ayuda para los pequeños. Cuando llegaron a imponerse como agentes de Satanás los grandes les tomaron miedo y muchos de ellos hicieron pactos de ayuda recíproca. En algunos casos los *elfos* se ponían al servicio personal de los grandes, especialmente de las mujeres. Y por medio de ellos llegaron a llevarse a cabo, a veces, venganzas tremendas.

De aquella corriente defensiva de los pequeñitos venía la mayor parte de la nigromancia. Los *elfos* eran vívidos, astutos, silenciosos, imaginativos y ricos en trucos y desde entonces la agilidad mental y la malicia van ligadas al culto de Satán.

Interesada, la princesa hacía preguntas y Cagliostro le respondía. Algunas órdenes religiosas antiguas como los templarios eran adictas al culto de la muerte y la resurrección, que en el fondo es el mismo del cristianismo aunque con los templarios es más primitivo, y adicto más bien a la magia blanca. La iglesia de Roma los persiguió por sus riquezas y los acusó de toda clase de crímenes.

La intervención de los templarios en la difusión y la consagración del mito del Graal venía de las formas primitivas míticas de los *sbats*. Del receptácuio central con alcohol o con otras sustancias ardiendo. Del recipiente, del cáliz persa con el cual se recogía el alcohol —agua de vida— del azúcar de la palmera. Aquello había tenido mucha influencia en el ritual de las gentes de los Pirineos españoles quienes seguían fieles, en parte, a las creencias anteriores a Baalzebuth

Los templarios usaban en el mar una bandera con la calavera y las dos tibias, símbolo que más tarde quedó como el de la piratería. Ese era en realidad el signo antiguo de la superación de la muerte y en general de la fecundidad. Correspondía en el norte al ave fénix de los egipcios. Hay una curiosa historia templaria en relación con eso. Una señora noble de Maraclea era amada por un templario señor de Sidón. Pero murió y fue enterrada. Tal era la fuerza del amor del caballero que fue al cementerio, abrió la sepultura y violó el cadáver. Al salir de la sepultura oyó una voz que decía: "Vuelve aquí dentro de nueve meses." El caballero volvió y halló entre los huesos de las piernas de su amada una calavera y dos tibias cruzadas. La señora muerta le dijo: "Llévalos contigo y guárdalos porque de ellos te vendrán grandes venturas". Y desde entonces venció el caballero a todos sus enemigos. Por eso la calavera y los huesos pasaron a ser la enseña de la orden que la hizo poderosa y rica.

—Esa historia —dijo Cagliostro— no es sino el ritual de la muerte y la resurrección visto desde fuera por algún individuo no iniciado.

Añadió Cagliostro que los templos de la orden tenían un basamento octogonal como el de Salomón, de Jerusalén. Tenía Salomón mucha importancia entre los cultivadores de la magia blanca —no la de Spic—. La reina de Saba que era la depositaria de la magia de oriente preguntó un día a Salomón: ¿cuáles son las tres cosas que salvan al hombre? Salomón contestó de un modo sibilino: "El báculo, la cuerda y el anillo". El báculo conduce al hombre a través de lo desconocido, la cuerda es la ligadura con la cual el candidato a la inmortalidad es atado y en cuanto al anillo simboliza la *vesica piscis* de la reencarnación. Roma hereda fraudulentamente el báculo del obispo, el círculo de los sacerdotes y el anillo de los jerarcas que son los mismos de los *sbats*.

Pasaron dos días más en la posada gustosamente aunque en los corredores el mesonero y el negro seguían peleando. "Para nosotros los ingleses..." decía el negro cada vez que discutía con alguien. Y aquella seguridad que el negro ponía en sus palabras ofendía al posadero quien lo llamaba *milord* y luego le daba un puntapié. El negro le decía a Cagliostro: "A mí me gustarían los franceses si no fueran tan *pegones*".

Spic pasó tres días en el palacio de la dama Águeda y el cuarto volvió a la posada y fue a cumplimentar a Lizaveta.

El mismo día llegaron varios campesinos de los alrededores que habían estado de caza y entre otros animales traían una liebre viva. Spic se acercó al que la llevaba y le dijo:

—Se la compro en veinticinco francos.

Era una cantidad notable, pero el francés alzaba su vaso en el aire y decía:

—*Tres honoré, monsieur*. Si quiere le invitaré a probar con nosotros la liebre asada, gratis. No le costará un *sou*.

—No se trata de eso. Se trata de evitar que sea sacrificada.

—¡*Ah, monsieur!* Entonces tiene usted que pagar cincuenta francos.

Pagó Spic, tomó la liebre por las orejas y fue a encerrarse con ella en su cuarto. El que se la había vendido eructó sonoramente y después, según costumbre en el sur de Francia, dijo: ¡*Vive l'Espagne!* Durante ocho siglos de ocupación musulmana de la península los árabes eran los únicos europeos que regoldaban.

Aquella noche estuvo Spic encerrado con la liebre y se le oía hablar con ella haciendo altibajos corteses y modulando las palabras amablemente.

Al día siguiente dijo a Cagliostro que llevaría aquella liebre a la Maladeta para soltarla y que aquél era el animal familiar y mágico de su señora. Oyendo aquello Cagliostro pensaba: "supersticiones beatas" Aprovechó una vez más la oportunidad para decir que el satanismo blasfemo era fracaso de la nigromancia y le respondió Spic, calculando con cuidado el alcance de sus palabras:

—Nuestra fe puede tener tantas ramas, iglesias y sectas como la de los meridianos. Y siento decirle que he sido consagrado *Templi Omnium Hominum Pacis Abbas.*

Lo pronunciaba de tal modo que se percibían las mayúsculas de cada palabra.

—Le felicito, —dijo Cagliostro con un gesto agrio.

—No tiene mérito porque me nombraron por el hecho fortuito de poseer el *cratalis.* El genuíno, es decir el *Graal.* Mi castillo es llamado todavía, por los montañeses de los dos lados de la frontera, el castillo de Gratal. Gratal y Graal es lo mismo y las palabras vienen de *cratalis* que es cáliz o copa en latín. Es decir que posiblemente el cáliz no es genuíno, pero lo es el castillo. Y ese castillo debía ser el lugar de las iniciaciones.

Cagliostro desconfiaba de su rival, quien estaba usando el argumento del Graal, caro a los oficiantes de los *sbats.*

—Espero que no trata usted de iniciar a la princesa, en su casa.

—No. En todo caso preferiría iniciar a la dama Águeda. Con su permiso.

Le dijo Cagliostro que para aceptar la autenticidad del Graal eran indispensables documentos u otros testimonios históricos. Spic asintió, dio un gran suspiro y dijo que por desgracia no los tenía.

El resto de aquel día transcurrió en amable coloquio con la princesa quien, sin darse cuenta, estaba tomando una cierta autoridad con el caballero de la Maladeta.

Cuando se retiraron a dormir Spic se despidió porque pensaba marcharse antes del amanecer.

Dormía bien Lizaveta, y le gustaba soñar porque en los sueños reía a menudo y nunca o casi nunca lo hacía despierta. Al amanecer se oyó fuera del hotel un gran estrépito de chistus, tamboriles y canciones a coro. Eran treinta o cuarenta campesinos con calzones azules cantando y bailando. Llegaban con ellos algunos *gathusains* y hasta un *gurrio* —así lo llamaban— con cinturón lleno de campanas colgantes y nariz azul de mono babón. El que parecía conducir la banda estaba borracho y se dirigía a todos llamándolos *hijos de puta.* "Eh, tú, borde —decía— pasa al otro lado, canta más recio y tú *filldepute,* cállate ahora". Después de tocar y cantar entraron en el patio. El director del coro puso en fila a sus huestes y los fue presentando al posadero según su manera: "Este es el borde Echevarría". Y apuntando al siguiente: "Éste es el *filldepute* Iparraguirre". Pero al llegar a uno que era bastardo de verdad vaciló un momento y lo llamó decorosamente por su nombre: "Este es ...monsieur Aldunate". El aludido salió de la fila y dijo en una especie de paroxismo:

—Llámame también borde y *filldepute* como a los otros.

Callaban todos expectantes. El gesto amenazador de Aldunate no admitía dudas y el posadero acudía a interponerse. Les dio vino y después se acercó a Cagliostro:

—Todos los años tal día como este hay algún hecho de sangre y estos hombres andan moscorros y todo es posible. Hablando de otra cosa mi casa es bastante honesta, pero tiene algunas habitaciones en la planta baja con salida disimulada *pour le passage, monsieur.* Yo no puedo negarme.

Con aquello le insinuaba que si quería un día hacer uso de aquellas habitaciones con fines libertinos podía llevar a ellas cualquier señora y le garantizaba la más completa discreción. Pero los vascos cantaban. Era el suyo un coro de veras angelical y el *filldepute* legítimo hacía unos solos de tenor admirables. Acababa la canción, que era de despedida, se fueron en busca de otro lugar donde cantar y beber.

Aquel día era domingo. Cagliostro no sabía los días de la semana cuando viajaba. El mismo día salieron en coche para Pau, no en la posta sino en otro que alquiló Cagliostro y que tenía buena suspensión y era tirado por caballos de sangre. El viaje se hizo sin incidentes. Por el camino la princesa hablaba y trataba de recordar la canción que los euscaros habían cantado. El cochero era vasco y la cantó para ella sin dejar de conducir el carruaje y acomodando el ritmo al de las colleras de cascabeles. Lizaveta pensaba: ¡oh, qué hermosa es la dulce Francia!

Llegaron a Pau, durmieron en el hotel de la Posta y al día siguiente salieron para Lourdes y Luchón. El viaje fue corto y entretenido. Era Lourdes una aldea triste como todas las de la montaña y neblinosa, pero el aire estaba fresco y era un placer aquella frescor.

Al llegar a Luchón se presentó en el albergue un criado con un mulo y dos caballos preguntando por el conde italiano. Era un hombre de mediana estatura, recio y adusto. Durmieron todos aquella noche en el hostal y el día siguiente a media mañana salieron para Torre Cebrera. El guía parecía tener prisa y daba a su mulo unos estacazos terribles.

Habían salido de Luchón casi sin cambiar una palabra y de vez en cuando el guía que iba delante hablaba consigo mismo, entre dientes, diciendo frases destempladas. Intrigado y receloso Cagliostro le preguntó qué le pasaba.

—Vuecencia —respondió el labriego— debe hacerse a la costumbre de mi mal genio. En el pueblo ya me conocen y a nadie le importa mucho.

Se llamaba Leoncio y tenía una cabeza tallada en roca y curtida por los soles y los aires de altura.

Una hora después de haberse puesto en camino Leoncio sacó vituallas de sus alforjas, ofreció a los viajeros y se puso a comer sin apearse del mulo. La princesa se extrañaba viéndolo comer con tanta voracidad.

Preguntó Cagliostro si no sería demasiado fuerte el sol de mediodía en aquellas alturas. Dijo Leoncio que a él no le molestaba el sol porque se conocían de antiguo, pero que ellos debían cubrirse el cuello y las orejas con algo si no querían cambiar la piel. No faltarían, sin embargo, brisas frescas hasta llegar a Torre Cebrera porque había nieve en los ventisqueros de la Maladeta y en aquella nieve se bañaban las brisas antes de bajar a la canal.

Después de un corto silencio el guía dijo a grandes voces:

—Ya vendrán, pienso yo, sus mercedes, escapando de la sarracina, digo de la sangradera de Francia. Parece que ahora están degollando a todos los que van a misa.

Le dijo Cagliostro que ninguno de los dos era francés y que habían pasado por Francia en coche y sin detenerse.

El guía miraba a la princesa extrañado de que la pobre no pudiera hablar español. Aquello le parecía una verdadera desgracia.

—Usted por lo menos —dijo al conde— habla cristiano como yo.

Quería Cagliostro encarrilar las confidencias del guía:

—¿De dónde viene el nombre de Torre Cebrera? Nombre raro, digo yo.

El guía se rascaba la rodilla dando lugar a la inspiración:

—Yo diría que ese castillo, según he oído comentar, lo levantó el demonio en una noche hace ya mucho tiempo. Cuando Santiago andaba por los caminos, allí durmió el apóstol una noche cuando iba a Galicia a fundar la ciudad que llevaba su nombre. Desde entonces Torre Cebrera, aunque la hiciera el diablo, es un lugar así como sagrado. De lo demás, digo del nombre ¿qué quiere usted que le diga? Un nombre vale tanto como otro y no es cosa de buscarle historias a cada nombre porque entonces ¿a dónde iríamos a parar?

—Ya veo. ¿Hay mucha distancia del castillo al pueblo?

—Menos que del pueblo al castillo. Quiero decir que aunque hay la misma si se baja al pueblo se echa hora y media y si se sube desde el pueblo a la Torre se echan dos horas largas. Cuesta arriba es diferente y el caballo saca chispas a veces de la pedreña con el trinquete del freno y la verdad es que anda el último tranco haciendo reverencias.

—¿Es usted criado en el castillo?

—No señor. Estoy a la que sale, porque tengo alguna pobreza de tierras labrantías también. No comienzan a granar hasta agosto porque es tierra alta. Y tengo que estar a la vista y meter la falce.

La princesa, miraba a su alrededor. No había visto nunca paisajes tan rudos y violentos. De vez en cuando la perspectiva cambiaba y cada vez era más salvaje y grandiosa. El pico de la Maladeta, con sus nieves perpétuas, quedaba a la izquierda.

Familiarizado Leoncio con los viajeros hablaba ya sin que nadie le preguntara:

—El año pasado estuvimos arreglando el camino de Aineto a la torre porque el señor marqués compró una carroza y ya se sabe: el coche es según el camino. Así pues gastamos más de trescientas libras de pólvora para allanar el camino. Le digo que fue un trabajo de Dios y ayuda.

—¿Al señor del castillo le gusta llevar a su esposa de paseo?

—No sé, pero ella no sale con la carroza nueva ni con la vieja. Se encuentra bien en Torre Cebrera y allí está conservada y tranquila como el águila en su nidal. ¿Qué sería de estas tierras sin la señora y el señor marqués?

Queriendo ver Cagliostro lo que el guía sabía sobre las costumbres de Spic le dijo que tenía noticias de que el señor del castillo no estaba. ¿Hacía mucho que había salido de Torre Cebrera? ¿Y dónde podía estar?

Leoncio lo miró con recelo como pensando: ¿no será posible que ustedes sepan donde está mejor que yo? Pero acabó por responder:

—Creo que salió para Francia a visitar al *musiú* de Montpellier.

Atendía la princesa al silencio de aquellos parajes grandiosos que se rompía a veces entre el cielo y la tierra con el graznido de algún ave de presa y pensaba: "Es todo esto tan hermoso que da miedo".

El guía había terminado de comer, pero no de beber,

Y alzaba la bota al cielo, saboreaba su vino tinto y disimulaba un eructo. Bajo las herraduras de los caballos el romero, la ontina y el tomillo despedían un olor exquisito. Lizaveta lo dijo y Leoncio explicó:

—Es que ahora huele mejor porque pisamos tierra española.

Extendiendo la mano señaló un cipo que había doscientos metros más atrás.

—¿Ven sus señorías aquél mojón? Allí mismo comienza España.

Comenzó a reir para sí y Cagliostro le preguntó de qué se reía. "De nada me río, señor." La princesa preguntó por qué no había pájaros por aquellas latitudes.

—Es tierra demasiado alta para las calandrias y los gorriones, pongo por caso. Los pájaros pequeños no encuentran grano para comer y además se cansan de volar más que en la tierra baja. También los caballos se cansan y por eso hay que dejarlos con su paso y que caminen aduncos según su conciencia. La tierra alta no es como la baja. Hay que dejar a los caballos en paz y no espolearlos.

—Pues usted bien castiga al suyo.

—El mío no es caballo sino mulo, hay que distinguir. En el monte lo mismo que en el valle el mulo es muy perro.

Volvió a reirse el guía como si sus propios pensamientos le hicieran gracia y explicó que siendo niño había arrancado el mojón que marcaba la frontera y lo había plantado doscientos pasos más adentro de Francia. Es decir que la había robado a Francia una buena faja de terreno. Y seguía riendo. Quería saber en qué países habían nacido los viajeros si no era un mal preguntar. La princesa dijo que en Rusia y que había mucha nieve en invierno.

—En Aineto tampoco falta, que cuando llega el mes de noviembre yo hago en la nieve un corredor hasta la iglesia para mi mujer y otro hasta la taberna para mí y venga jamón y vino y buenas chamarascas en la cocina hasta el mes de abril del año siguiente, si Dios quiere.

—¿Es que los hombres no van a la iglesia en su pueblo?

—No mucho. Y no es porque el cura no sea cabal, que

lo es. Y también buen cazador, mejorando lo presente. Liebre que va por aquellos contornos liebre que se puede dar por cazada y puesta al horno. Y el año pasado en verano, cuando yo estaba trabajando para Torre Cebrera un domingo, estaba el cura revestido para la misa y de espaldas contra el altar y miraba a la gente aguardando que estuvieran todos para comenzar. De vez en cuando el cura preguntaba: ¿Ha venido el tío Locertales? Y alguna persona le lecía: Sí señor, aquí está. Y así el cura iba viendo si estaban todos. Y también preguntó por mí. ¿Y el tío Leoncio? No, señor. Bueno, lo aguardaremos un poco más, que no puede tardar. Al rato otra que te pego: ¿No ha venido todavía? Y así pasaba otro rato hasta que aburrido dijo: "Vay, vay, ¡a joder! En nombre del Padre, del Hijo y del Espíritu Santo." Y comenzó la misa. Es muy campechano. Y para las liebres, ya digo: no hay otro.

—También sabrá beber un buen trago, digo yo.

Lo miró Leoncio tratando de averiguar su intención y como no lo consiguió decidió jugar sobre seguro:

—En bodas y bautizos es obligado. Porque aquí el señor cura suele ser el primero que goza de las fiestas honradas. La gente lo convida. No es como en Francia, que son anticristos y les cortan a los sacerdotes ahora el cuello por la cepa.

Cagliostro pensaba que el guía era un pícaro y no creía ni en Dios ni en la Iglesia. Los dos fingían sentimientos que no tenían, para inspirarse recíprocamente confianza. Poco después Lizaveta dijo que su caballo sólo quería caminar por el borde de los precipicios. Leoncio respondió gritando:

—Es que ese animal piensa que vuecencia, por ser mujer, no está acostumbrada a la silla de montar y quiere asustarla. A los animales les gusta pintarla como a las personas. Pero el mostrenco sabe muy bien que si caen los dos a la barranquera tan mal le irá al jinete como al caballo, así que vuesa merced se puede reír del animal y de sus mañas y mire palante y no tenga miedo.

Fue la princesa la primera que vio las torres del castillo al volver un roquedal. No tenía Torre Cebrera la gracia de los castillos construídos en los siglos XV y XVI,

Aquellos muros debían haber sido levantados por los visigodos y quizás antes aún, por los romanos. Tenían contrafuertes, torres cuadradas, una muralla doble que reptaba adaptándose al terreno. Se veía una puerta de piedra con el arco en forma de herradura y pensó Cagliostro, extrañado, que los árabes no podían haber llegado hasta allí y lo dijo. La princesa lo sacó de dudas:

—Es una puerta bizantina, ésa. Es decir, rusa.

Era verdad —pensó Cagliostro— que los visigodos habían llevado formas bizantinas a España. Y se dijo: Buen lugar ese para el misterio del Graal.

—En sitios como este —dijo ella, temblorosa— han nacido quizá las religiones.

—Ah, Lizaveta —replicó él sin énfasis alguno—. Un día verá que todas las religiones van a dar en lo mismo: magia negra. Para eso mejor estábamos con la magia blanca de los tiempos anteriores al cometa. Al menos esa es mi pobre opinión.

La mula de Leoncio se adelantaba con la querencia del castillo y el guía le tiraba del ronzal. Los caballos, en cambio, no tenían prisa y Leoncio explicó la diferencia diciendo que como el mulo estaba solo quería llegar a casa cuanto antes mientras que los caballos estaban juntos y gozaban de la compañía.

A pesar de las apariencias faltaba todavía un buen trecho. Cagliostro quería hacer hablar más a Leoncio:

—El invierno debe ser largo en estas tierras.

—Con vino y jamón se pasa el tiempo. La nieve abre el apetito. Una madrugada volvía de la taberna y serían como las dos y tenía hambre. Colgados de la chimenea estaban los chorizos y los otros embutidos de la matanza para que se orearan con el humo. Allí estaba también el *callar* que está hecho con el intestino grueso del cerdo dicho sea con perdón. Y yo le metí el cuchillo y desde la cama la mujer clamaba y clamaba y chemecaba y yo le decía: ¿quieres *callar?* Ella en sus trece, que si era tarde, que por qué no venía antes. Y yo con la misma también: ¿quieres *callar*? Y así me comí todo. Al día siguiente, cuando ella se dio cuenta, me preguntó, yo le dije: ¿No te acuerdas que te dije más de cuarenta veces si querías *callar*?

Reía Leoncio inocente y jocundo.

—¿Eso es todo lo que hace? —preguntó Cagliostro—. ¿No hace también un poco de contrabando con Francia en invierno? ¿Y en verano?

—Bah, poca cosa. Ahora mismo dejé en Luchón unas crietas de seda de Barbastro.

Al decirlo el guía tocaba maquinalmente el lugar donde llevaba el dinero, en un nudo que hacía con el extremo desflecado de la faja.

—Usted debe conocer los caminos, —dijo Cagliostro.

—De poco me vale en el invierno, que después de una nevada no hay cristo que sepa dónde se puede ir a pie firme y dónde no.

—¿Hay lamias en su pueblo?

Leoncio arreó la mula y en aquel momento los caballos parecieron también sentir la querencia.

—¿Si hay lamias? —dijo el guía con un acento casual y aburrido.

Tardaba en responder y entretanto Cagliostro explicaba a Lizaveta lo que eran las lamias.

El campesino hizo un preámbulo solemne y Cagliostro pensó que tal vez iba a contar algo de su propia vida, pero lo único que dijo era que en su infancia hubo dos casos de lamias envenenedoras, pero eran de Boltaña. En Aineto había sospechas, pero eran lamias de las buenas y una de ellas un poco pariente de él.

Se acercaban al castillo. Algunos de los accidentes en torno al castillo, que desde lejos parecían roca natural o accidente del terreno, se veía que eran también labor del hombre con la cual las proporciones resultaban más impresionantes.

Había dos cercos de murallas, el primero en ruinas. El segundo estaba bien conservado, con el remate dentado de almenas y guarnecido de torres.

—¿No se llama también el castillo de Gratal? —preguntó Cagliostro.

—Algunos lo llaman así porque está en la tierra de Gratal. Todo este territorio, hasta más allá de Boltaña, se llama Gratal.

XIV

La puerta principal estaba sobre un foso sin agua y lleno de hierbajos, que salvaron por un puente. Había dos porteros que habían sido puestos allí para la ocasión, porque en tiempo ordinario no hacían falta. Los viajeros fueron invitados a entrar en una sala baja muy grande que en tiempos había sido cuerpo de guardia. Había una panoplia en el muro con una rodela en el centro, dos alabardas, dos hachas y un enorme arcabuz horizontal.

En aquel sombrío lugar esperaron hasta que llegó con dos doncellas la esposa de Spic. Era una mujer alta, un poco encorvada, joven aún, pero envejecida por la soledad. Entró disculpándose: "Perdonen que les haya hecho esperar aquí y tengan la bondad de venir conmigo". Mientras hablaba extendió la mano hacia Cagliostro quien la besó reverentemente. Después, la castellana, observó un momento con disimulada extrañeza el vestido de Lizaveta, le dio la mano y los invitó a seguirla.

Sin dejar de hablar en francés salieron al patio central otra vez y fueron subiendo por la escalera de honor. Los peldaños de piedra eran de pendiente muy suave. La baranda, de mármol blanco, hacía sobre el granito gris un efecto delicado.

Arriba en el rellano había ocho o diez sirvientes en fila. El mayordomo, un viejo de calzón y medias de seda, se inclinó y rogó a los señores que lo acompañaran para llevarlos a sus habitaciones. La señora de Aineto dijo que los esperaba en el salón contiguo donde entró seguida del ama de llaves, una vieja de pelo blanco y hocico intrigante. En aquella sala había una mesa servida.

Los sirvientes fueron a buscar los equipajes.

Muchas de las ventanas del castillo estaban sin cristales y al parecer no los habían tenido nunca. A una de aquellas ventanas se asomó Cagliostro. Abajo se veía el foso. Cuando llovía (o en la primavera, con los deshielos) se llenaba de agua y luego tardaba en evaporarse. Casi todo el año había barro en el fondo.

Estaba el castillo sobre un escarpe bastante violento y su torre más alta tendría unos sesenta metros de altura. Había sido fundada por los romanos y se conservaban restos de calzada por la parte francesa. Era el *castrum* en su parte central de planta cuadrada rodeado de seis torres unidas por estrepaños (tres angulares y dos centrales). La sexta torre quedaba colgada sobre un abismo y estaba medio abandonada. En los torreones vigías anidaban los esparveres.

En su conjunto, el castillo, de tres pisos y bóvedas falsas, era de cierto valor histórico.

Las habitaciones que se destinaron a la princesa tenían tapicería de seda color rosa, cortinas de muselina y pantallas de vitela. La vitela de Zaragoza era la base de los lujos del caballero Spic y de su señora.

Pensaba Lizaveta que su palacio de Florencia era como una casita de muñecas al lado de Torre Cebrera. Se quería quedar allí todo el verano, si era posible. En cuanto al invierno no podía concebir la vida en aquellos lugares. Debían estar bloqueados por la nieve desde noviembre hasta mayo.

Las habitaciones de Cagliostro estaban cerca de las que habían dado a la princesa y cada uno tenía su servidumbre propia, bajo la dirección del mayordomo.

Se asomó la princesa a un ventanal y del alféizar saltó un águila con escándalo de alas batientes. Dedujo Lizaveta: "Las águilas están acostumbradas a que nadie se asome a estas ventanas". Al pie del muro se abría una terraza de sillería llena de sol amarillo. Estaba la terraza ligeramente inclinada para que la lluvia y sobre todo la nieve deshelada bajaran a las gárgolas y desagües.

Mientras miraba todo aquello la princesa pensaba en la señora de Spic, que parecía una figura tallada en piedra.

Se la veía muy sólida y bien centrada, pero por tal o cual gesto se podía adivinar de pronto alguna clase de posible desequilibrio. La influencia de Spic, tal vez.

La capilla tenía un ábside románico que mostraba en el tímpano un bajorrelieve mutilado: Cristo bendiciendo dentro de un nimbo entre dos signos heráldicos de los evangelistas: el león de San Marcos y el toro de San Lucas.

La iglesia era de una sola nave con bóveda de cañón, ábside de graderías y capiteles deslucidos por los siglos.

Cuando entraban en ella el mayordomo, disimuladamente, escupía en la pileta del agua bendita.

En cuanto al salón de gala había esbeltas jambas laterales y en el techo abovedado una pintura representando la batalla de los titanes y los dioses. En los dos lados de la sala cerca de las jambas de piedras desnudas, bustos de mármol. Uno parecía ser Voltaire. Otro, Dante Alighieri.

Tenía la señora de Aineto una apariencia reposada y amistosa y preguntó si el camino había resultado enfadoso y si les mareaba la altura. Respondían los viajeros amablemente y ella no oía lo que decían sino que atendía a hacer pequeños descubrimientos sobre el carácter del uno y de la otra por el gesto o el timbre de voz. Después de cambiar las primeras frases con ellos decidió que no pertenecían a las categorías de los *drôles* que solía enviarle su esposo. Miraba sobre todo a Cagliostro con un interés un poco impertinente. Dijo, respondiendo a un elogio de la princesa sobre el maravilloso silencio de la casa, que antiguamente tuvo muchas palomas, algunos millares de palomas todas negras y que con sus zureos y arrullos armaban un escándalo considerable, pero poco a poco los esparveres acabaron con ellas. Sólo guardaba algunas parejas de mensajeras, en grandes jaulas.

—Eso nos dijo el caballero Spic, —se apresuró a recordar Cagliostro.

La expresión de la castellana se congeló:

—¿Quién es el caballero Spic?

Lizaveta intervino para explicar que *monsieur* de l'Espinac les había rogado que lo llamaran así, pero la castellana, visiblemente irritada, parecía pensar: "Ya veo.

Me había equivocado. Estos viajeros son como los que suele traer mi esposo".

La castellana era más joven que Cagliostro y más vieja que Lizaveta. Delante de la castellana Cagliostro pensaba en aquellas damas aragonesas de la Edad Media a quienes los documentos de la época llaman *ricashembras.*

Ella se dirigía a Lizaveta e ignoraba a Cagliostro. El italiano pensaba: "Tanto orgullo está fuera de lugar y si supiera quien soy y la clase de relación que ha tenido conmigo en el pasado tomaría una actitud muy diferente." No era raro entre los tenebrosos aquel género de secretos aunque, más tarde, con el correr de los años los amantes anónimos e incógnitos solían reencontrarse e identificarse sin violencia.

No pudo evitar Cagliostro decir que Lizaveta era princesa imperial —lo dijo en español para que ella no se enterara— es decir, hija de la emperatriz Elisabeth y prima de la Gran Catalina.

—En España —observó la señora con una mirada afable— sería llamada infanta.

Volvió a hablar francés y a mirar a sus huéspedes preguntándose si los títulos nobiliarios de aquellos visitantes serían genuínos o no. La nigromancia de su marido creaba una horrible promiscuidad de clases y ella odiaba la confusión. Después de largas observaciones y tanteos decidió que la princesa podía ser legítima a pesar de su cayado de cerezo. Cuando la ricahembra tuvo que hablar de lo que sucedía en Francia dijo:

—Nuestra clase necesita una depuración expiatoria, hace siglos. Ha entrado mucha nobleza falsa y esa (sobre todo la del dinero) es la peor. Es la que ha atraído sobre nosotros las iras del populacho. Oh, después de tantos siglos de injusticia hasta la nobleza verdadera es culpable de un modo u otro.

—¿Usted disculpa el terror? —preguntó él.

Ella no se dignó contestarle. Llevó la conversación por otros cauces y habló de las excelencias de los caballos criados en *la canal* de Aineto. Producía caballos que se vendían bien en Huesca durante la feria de octubre y en Zaragoza y también en Toulouse. Subrayó la importancia que tenía en un caballo de silla haber sido criado en las tierras altas porque luego en el llano bajo tenían más resistencia que los caballos ordinarios. Entendía de caballos más que su marido —lo dijo con un gesto que pedía disculpa porque monsieur de l'Espinac se dedicaba casi exclusivamente a estudios históricos y religiosos. Con cierto humor Cagliostro quiso puntualizar:

—... ¿magia negra?

—Eso es, magia negra puesto que usted lo prefiere así.

Preguntó Cagliostro si ella se interesaba también en los estudios de su marido.

—No. A los hombres que estudian esas cosas los llaman sabios. Pero cuando es una mujer dicen de ella que es una bruja.

La miraba inquieto Cagliostro pensando que aquella mujer era una persona de presencia incómoda. Comprendía que él le daba una impresión parecida y los dos estaban nerviosos y en guardia. No sabiendo que decir, Cagliostro le preguntó si tenía hijos. Ella negó con la cabeza y después alargó el brazo hacia una ancha cinta que pendía del muro. Se oyó una campana lejos y casi al mismo tiempo apareció en la puerta con el bonete azul en la mano un pajecillo de unos doce años. Era un chico esbelto con melena rubia y expresión asombrada. Parecía una muchacha aunque sus movimientos eran afectadamente masculinos. Pensó Cagliostro que aquel infantuelo podría haber sido su hijo también. Le habría gustado que lo fuera.

—Acércate, Gil, —dijo ella.

El paje obedeció y se quedó con los pies juntos en actitud reverente.

—¿Es verdad —dijo ella— que anoche había luces en la torre del homenaje? ¿En la sala alta? Di la verdad a estos señores. ¿Qué es lo que has visto allí?

—Nada —dijo el muchacho después de vacilar un poco.

—No seas bobo. Ayer me dijiste que habías visto luces.

—Pensé que podría ser el resplandor del cáliz, pero luego vi que no era verdad y que era sólo el resol de la tardada.

—Bien, Gil, —y le ofreció la mano.

Hincó el paje la rodilla sin llegar con ella al suelo,

rozó con sus labios la mano sin besarla y se retiró de espaldas. La señora sonreía mirándolo:

—Es un sobrino, pero lo quiero como a un hijo. Los hombres cuando tienen esa edad son más nobles que nosotras y más honrados y más inocentes. Las mujeres nacemos ya mintiendo, alabados sean los dioses del Olimpo.

Y miró al techo donde aquellos dioses seguían combatiendo con los titanes.

Supuso Cagliostro que el paje le contaba a la señora fantasías de muchacho y luego no se atrevía a repetirlas delante de las personas extrañas.

Oyendo hablar a la señora Cagliostro pensaba: "Esta mujer la noche de su boda no era virgen. Fue mi amante inmediata después de su boda que yo bendije con una cruz hecha al revés con la mano izquierda. Fue la primera vez que dije mi conjuro: *Emen heta an*. Esta señora fue mía y ella no lo sabe porque yo llevaba una cabeza de simio puesta sobre la mía y ella tenía también su máscara *sabathiana*. Spic no sabía que el diablo era yo y sin duda no ha pensado nunca en mí como padre de su hijo muerto, de su pequeño hijo arrojado más tarde al foso".

Seguía con reflexiones parecidas en las que ponía cierto humor. Si le dijera a la rica hembra una frasecita al oído, una pequeña frase (que él recordaba bien), ella lo reconocería en seguida.

La señora seguía hablando:

—Este paje ha leído "Titurel". Ustedes saben que el Graal es un tema antiguo que todos los pueblos han tratado de un modo u otro. Y el paje se obstina en que ésta es la montaña de Montsalvat y yo la reina Ricarda. Cosas de chicos. Mi esposo en lugar de prohibirle esos juegos de imaginación se los estimula. La verdad es que hemos buscado papeles en los archivos de la torre vieja y hemos hallado cosas verdaderamente curiosas, pero nada serio. Yo creo que nada de lo que hay en este castillo merece realmente la pena ni como historia ni como arte.

Cagliostro dijo que era posible que el nombre de Cebrera fuera en sus orígenes Cervera y viniera del hecho de haber ciervos por allí.

Cambiando de tono preguntó:

—¿Cómo sube el agua hasta aquí?

—No sube sino que baja. Primero de las nubes, después de los ventisqueros.

—Ah, sí, —dijo Cagliostro—. El agua baja. Lo que debe subir es el vino.

—El que va usted a tomar lo suben en grandes odres.

El conde soltó a reír, impertinente, y ella se ofendió un poco.

La soledad de aquellos lugares, a través de los años, había trabajado la sensibilidad de la ricahembra y a veces tenía un ligero tic nervioso en el rincón izquierdo de los labios. Volvió a los temas impersonales y habló de las diferentes aguas de las cuales se surtía el castillo. Para el baño era mejor el agua de aljibe.

Seguían hablando las mujeres y el italiano aburrido, se levantó para asomarse a un balcón volado, luego se acercó a un estrado donde se veía un antiguo misal abierto con una cinta malva terciada. Cundo volvió al lado de las señoras preguntó con un acento evidentemente distraído:

—¿Entonces su esposo tardará en venir más o menos una semana?

—No sé. Suele extraviarse siempre que sale de casa. A veces tarda en hallar el camino del regreso. Esta vez irá a Bigorre a buscar a Pilar, supongo.

—¿Quién es Pilar? —preguntó el conde.

—La doncellica de Aix. Bueno, ella fue en Aix doncella de cámara de la duquesa de Besanzon y salió cuando los duques fueron arrestados por el comité de salud pública. Creo que los mataron. Yo la llamaba entonces *la doncellica de Aix,* pero ya no está en casa de los duques sino en Bigorre y el caballero de l'Espinac ha ido a cumplimentarla porque Pilar es Pilar.

—Eso lo creo yo bien —comentó el italiano volviendo a su humor ligero.

Pero la señora había decidido ignorarlo y se dirigió a Lizaveta. Algunas personas de Aineto, de Ainsa, de Boltaña, de Gistain, de Benabarre, aunque fueran pobres y a veces analfabetas tenían un pasado noble. Ellos mismos lo ignoraban y sin embargo en la inclinación reverente de los demás había una sombra de tradición.

Le extrañaba a la princesa oir hablar a la ricahembra con tanto respeto de una campesina que había servido de doncella y la castellana se puso a explicar:

—Las montañesicas de esta parte de los Pirineos aunque algunas no han hecho en su vida más que cuidar una vaca parecen hijas del rey Arturo. Pilar es pariente nuestra, además. Es prima del pajecico que han visto ustedes. No sé en definitiva si mi esposo la traerá, porque depende de ella.

—Yo si que lo sé. —dijo Cagliostro con humor—. Supongo que la doncellica de Aix, como la llama su esposo, puede si a mano viene presidir un día los *sbats* de Torre Cebrera.

—¿Qué *sbats*?

—Los del Tenebro, como dice el caballero Spic en su libro.

—Repito —protestó ella, gravemente— que en esta casa no hay nadie con ese nombre. Mi esposo es el caballero de l'Espinac.

Añadió, levantándose, que estaban en su casa y que tendría el placer de verlos a la hora de cenar.

Salió visiblemente contrariada. Cuando se quedaron solos la princesa le dijo a Cagliostro:

—Tendrá usted que darle explicaciones.

—Es verdad —dijo él, riendo—. Pero no sé cómo. La verdad es que Spic ha pensado en traer los *sbats* de Limoges a su castillo y eso me parece desleal. Además no está calificado para hacer cambios como ese. Reconozco que todo eso me irrita.

Se extrañó Lizaveta de verlo profesionalmente celoso de Spic, se lo dijo y Cagliostro lo aceptó de mala gana. Luego añadió que los *sbats* lemosinos de los que Spic hablaba imprudentemente en algunas reuniones no se celebrarían nunca en aquella casa, si él podía evitarlo.

—España no es país para los *sbats*. ¿Ve usted que estamos tan cerca de Francia? Pues el cambio es ya completo. Los hombres, las mujeres, las piedras labradas, las tradiciones y hasta el paisaje nos exigen reverencia en nombre de Baalzebuth. De mí no la tendrán. Le juro que no la tendrán Y menos esta vieja señora y su marido.

Pasó Cagliostro el resto de la tarde recorriendo el castillo y sus cercanías.

El día siguiente Spic salió a caballo de Luchón de regreso al castillo. La mañana era soleada y Spic decía viendo la cadena pirenaica, blanca de nieve en los lados, que daban al norte: "Estas montañas fueron el hogar de mis abuelos y debían ser el de mis hijos si los tuviera". Lo bueno era que se había familiarizado realmente con los Pirineos sólo desde que salió de España. Mientras vivió en aquellas regiones apenas si supo nada de ellas. Sólo sabía que el aislamiento era un privilegio y que debía usar de él por largos períodos.

Gran parte de su conocimiento de los Pirineos lo aprendió fuera de Torre Cebrera. Incluso aprendió cosas sobre sí mismo (sobre el lado materno de su familia, el lado de los Aranda y del marquesado) en Londres, Boston, Nueva York, Escocia. En libros, o manuscritos polvorientos. Los Pirineos eran una cordillera tan vieja como el planeta y los Aranda habían sido alguien en la vertiente española de aquel macizo verde al norte y gris y árido en el sur. Y algunos sabios habían escrito sobre los habitantes de los Pirineos. Spic había perdido el nombre de Aranda en un matrimonio *transversal* —así decía él— de su abuela, pero seguía siendo fiel a su sangre materna.

A través de muchos años de lecturas, reflexiones y memoraciones llegó Spic a saber algunas cosas de aquellas montañas. No pocas de ellas humorísticas, es decir con una tradición comicosiniestra. Por ejemplo, al nombre de los Aranda iba adscrito un animal totémico: el jabalí. Aquel jabalí aparecía en las enseñas antiguas vilenado, es decir con los atributos sexuales marcados, aunque en los blasones más modernos, por bien parecer, se había suprimido el falo que en la antiguedad parecía haber sido lo más importante. Lo curioso es que Spic acababa de leer un libro sobre tribus indígenas australianas que hablaba de los Arandas de Australia, tribus primitivas (coincidencia casual) con el mismo nombre de la familia del abuelo materno y con costumbres parecidas quizás a las que los europeos montañeses del paleolítico debieron tener. Al nombre de los Aranda iba, pues, adscrito también un falo, aunque no de jabalí sino de gato montés y aquello hizo reír a Cagliostro cuando un día se lo dijo Spic.

La verdad era que allí donde aparecía el falo como señal determinante de una dinastía o linaje familiar había habido ritos con danzas alrededor del poste y con sacrificios humanos. Es decir, sangre humana vertida. En Australia o en los Pirineos o en Cirenaica. No era sólo, pues, cosa de risa aunque el tiempo en que vivían parecía autorizar aquellas extrañas contradicciones. La danza de cintas de los vascos alrededor del poste eran todavía lo mismo.

El falo primitivo no se adoraba, sin embargo, ni se bendecía ni se exaltaba. Se cantaba nada más. Y la canción se llamaba así: *el falo*. Había que cantar *los falos* del atardecer y los del amanecer. Así lo hacían los Arandas de Australia. Pensando en eso recordaba que todos los Pirineos aragoneses habían sido de cultura vasca en un pasado remoto y creía ver a la abuela materna de Espinac dando vueltas al poste con la cinta en la mano al son de un tamboril y una flauta.

Spic pensaba que, en un remotísimo pasado, otros Arandas vieron a su gente sentada en torno al poste de los vascos. Sentados y cantando. A fuerza de cantar y de hacer movimientos rítmicos inclinando el cuerpo a la derecha o a la izquierda llegaba un momento entre los de Australia en que el poste se convertía en el primer Aranda que hubo en el mundo. Y allí estaba quieto, vertical y encendido. O al menos iluminado. El símbolo del jabalí vilenado, propicio a la tribu. No un Aranda cualquiera, sino el mejor de ellos, el primero ante el cual todas las mujeres debían caer rendidas según el ritual. Esto sucedía hoy mismo en Australia y algo parecido pudo pasar en los Pirineos, hacía treinta mil años.

No era que Spic tomara aquellas cosas demasiado gravemente porque, en realidad, no veía manera de hacerlas enlazar con su nigromancia. Pensando sin embargo en sí mismo y en sus experiencias por el mundo se burlaba a veces de su poste tribal, de los falos cantados australianos y también de su padre a quien había considerado siempre un excéntrico peligroso.

Pensando en su situación presente en Torre Cebrera

se decía Spic que el poste fálico de los Aranda, si lo hubo en la edad paleolítica, llegaba a iluminarse con la luz del relámpago en las tormentas del verano igual que sucedía actualmente con los Aranda de Australia. Y cuando se iluminaba quedaba en él, según la tradición de los australianos, un poco del fulgor del cual dependía ya en el futuro la virtud masculina de los Arandas. Es decir de los *arandas,* porque se los llamaban así, con minúscula, como si se trtara en Australia de una especie de animales genéricos, no difecenciados aun por nombres propios. Los *arandas.* Cuando el poste fálico quedaba revestido de luz como los mástiles de algunos barcos, entonces todas las mujeres se acostaban en tierra, con la cara pegada al suelo —nariz aplastada— en un círculo perfecto como figuras irradiadas del poste mismo. Todas caídas simétricamente y enamoradas del poste. Enamoradas hasta más allá de la muerte, según Spic. Cada una decía una palabra, una sola palabra. Según las traducciones que Spic había hecho de aquellas palabras australianas eran, entre otras: moza - fámula - coima - tata - doméstica - estribera - añera - escudera - masera - armijera - pajuncia - camarera - cubícula - asistenta - nana - trinchera - copera - aya - cebadera - escañera - reclamera trainera - casera - mandadera - zagala - cendaya - chacha. Todas estas palabras —sus equivalencias australianas— llevaban consigo una atribución sexual y una calificación y un nivel en relación con el poste. Había muchas más palabras aunque de carácter más bien social y utilitario que sexual. En todo caso cada mujer decía su palabra en relación con su propio estado, situación y distancia del poste.

Ninguna de ellas —de las que se acostaban en torno del poste australiano— debía estar preñada, todavía. Estas ocupaban otro lugar alrededor del otro poste coronado de plumas que mecía el viento y en las cuales las noches de luna, según los movimientos y los juegos de luz, se podían hacer profecías. Los arandas pirenaicos ignoraban que todo eso pasara al otro lado del planeta, menos Spic que se había dedicado a curiosear en los pueblos primitivos de Australia como si se tratara de un problema que le incumbía personalmente.

Llegó a la vista de Torre Cebrera, pero en lugar de ir

allí se desvió y fue a Aineto a ver a Pilar que había llegado dos días antes.

Todavía desde Aineto bajó Spic a Boltaña.

Entretanto y en el castillo, Cagliostro volvía a pensar en los templarios. Fueron ellos los primeros que hicieron uso del mito del Graal identificándolo con la olla de fuego de los celtas igual que éstos habían identificado su olla con el fuego generador de los hombres en la lejana prehistoria. El cáliz de los templarios estaba siempre encendido en el fondo de sus baluartes y lucía en la oscuridad.

En todos los países las brujas reverencian la copa, la olla y el cáliz. Sin necesidad de recurrir al aquelarre ni a la misa negra. Es un hecho curioso que la iglesia no ha prohijado nunca ni autorizado la historia del Graal, aunque no ha podido impedir que se haga popular. La primera versión apareció entre 1175 y 1225 y era la versión cristianizante de los cultos prehistóricos de la fecundidad y de la abundancia. Y también del rito de la calavera y las tibias, es decir de la reducción de la muerte a su verdadero carácter de elemento fomentador de la vida. Porque esa era, en el fondo, toda diferencia entre la doctrina de Cagliostro y la de la iglesia de Roma. La primera hacía que la muerte sirviera a la vida no a la vida eterna sino a la física y temporal.

En las diferentes historias del Graal éste aparece unas veces en una forma y otras en otra, pero siempre es un talismán propicio y milagroso. En las primeras versiones aparece ya ese objeto mágico en un castillo de los Pirineos y finalmente se le sitúa en Montsalvat que quiere decir precisamente lo contrario de Monte perdido. Esa semejanza por oposición le daba que pensar a Cagliostro.

No solía Spic poner énfasis en esas circunstancias, ya que no podía probar documentalmente ninguna de sus aprensiones. Lo que halló fue algunos manuscritos antiguos, como el de Merlín y el del falso Turpín, donde se aludía a ese Graal como objeto de un culto primitivo. En Merlín hay una procesión del Graal que pasa a través de un bosque cantando: "Honor y gloria y poder y duradera y perpétua alegría al destructor de la muerte". Y más tarde: "Honor y gloria eternas al destructor del miedo de la muerte". En el *Parsival* de Wolfram von Eschenbach el famoso cáliz es una reliquia bajo la protección de los templarios, quienes a su vez son elegidos por la reliquia misma (proceso circular, mágico). En ella aparecen escritos los nombres de los futuros guardianes, cuando son niños. Del mismo modo la reliquia elige una doncella para esposa del rey, la única posible.

Ese antiquísimo poema de Eschenbach tenía antecedentes celtas y galeses en leyendas anteriores y otros dioses con nombres como Diu Crone y Gawain, a través de los cuales ligaba la leyenda del Graal con los mitos prehistóricos de la fecundidad en todo el occidente europeo. Como en nada de eso aparecía el diablo —aunque la iglesia de Roma creyera haber visto en el mito del Graal el recuerdo de un culto fálico— el caballero Spic no daba a todo aquello demasiada importancia.

El mayordomo, a quien Cagliostro halló en un corredor, le dijo que el castillo había pertenecido en el siglo XIII a los templarios.

Tenía miedo la princesa a asomarse a los grandes misterios, pero impresionada por aquellas palabras preguntó de dónde venía realmente la idea antecristiana del Graal y Cagliostro le dijo:,

—Sería largo de explicar. En definitiva el cáliz es la última forma que adopta el árbol de la ciencia del bien y del mal, creador de la muerte. El árbol del paraíso terrenal, ¿comprende? Ahora bien, en el líquido alcohólico que produce el árbol —la palmera, la vid— está el secreto de la inmortalidad. El *agua ardiente* de los españoles, el *eau de vie* de los franceses, el soma de la embriaguez vital fecundadora que todos los antiguos consideraban divina.

Fueron el italiano y la princesa recorriendo los diferentes patios del castillo y sentándose a menudo porque ella se fatigaba. Charlaron hasta la hora de la comida en que el mayordomo acudió a decirles que la señora los esperaba.

La cena fue elaborada y grave. Tenía que controlarse Cagliostro con cuidado para no dar a su galantería tonos impertinentes. Así y todo la castellana ponía entre los dos el dique blando de la falsa afabilidad. No daba importancia a Cagliostro para bien ni para mal. Lizaveta condujo el diálogo de una manera ligera y sin asperezas. La castellana sonreía a Liza, pero tenía para Cagliostro una máscara congelada. Él se daba cuenta y bebía su buen vino tinto —que subía al castillo en odres y no en botellas—, en silencio.

El mayordomo servía y el pajecico se ocupaba exclusivamente de su ama. Después de los postres se retiraron los sirvientes y la conversación se hizo más íntima. Cagliostro parecía aburrirse mientras las dos mujeres cambiaban observaciones y comentarios. A veces la princesa se dirigía a Cagliostro para atenuar el aislamiento al que lo condenaba la ricahembra.

Aquella noche se retiraron pronto y durmieron bien.

Al día siguiente estaba Cagliostro otra vez con sus curiosidades renovadas y su manía ambulatoria. Pasaba cerca de una galería cerrada con cristales donde estaban la señora y el paje y oyó un fragmento de diálogo:

—Niño, —dijo ella—. Tú vienes de un cisne. Mira, tienes el cuello largo, el color blanco y los ojos apartados como el cisne.

—No tengo pico.

Ella le cerraba con el pulgar y el índice los labios y apretando un poco formaba un saliente rosado. Entonces decía:

—Tienes un pico, Gil. ¿No ves que tienes un pico?

Y le hablaba de la historia de Parsifal. El chico pensaba: Ah, eso es otra cosa. La castellana recitaba en francés de siglo XII unos versos que decían:

Mais ne lor convendra avoir nule cremanche
ja n'ierent abatu par escu, ne par lanche,
se del chisne ne vient la première naissance...

La señora bromeaba con aquello y el paje se ofendía, aunque disimulaba, porque con ella nunca tenía derecho a enfadarse. También le permitía Gil alguna falta de respeto a Pilar. Su prima Pilar, la doncellica de Aix, podía hacer lo que quisiera y siempre estaba bien, para Gil. Incluso arrojar el bebé al foso. Aunque de eso el paje no sabía nada. Spic y su esposa le ocultaban las cosas que habrían necesitado explicaciones difíciles.

Aquella noche el mayordomo enseñó a Cagliostro algunos documentos de la baja Edad Media, entre otros una relación fechada en 1283 de lo sucedido en las cortes de Tarazona y de sus acuerdos en relación con la conducta del rey Alfonso III. La respuesta real estaba allí también y decía arrogantemente que *agora no hi quería ni hi auia mester lur conseillo.* Luego añadía tratando de contemporizar y aplacarlos, pero negándose a confirmar sus privilegios y fueros que *no era tiempo de facer tal demanda, que ell entendía dar batalla a los franceses* etc.

Aquello no tenía gran interés. Insistía el mayordomo en que uno de los antepasados del caballero Spic, fundador del condado, se había alzado y refugiado en Torre Cebrera y allí se hizo fuerte cuatro años dejando al mando del castillo (en las ocasiones en que tuvo que salir para la Francia natural) a una hermana suya revestida de cota y yelmo que hizo su deber como un hombre y aún mejor.

Escuchaba todo aquello Cagliostro bastante desinteresado y pensando en la mujer de Leoncio que era, según había oído, una lamia con pies de oca.

Pocos días después estuvo Cagliostro a verla (Leoncio había bajado a Boltaña a comprar vitelas) y ella le dijo:

—Si quier vuesa mercé ir a la val d'Onsera puede apalabrar a Simona la del brazal del Omprío, qu'elle fabla con los onsos, pero mire qu'iza muller es larga de raixons e corta de feitos e non vaya a pasarle lo que a la ronda de mosen Luesias, qu'aprestando e adobando los laudes se les manesción.

Dijo Cagliostro que no tendría tiempo para tanto ya que la val d'Onsera caía lejos y la mujer lo miró al soslayo con una expresión irónica y dijo:

—Puede ir matiando a caballo y encorriendo los animales monteses, que los hay por castigo y así no se le malmeterá la jornada.

—¿Qué animales?

—Chabalins paneceros. Con o diente dos chabalins y o xebo chervuno se curan por estas valles as vacas.

Lo decía sin dejar de sonreir irónica y de mirarlo al

soslayo. Cagliostro, que veía en aquellas mujeres tipos reminiscentes de las sacerdotinas históricamente anteriores a Tartesos en España y a Salomón en Levante, decidió que necesitaría vivir años enteros en aquellas alturas para comenzar a poder deslindar la magia blanca primitiva (la de las brujas hermosas) de la magia negra, es decir de la que cultivaba Spic en la cual las brujas volaban en un palo de escoba. Cuando más indeciso estaba sobre el viaje a la Val d'Onsera la mujer de Leoncio le dijo:

—Tres de mis vacas le daría yo a su mercé por que me dixera qu'es lo que busca en la Val d'Onsera. Pero pienso queixo es tocar a ñublo.

Esta última expresión no sabía Cagliostro lo que quería decir y como preguntara al paje éste le dijo que representaba la imposibilidad de alguna cosa. Solían *tocar a nublo* es decir a nublado para evitar que las tormentas cuando empezaban a formarse descargaran en las pocas huertas de Aineto y que con el pedrisco se arruinaran los árboles o las hortelanías en flor. Lo que era del todo ineficaz y sin consecuencias.

Más tarde supo Cagliostro que había lamias que hablaban con los osos a la puerta de sus madrigueras y que éstos contaban siempre cosas entre trágicas y cómicas sobre pasiones y celos. De aquellas cosas tremendamente dramáticas y grotescas a un tiempo venía la expresión "hacer el oso" que en tierra baja se decía de los enamorados transidos, es decir *en trance* y de los que entendían el amor como una fatalidad donde lo humano y lo divino se mezclaban y confundían. Es decir el amor a lo divino expresado y compartido y gozado en términos de alcoba.

Se decía *hacer el oso* porque aquellos amores solían acabar en catástrofes con motivo de las cuales unos lloraban y otros reían. Y eran siempre más los que reían como suele suceder cuando las cosas de este mundo se sacan de quicio.

—A más —añadía la mujer de Leoncio—, que como dixo el otro hay vegadas que no queda onso en el cado o que se ha muerto y el cado pude a carnuz. Y entonces se puede clamar y clamar, que nenguno responde cosa.

Dudaba Cagliostro si hacer o no el viaje a la Val d'Onsera. Y pensaba en Pilar. Imaginando a Pilar virgen calculó Cagliostro más de una vez que sería una buena adquisición como presidenta del rito de la fecundidad y de la fertilidad en los *sbats*.

Veía con gusto el italiano que la señora y Lizaveta hacían buenas migas y se estaban largas horas hablando. La señora parecía no dar mayor importancia al terror revolucionario de Francia. Morir por morir la guillotina no era cruel y la muerte en definitiva no era una desgracia. Lizaveta consideraba aquella despreocupación de la guillotina como un signo de verdadera aristocracia.

A veces le hacía preguntas en relación con el caballero Spinac sin malicia alguna y sólo con una curiosidad afable, pero la esposa se quedaba muda como una muerta y cambiaba después el curso del diálogo. Se veía que, por encima de cualquier circunstancia, velaba por el respeto de Spic. Tanta firmeza extrañaba un poco a Lizaveta, pero no le parecía mal. Sin embargo tenía la impresión de que la ricahembra ocultaba algo. Su verdadero carácter debía ser otro del que mostraba.

Envidiaba Cagliostro a Spic, que vivía entre Francia y España y al margen de la ley española o francesa. Los *sbats* lemosines se celebrarían mejor allí, sin duda, pero nunca bajo la iniciativa de Spic. El Graal no debía pasar a ser una reliquia satánica, sino mantenerse como amuleto precristiano de la fertilidad universal y de la inmortalidad. Lo que era realmente.

Aquel símbolo — pensaba Cagliostro — unía a los hombres del siglo XVIII con los primeros pobladores de las cavernas cuya principal preocupación era hallar una síntesis entre la vida y la muerte y entre la sombra y la luz. Creían haberla encontrado cuando descubrieron el fuego y trataban de articularla con el mito de la olla ardiente y de las danzas en círculo. El Graal era la última reminiscencia histórica de todo aquello.

Con el Graal algunas órdenes habían tomado a su cargo a principios de la Edad Media la conservación de aquellos misterios primitivos. La iglesia de entonces los persiguió y exterminó a sangre y fuego, especialmente a los albigenses y a los templarios.

Había en Torre Cebrera un recinto interior (tal vez el más secreto) al que llamaban *aedicle, aedicula o monimén* (esto último en viejo francés por *monumento*). También a veces la señora llamaba en aquel lugar la *espelunca* y al oírlo la princesa sentía escalofríos. El conde la invitó un día a ir y Lizaveta se apresuró a decir que no, sin disculpa alguna y sin dar las gracias.

Como Cagliostro se quedara un día un poco sorprendido oyendo aquel nombre —*la espelunca*— la señora lo condujo a un lugar donde había un viejo cuadro y detrás de él una alacena en el muro de la cual sacó un pergamino que comenzaba: "*Spelunca in domini corporis sepulcrum conversa...*"

En la comarca dominada por el castillo había signos raros y no sólo en las cosas sino en los seres vivos. Por ejemplo, el paje Gil tenía un tío ermitaño con fama de milagrero. En la tierra baja, es decir en el valle, o como decía Gil, en *la Val.* Por lo que oyó Cagliostro dedujo que aquel ermitaño debía ser una especie de mendigo. Un mendigo religioso, un faquir o un derviche cristiano.

Se había propuesto Cagliostro ir a ver al ermitaño tío de Gil. Según el paje no era tío sino bisabuelo. Por fin fue Cagliostro acompañado del pajecico montando sendos caballos. El de Gil era la jaca de Pilar que ella no solía prestar nunca a nadie, porque decía que se resabiaba.

Por el camino Cagliostro y el muchacho fueron hablando de cosas sin importancia en relación con las costumbres del país. Hablaba el chico de los campesinos como de gente inferior, pero merecedores de respeto. De una especie de respeto territorial que tenía que ver algo con el paisaje, con las montañas.

—¿Hace mucho que tu bisabuelo está en la ermita? ¿Cómo, sesenta años? ¿Y por qué se le ocurrió ir allí?

—Peccatis exigentibus, —respondió el niño con inocente pedantería.

¿Cual sería el pecado del ermitaño? Parecía dudar el paje antes de decirlo y no por razones de discreción sino porque no estaba seguro de que fuera verosímil. Había por medio un hombre muerto y una mujer abandonada. Y onzas de oro. Como Cagliostro no insistió, el paje decidió no decir nada y se limitó a explicar que algunos pensaban que el viejo estaba un poco loco. Él creía que no, que era un santo. "Es verdad que casi todos los santos parecen estar un poco tocados", añadió.

—¿Y de qué vive? —preguntó Cagliostro.

Dijo el paje que tenía alguna tierra labrantía y aquella tierra le daba una renta de dieciséis hogazas de pan cada tres meses y seis libras de tocino. Además, a veces el ermitaño bajaba a los pueblos de la val con una imagen en una pequeña hornacina y vendía *midas,* es decir, cordoncillos —el cordón de Salomón— que ponía en la muñeca de la gente o en su cuello. Entonces le daban limosnas para la ermita. Él las gastaba en vino y agarraba una especie de borracheras medio místicas. Las *midas* eran unos cordeles finos de lino, pintados de colorado y blanco, alternados. Servían para tener hijos machos y para que las vacas parieran, por el contrario, chotos hembras. También para que la espiga granara mejor. Cagliostro repetía para sí, complacido: el cordón de Salomón y la embriaguez —rito órfico— lo ponen del lado de la magia de los *sbats.* Aquello le parecía bien.

El muchacho iba a ver al ermitaño en tiempo de fiestas y él lo llamaba "rabadán" porque en los *dances* hacía ese papel.

En fin, llegaron a la ermita, que era de piedra románica, bien conservada, con arcos labrados y atrio solemne. Había en las molduras del pórtico nidos secos de golondrinas, pero estaban vacíos porque no era la época de la cría. El chico le dijo:

—Mi tío abuelo, digo, bisabuelo, siempre barrunta mi llegada.

Se oyó dentro de la ermita la voz del anciano:

—Entra, rabadán, pillo, que a mí no me engañas.

Salió a la puerta. Vestía el ermitaño como los demás campesinos, camisa de mangas abullonadas y una especie de calzones o zaragüelles. Sin mirar a Cagliostro habló:

—¿Es la yegua de Pilar? Ya decía yo. El caballo tuyo —añadió dirigiéndose a Cagliostro— es también de Torre Cebrera. Yo conozco todos los caballos de la canal de Aineto por el portante.

Gil le preguntó si necesitaba algo porque iba a bajar al pueblo a ver a Pilar. El viejo dijo que no y el paje salió al galope sacando chispas de las pedreñas.

—Monta como un mejicano, ese demonio —dijo el anciano, satisfecho—. Y no es para menos siendo quien es.

—¿Quién es? —preguntó Cagliostro, intrigado, desmontando.

—¿Quién ha de ser? —respondió el viejo, evasivo.

Entraron y se sentó Cagliostro cerca del viejo. A medida que se acostumbraba a la penumbra de aquel lugar iba Cagliostro observando detalles del ajuar de la ermita. En un rincón había una calavera y dos tibias cruzadas. Se llevó el italiano una gran sorpresa y quiso hacer la prueba de los *sbats*. Como al azar cruzó los brazos en aspa sobre su pecho y el ermitaño lo miró con ojos a un tiempo risueños y profundos. Era como si dijera con la mirada: menos mal, que este hombre conoce también el saber antiguo.

—¿De dónde vienes?—le preguntó, pero pareció arrepentirse y añadió: —Bueno, no me lo digas. En los cuatro puntos de la estrella marina se puede conocer la verdad.

Recitó el ermitaño en idioma de otros tiempos —cuando los gabachos y los ribagorzanos de arriba o de abajo hablaban lo mismo— estos versos:

Une si grant clartez i vint
qu'ainsi perdirent les chandoiles
lor clarté, come les estoiles
quant li solauz lieve ou la lune.

Y añadió: "Yo tengo candelas en un candelero que me dio mi pariente el señor de Aineto. No este, sino su padre. Pero cuando sale el sol las candelas de Torre Cebrera no valen cosa". Añadió que sabía muy bien de donde venía Cagliostro y que traía el camino de Navarra. De Zugarramurdi.

—¿Le parece mal, eso?—preguntó Cagliostro.

—Ni mal ni bien, hombre —dijo él con una indiferencia verdadera—. ¿Qué más tiene?

Pensaba Cagliostro que tal vez aquel viejo cultivaba

los ritos primitivos sin saber nada de los *sbats* y estaba al servicio de una virgen-madre-diosa (la Virgen del Pueyo) que prefería la felicidad de los hombres a su ascetismo y miseria. Le preguntó si el obispo de la diócesis le autorizaba a estar en la ermita. El santero dijo sonriendo con los ojos (la expresión de los labios no se veía bajo las barbas):

—Yo doy *midas* de la sierra de Guara y nueces de tres esquinas y palabras de conocimiento que me han venido de los antiguos. Esta ermita se construyó en el año de gracia de 1138 y la construyó un monje de San Veturián que se llamaba Pedro y la ermita la consagró quieras que no un obispo de Roda que se llamaba Ganfrido II en 1140, el tres de mayo, día de la Santa Cruz y de lo que aquí llamamos el árbol de la vida que rechita. Porque la cruz es más que cruz y fue antes que la cruz como tú sabes. Y allá abajo está la fuente de la Pedreña y allí por la noche se escuchan voces en idiomas que no se entienden ahora. Otros dicen que son las rabosas y podría ser, que me lo han dicho los raboseros. Puede que el ermitaño Pedro fuera allí a cantar sus canciones de otros tiempos en un habla diferente de la que ahora se estila. Porque en la peña que hay detrás, en ese montizo de roca que se llama el Turbón, allí acuden todavía las lamias las noches de luna y hacen marmitas para el fuego de la noche de San Juan y allí también enzurizan a las cabras montías, digo las que traen avisos antes de que llegue la tronada. De verdad. Ellas avisan al hombre con el chuflo cabrío. La pedregada la manda quien puede, pero ellas avisan con tiempo.

El árbol de la cruz —y de la vida— al que se refería el viejo venía del otro —el de la eterna renovación vital— representado por el de Sobrarbe (con una cruz encima, una cruz de fuego, un rayo). El árbol mediador entre el cielo y la tierra y el fuego mensajero que bajaba en forma de cruz. El ermitaño no sabía nada de aquello, pero lo sabía Cagliostro. El ermitaño *lo practicaba* por tradición.

Pensaba el italiano que no había perdido el viaje. Por si aquello fuera poco resultó que en la ermita había palimsestos con versos latinos rimados que debían ser anteriores a Pedro, el primer ermitaño.

Se puso Cagliostro a copiar algunos viendo que el ermitaño se adormecía; y después al verlo despierto comenzó a hablarle de Spinac y de su esposa la castellana.

—Estoy viviendo en el castillo — comenzó.

—¿En el Cebrero?

—En el castillo.

—¿Y por qué vive en el Cebrero?

—Me invitaron y he venido a pasar algunas semanas.

—¿Le invitaron?

—Eso es. Me invitaron y he aceptado y estoy viviendo allí.

Repetía sus palabras porque daba la impresión el ermitaño de estar distraído y de tener una atención difícil de fijar. Repitió una vez más:

—El caballero de l'Espinac, me invitó.

—¿Cómo dice?

—Espinac.

Entonces pareció que la atención del viejo se concentraba de veras y se puso a hablar con vivacidad.

—¿Los marqueses? Esos son dos retoños de una casa antigua con franquicia de reyes y son parientes, digo contraparientes míos por una hermana, pero no tienen hijos. Una hija tuvieron y la guardan metida dentro de una botella. Viven en el castillo de Gratal y allí había en tiempos una patena antigua donde se ponía el vino o el espíritu de vino encendido. Hay quien dice que ése era el cáliz de la pasión de Cristo y a lo mejor tú lo crees también, pero las lamias más viejas saben que era patena y no cáliz y que era más viejo y que Santiago no fue quien la trujo. No estuvo Santiago en esta tierra. Eso dicen y yo digo lo que he oído. Los marqueses han descarrilado como tú por el lado de Navarra.

—Yo, no.

—Tú has estado en Zugarramurdi.

—Sí, pero mi idea es muy diferente.

—Entonces ¿para qué ibas?

—Tenía que encontrarme allí con otras personas.

Viendo Cagliostro una imagen pequeña y negruzca en una hornacina se acercó y estuvo contemplándola.

—Antes —explicó el viejo— bajaba con ella a las tierras de la val y sacaba buenos cabodaños, pero ahora las piernas están duras.

Aludió el italiano al hijo que habían tenido los marqueses y el viejo repitió:

—Era hija y la tienen en una botella.

Entonces Cagliostro dijo que se refería al que había caído al fondo del foso y el ermitaño lo miró con recelo —como si fuera otra persona— y no dijo nada. Cagliostro se puso a copiar unos versos latinos que aparecían en el muro en caracteres góticos primitivos y vio que el viejo se adormecía otra vez.

Poco después las voces de Gil lo despertaron. Subía la jaca negra cuesta arriba soplando como un dragón.

—¿Vamos?—gritó el chico alegremente desde fuera.

Mientras el italiano terminaba su copia saltó el paje a tierra, entró en el cenobio y abrazó al anciano de un modo que a Cagliostro le pareció más ritual que afectuoso. Cagliostro recogió sus papeles, dio las gracias al viejo, le besó la mano y se despidió. El viejo le puso una *mida* en el cuello diciéndole que la necesitaba porque en otras tierras donde lo conocían bien lo querían mal.

—Ya lo sé, abuelo.

Salió hasta la puerta de espaldas y con la cabeza inclinada. En la puerta se despidió otra vez del viejo con los brazos cruzados sobre el pecho, luego tomaron él y Gil sus caballos de las riendas y fueron bajando la cuesta de la ermita. Montaron y atravesaron la aldea a caballo. Gil se gallardeaba. Dos mocicas que charlaban en un portal callaron al ver a los jinetes y una dijo mirando a Cagliostro:

—¡Ixe yé un home bien grandizo!

En la carretera real el paje se creía en el caso de justificar la apariencia lamentable del abuelo:

—Va muy astroso.

—¿Qué importa, la ropa?

—Yo le llevo ropas nuevas, pero nunca se las pone. Se

las queda mirando por un lado y por otro y dice: ¡Qué fachenda, rabadán!

—¿Ha vivido solo, en la ermita?

—Desde que estoy en el mundo siempre lo he visto así. Es verdad que, con sus harapos y todo, la gente lo reverencia. Hasta los forasteros como usted lo van a ver.

Esto le hizo gracia a Cagliostro. Añadió el paje que no pudo ver a su prima Pilar porque no estaba en el pueblo. Había ido a Boltaña.

Al llegar al castillo se puso Cagliostro a leer las estrofas latinas copiadas. La primera comenzaba:

Juxta threnos Jeremiae
Vere Syon lugent viae...

Estaba en la sala que debió ser un día biblioteca y después de recitar aquellos versos para sí volvió a hacerlo en voz alta, a ver cómo sonaban. La castellana hilaba lana en un mirador de al lado, aparentemente distraída y dijo:

—Celebro que no esté mi marido presente porque no le gusta que nadie recite los latines de la contrariedad templaria. Bueno, que los recite nadie más que él. Pero a mí no me importa y puede usted seguir.

Había cerca un tablero de ajedrez con las piezas puestas sobre una mesita arrimada a la pared. Las piezas eran pequeñas, pero macizas y talladas en piedra. Mirándolas pensaba Cagliostro que parecía un tablero arcaico en el que hubieran jugado Carlomagno y sus sobrinos. Fue a decir algo, pero se calló porque apareció el mayordomo con su cara descarnada y la señora que hilaba lana virgen se volvió hacia él y le hizo una pregunta:

—¿Allegaron la cebada?

—Sí, señora.

—¿Está en los silos? ¿Toda?

—Toda. Leoncio ayudó sin que nadie se lo dijera.

—Vaya. ¿Qué tarántula le habrá picado?

Luego se volvió hacia Cagliostro y le preguntó sus impresiones sobre el ermitaño, pero en aquel momento entraron Lizaveta y el paje. Cagliostro vio que la atmósfera cambiaba y que la castellana pensaba ya en otra cosa.

Aquella noche, al final de la comida y retirados los sirvientes, la señora suspiró y dijo:

—Demasiada casa esta, para un matrimonio sin descendencia. Los parientes de mi señor esposo fallecieron y con nosotros acabará el nombre de la familia.

—¿No lleva el paje el mismo nombre del caballero Spinac?

—Sí, ¿y qué?

—Pues...

—Él es él y nosotros somos nosotros.

Entonces resucitó Cagliostro el espinoso tema:

—¿Pero no tuvo usted, señora, un hijo?

Hablaba español para que Lizaveta no entendiera. La señora respondió, un poco alarmada:

—Sí, claro, pero murió.

—¿Murió?

—Murió.

—¿De muerte natural? Tengo la impresión de que fue un accidente. Cayó al foso o lo tiraron al foso. ¿Quién lo tiró?

La señora se levantó del sillón muy pálida y dijo con la voz temblorosa:

—¿Quién es usted y cómo se atreve a hablar así en esta casa? Desde el primer día vi que no merecía usted nuestra hospitalidad.

—Yo tengo el honor —dijo Cagliostro, impávido— de haber sido el padre del niño que cayó al foso y en el foso murió hace años.

—¿Está usted loco? —gritó ella, alarmada—. No estoy acostumbraba a oír a un extraño impertinencias como ésa y espero que hallará manera de explicarlas a mi esposo cuando regrese.

Se inclinó en la dirección de Lizaveta y se retiró segura y firme en su rencor. Cuando la princesa y Cagliostro quedaron solos ella preguntó, asustada, y el italiano dijo:

—No sé qué me pasa, es como si dentro de mí hablara otra persona cuando estoy con esa señora. No lo puedo evitar.

En los días siguientes no vieron a la castellana. El paje acudía a cumplimentar a la princesa y los dos, con Cagliostro, salían a veces de paseo. El mayordomo enviaba detrás a un lacayo que llevaba un gran quitasol azul y allí donde la princesa se sentaba allí abría el lacayo su parasol protector. Liza le daba las gracias y se veía que el criado se extrañaba de aquello, porque en el castillo nadie daba las gracias a los sirvientes.

Preguntaba Cagliostro al paje por su prima Pilar y el chico hablaba de ella con gusto:

—Es bueno que haya venido porque el mes de agosto se acerca.

—¿Qué pasa en ese mes?

—Son las fiestas de Aineto y hay que preparar los dances hablados y representar la sarracina.

—¿Qué sarracina?

—La del rey don Ximeno.

—¿No son siempre iguales esas celebraciones?

—Los dances sí, pero los hombres, no.

—¿Por qué?

—Unos se marchan y otros se mueren.

Cuando Lizaveta encontraba a la castellana cada día por vez primera le decía con un acento en el que evitaba al mismo tiempo la cordialidad y la indiferencia:

—*Bonjour madame de l'Espinac. Nous avons aujourd'hui un tres joli matin.*

Parecía la castellana un poco sorprendida y por fin respondía cortésmente.

Un día le dijo Cagliostro a Lizaveta que la castellana era una Aranda y en España la esposa no tomaba necesariamente el nombre del marido. Explicó lo que habían sido los Arandas en los Pirineos y lo que eran los arandas en Australia. Desde entonces Lizaveta imaginaba a aquella gente con hocico de perro y dando vueltas a un poste que tenía el remate iluminado. Dando vueltas al poste tribal y llevando en los dientes el remate de una cinta que se iba enrollando.

Entretanto las mujeres cantaban *los falos.*

Lizaveta pasaba días enteros en la mayor soledad, pero no estaba triste. Parecían no afectarle ni la felicidad ni la desgracia. Apenas hablaba, y en aquellas alturas, donde el aire carecía de ecos, el silencio tenía raras dimensiones.

Sólo había ecos en las contraladeras de algunos barrancos.

Salieron otro día de paseo Cagliostro y el paje. Se alejaron a caballo hasta Aineto y allí desmontaron y siguieron a pie por los riscos. Encontraron a un pastor que tocaba su caramillo de siete silbos para probarlo porque acababa de construirlo, según dijo. El hombre que podría tener treinta años o cincuenta (de tal modo era imprecisa su edad) parecía con ganas de hablar:

—Descaminados andan sus mercedes. ¿Es que buscan atajo? ¿Cómo para dónde?

—Para Ainsa — dijo el paje por decir.

—Eso es en la quebrada del valle y tienen lo menos quince horas de buena andadura.

—Cuesta abajo — bromeó el paje — no son muchas.

—Según y conforme, porque a ratos también hay repechos que subir.

Miraba las botas de Cagliostro y repetía:

—¡Y que va bien calzado para estos pedrizales!

El pastor usaba abarcas. El paje y Cagliostro se sentaron y el niño dijo:

—¿Lleva mucho tiempo por estos sasos?

—Doce años y el que corre, mocé. Pero yo no soy de aquí sino del valle de Tena.

—Por eso habla diferente que los de Aineto — aclaró el paje.

—Nací en el valle de Tena. Pastor fui en aquella val y pastor aquí. Entre cajigales vivo con la cabañera. Antes estaba allá abajo, al pie del mallo.

—¿Está el pueblo, allí?

—No es pueblo. Es un cabañal para los días de la ventisca. En verano subo a esta cresteria con el ganado.

El paje y Cagliostro miraban a aquel hombre que tenía una apariencia más bien vegetal con barbas finas y descoloridas y la mirada de una rara inocencia. El pastor añadió:

—Yo vivo siempre aquí. Quiere decirse que no bajo nunca al emporio.

—¿Qué emporio? — preguntó Cagliostro.

—Pues, el emporio.

—¿Pero cuál?

—Se ve que no conoce su mercé esta tierra. Se llama

Boltaña. Un día de andadura ligera hay desde el cabañal. Allí estuve yo una vez. Por lo que veo este señor —dijo por Cagliostro— viene de Francia. A no ser que su mercé me saque embustero.

Se apresuró el italiano a decirle que tenía razón, pero que no era francés. El pastor no quería entrar en detalles:

—En la Francia hay gentes y gentes. De todo hay, digo yo. En malo y en bueno como en todas partes. Yo nunca he estado en Francia. De donde he estado puedo hablar. Y yo bajé al emporio una vez hace más de doce años, como decía. Es la única vez que tengo salido de aquí desde que vine de la val de Tena.

—¿A Boltaña?

—Se ve que usted comprende. A Boltaña y puedo hablar de ella. Es la peor gente del mundo. Desde que estuve allí me dije: vuelve a los mallos y al cabañal y no pienses en bajar al emporio. Y como lo digo.

—¿Lleva mucho tiempo en estos lugares sin ver gentes? —preguntó el paje.

—Ustedes son los primeros en dos meses. Ni tan siquiera veo a los que suben del pueblo con los mantenimientos porque los dejan en el cabañal.

—¿Con quién habla usted, entonces?

—Con éstos —señalaba a los perros—. Éstos son como personas mejorando lo presente, pero a Boltaña no volveré.

El pastor tallaba despacio en un pedazo de madera una cuchara y sin dejar de atender a su obra seguía hablando:

—Los hombres de abajo son uno y yo soy otro.

Al mediodía el pastor los convidó a comer unas sopas de ajo, que preparó con la facilidad de la costumbre, y la comieron en unos cuencos de madera que había hecho el pastor, con cucharas talladas también por él. Luego se tumbaron en las pieles curtidas e incluso durmieron un poco de siesta, ayudados por algunos tragos de buen vino tinto. Al despertar preguntó Cagliostro si había oído hablar de los Spinac. Se quedó el pastor meditando:

—¿Los señores del Gratal? Algo tengo oído. El señor cría caballos en Aineto y es nombrado en la caza de *chavalins*.

Decía *chavalins* en lugar de jabalíes.

—¿Buena o mala persona, ese Spinac?

El paje sonreía viendo la intención del italiano y el apuro del pastor.

—Yo no lo conozco sino para servirlo. Lo que la gente dice de las personas, para bien o para mal, se me da un cajigo, dicho sea con respeto.

Luego hablaron aún de los rebaños, de los perros que se habían tendido al amor del fuego. Y por fin se dispusieron el conde y el paje a marcharse. Cagliostro quiso darle algún dinero al pastor y éste miraba sin comprender:

—No, señor, —dijo—. Yo los convidé a almorzar por amistad y como no voy a los emporios a mí los dineros no me valen cosa.

Le dieron las gracias y siguieron su marcha, descansados y felices. Llegaron pronto a la vista de Aineto y pasaron cerca de una casa de las afueras. En la puerta una mujer joven, pero maltratada por la intemperie, los miraba haciendo pantalla con la mano para defender los ojos del sol.

—Buen día, —dijo Cagliostro.

—Bueno lo tengan ustedes.

Es un praderío había una vaca y cerca de ella una mujer ya vieja, vestida de negro, haciendo con las manos movimientos extraños. Las alejaba del cuerpo y las acercaba como si quisiera reincorporar algo que había perdido. La campesina anterior se creyó en el caso de explicar:

—No está del todo en sus cabales, la pobre.

—¿Cómo?

—Que es una bendita de Dios.

La miraban en silencio. La anciana seguía haciendo los mismos movimientos y ahora —viendo que la contemplaban— con cierta solemnidad. "Se figura —siguió explicando la joven— que le han quitado sustancias importantes de su vida cuando anduvo por la Francia y así ahora las recoge en el aire y las devuelve a su persona." Y añadió con un suspiro: "No hace mal a ninguno, Dios la ampare".

Cagliostro dijo:

—Quién sabe si tiene razón.

Y pensaba: "Todo lo exterior quiere desintegrarnos y

todo dentro de nosotros clama por la reintegración. Ella recoge las preciosas sustancias perdidas. Hubo un tiempo en que yo fui especialmente desgraciado. Y quería "desnacer". No matarme ni morir, sino "desnacer". Ir menguando de tamaño hasta hacerme pequeñito y que me pusieran en pañales y seguir disminuyendo hasta desaparecer dentro del útero materno".

La anciana de los gestos reintegradores se acercaba, curiosa. Y se quedaba a una distancia prudente:

—Es que yo estuve tres años sirviendo en Francia, —dijo.

Luego la anciana se alejó y la mujer joven dijo bajando un poco la voz:

—Tiene un hijo mayoral de postas y hablando de él dice que la diligencia de su hijo se ha salido de la tierra. Se ha salido de la raya del horizonte brincando al aire y los caballos siguen galopando fuera de la tierra. Lo malo es que sabe leer y siempre anda averiguando cosas. A esas personas desarregladas les hace mal saber de letra, digo yo. Y usted disimule si me engaño, que bien podría ser.

Cagliostro seguía pensando para sí que el problema de cada cual, desde que nace, es el de la adaptación a la realidad por sus propios medios (hechos, imágenes, sueños). Tarea laboriosa y enfadosa. Tarea ardua, de veras. Sospechaba que él no lo había conseguido aún y mucho menos Spic.

Entraron en Aineto donde tenían las cabalgaduras. El paje se enteró con disgusto de que Pilar no había vuelto aún de Boltaña. Unos chicos entre los diez y los catorce años, iban siguiendo muy graves a otro que llevaban un extraño objeto con el cual producía un zumbido rítmico. Era aquel objeto una vara de dos metros de larga en cuyo extremo había una cuerda de la misma extensión que acababa en un silbato de hueso. Al girar en torno a la vara producía aquel objeto un zumbido bastante fuerte. El zumbido a compás —más bajo al acercarse el objeto y más alto al alejarse— se oía a bastante distancia, de modo que antes de entrar en el pueblo y ver a los chicos lo habían oído muy bien y Cagliostro no podía imaginar de qué se trataba. Se quedó fascinado mirando al chico que iba delante. Los que lo seguían parecían alucinados también y lo mismo podía decirse de la gente que asomaba a las puertas y a las ventanas.

El paje le dijo:

—Es que se acerca el tiempo del osillo.

Esto hizo pensar a Cagliostro que el objeto que zumbaba al pasar el aire por su interior hueco debía ser un hueso humano. En tiempos remotos usaban a veces un objeto encendido que al girar se avivaba, pero el osillo era más viejo todavía y lo empleaban como instrumento de fascinación. Fascinación y fascio vienen también de falo.

Todavía emplean hoy ese osillo muchos pueblos primitivos de África y desde luego los famosos arandas de Australia, que lo llaman en inglés *bull-roarer,* el toro mugidor. Cuando lo oyen los hombres casados de la tribu tienen que esconderse so pena de muerte. Y los solteros que lo producen y los que siguen al osillero van en busca de mujeres a la tribu vecina, porque la exogamia es una de las primeras medidas de la civilización en los más remotos tiempos, es decir desde cuando se dieron cuenta de que los cruces con mujeres de otros poblados daban productos mejores. El osillero o la zumbalera o el *bull-roarer.* "Tiene gracia encontrarlo de pronto aquí —pensaba Cagliostro—. Las personas mayores lo han olvidado pero los chicos heredan la costumbre y ésta va pasando de generación en generación como un juego".

Hubo un tiempo en que era un rito dramático y todavía lo es entre algunos pueblos de África. Si hallan los solteros ese día a un hombre casado desprevenido lo matan. Por eso cuando se oía ese zumbido rítmico todos los machos que tenían mujer se escondían.

Seguía oyéndose el zumbido y el atavismo ponía una emoción nueva en Cagliostro. En cambio el paje, que se sentía superior a los chicos, los miraba distante y desdeñoso. Los sonidos rítmicos como los movimientos de la danza y las palabras rítmicamente distribuidas de la poesía tienen poder encantatorio.

Los chicos seguían al de la osillera, gravemente, y el zumbido se oía por todo el pueblo. "La magia —pensó otra vez Cagliostro— consiste en el falo encantatorio.

Porque el osillo tiene forma cilíndrica y canta él sólo, sin que nadie sople dentro, sin que nadie lo percuta con otro objeto. Canta él solo volando alrededor de la vara".

—Para usted —le había dicho un día el conde Orlof a Cagliostro en San Petersburgo— todo es sexo.

Pensaba Cagliostro que no tenía nada de extraño dar énfasis al sexo en definitiva, puesto que la generación y la continuación y la permanencia de la humanidad dependían de él. Además, en los períodos revolucionarios como el que vivían la desnudez en el pensar y sentir era más natural.

Por la tarde hubo baile de mozos y Cagliostro y el paje se acercaron. Era un amplio local que olía a mazorcas de maiz porque solían desgranarlas allí.

Antes de oscurecer asistieron a un hecho poco frecuente: una tormenta eléctrica seca, de las que suelen producirse ya avanzado el verano en las altas montañas. El refrán dice: "truenos tardanos, fríos tempranos" y aquel año se cumplió. En lo mejor de la tormenta sonó la campana de la iglesia y algunos vecinos acudieron. También Cagliostro y el paje. El cura era amigo de Spic y aficionado a los *sabbats* de Zugarramurdi y en aquel momento rezaba el trisagio. El número tres es mágico. "El verdadero credo católico —pensaba Cagliostro— se basa en *quod semper, quod ubique, quod ab omnibus creditum est*".

Se oyó uno de esos truenos que, en el período romántico que se acercaba, los folletinistas habían de llamar horrísonos. Parecía que las bóvedas se venían abajo. Cagliostro dijo:

—Con eso acabará la tormenta.

El paje se tapaba tardíamente los oídos. Pero no llovía aún. Hubo otros truenos igualmente secos y al final llovió caudalosamente.

Poco después había escampado y Cagliostro y el paje buscaban sus cabalgaduras y volvían despacio a Torre Cebrera. Por el fondo del valle se extendía la niebla como una alfombra y a veces alcanzaba hasta la carretera. Era una alfombra movediza arrastrada por la brisa, que no llegaba más arriba de las rodillas de los caballos pero que daba la impresión de caminar sobre algodón.

Llegaron a Torre Cebrera. La castellana no salía apenas de sus habitaciones. Enviaba saludos a Liza cada día y el mayordomo, a la hora de comer, disculpaba a la señora ante sus huéspedes diciendo que su estado de salud la privaba del placer de acudir a la mesa.

—¡Qué raro! —pensaba Lizaveta sin acabar de acostumbrarse a aquella situación.

A Cagliostro le tenía sin cuidado. Solía pasear con el paje por los alrededores. Las preguntas de Cagliostro sobre la historia del castillo permitían al paje lucirse. Delante del puente, sobre el foso decía el muchacho que no era levadizo sino fijo y que el rastrillo era *bajadizo*. En la entrada de la segunda muralla explicaba, doctoral: "Como ven vuecelencias —solía estar también Liza con ellos— la entrada está defendida por dos torreones y entre ellos está la sarracinesca encima de la puerta. Es ahí donde cuelgan los diez cerdos que se matan cada año para despedazarlos y salarlos".

Traducía Cagliostro para Liza y ésta reía. Decía el paje cuando un muro aparecía sin almenas: "El almenaje ha sido deteriorado por la acción desvastadora del tiempo". El estilo del paje llamaba la atención en aquellos lugares tan selváticos. Y era aquel estilo especialmente elocuente frente a algunos cuadros de pintura antigua. Allí repetía párrafos como el siguiente: "Nunca conoció Torre Cebrera el poder musulmán ni rindió vasallaje sino ante los condes de Sobrarbe y más tarde los reyes de Aragón. En la sala baja de la torre segunda estuvo el gran Carlomagno, quien tuvo una entrevista con el rey moro de Zaragoza y acordaron que el rey moro entregaría la ciudad, cosa que no cumplió. Allí, en esa misma sala, el gran Carlomagno bebió en copa de oro el vino de la concordia." Se veía que el chico estaba orgulloso de su elocuencia.

Decía también que Bernardo del Carpio había dormido muchas veces en el castillo y que aquellas noches ponían vigías especiales sobre la cañada del lado francés porque los franceses habían puesto precio a su cabeza.

En el acento del muchacho se percibía un rencor agrio y fronterizo.

La señora no había vuelto a aparecer. Cagliostro no se preocupaba de aquella ausencia y Lizaveta preguntaba al mayordomo, cada día, si estaba mejor. Se guardaban las formas por un lado y por otro. Todos esperaban que regresara Spic.

Con cualquier pretexto se ponía el paje a hablar de su prima Pilar:

—Es una persona diferente — decía a Cagliostro — según esté en Francia o en España. Parecen dos personas distintas. Cuando habla aragonés es muy baturraza. Levanta la cabeza como una cardelina y dice: *En t'al recuesto d'abaixo hay faena a manta y diquiá a seitembre hay que rematarla.* Porque es muy rocera, ya digo. Pero cuando habla francés parece una gran dama mejorando lo presente — y miraba a Lizaveta con reverencia —. En francés tiene otra voz, pone un gesto así como de alta corte y dice, pongamos por caso: "*Monsieur, je suis contente de vous entendre causer de vos difficultes si cela vous fait plaisir*". Algo así le decía al señor de Montpellier en aquella terraza una tarde al caer el sol. Aquella tarde parecía que había luces en la sala — siempre creía ver luces en los torreones, el paje — de la planta baja y por las saeteras se veían como agujas de oro.

Pilar cuando recitaba en el dance de Ainsa, decía:

Ixo io nol puedo creure
mes ia aniría vusté
per ve si podeba beure
a garnacha de Fusté.

No lo entendía Cagliostro y el pajecico se adelantaba a advertir: "No importa lo que dice la copla. La pongo por ejemplo de lo montañesa que es mi prima". Hablando de sí mismo decía el paje que sabía hablar castellano y francés, aunque esto último lo ocultaba con la gente extranjera y sospechosa para que se confiaran delante de él y se contaran secretos importantes. Entonces él se enteraría y comunicaría aquellos secretos al rey de España.

Con Lizaveta y Cagliostro al principio había disimulado, pero ahora no le importaba que supieran que entendía el francés porque sabía que eran personas de confianza. Y volvía a hablar de Pilar:

—Ella y su madre tienen asientos de señora en todas las iglesias de la val. Pilar va a Francia y luego vuelve aquí en verano y no quiere ir más abajo del valle de Boltaña. En estas comarcas la conocen hasta las piedras y herederos de diez pares de mulas le han ofrecido matrimonio, pero ella no quiere.

—¿Por qué?

Gil se ruborizó para decir:

—Ella espera que yo entre en edad de cortejar, eso es. Es más galana que ninguna otra moza en la canal y me gusta, pero no puedo decirlo delante de la señora porque me responde: "¿Es que no hay en los Pirineos otra mujer más que Pilar?".

—¿Eres su novio?

—Eso dice ella para reír con los mozos de Ainsa, pero lo piensa en serio porque un día me miraba fijamente y me dijo: ya podías tener diez años más. Eso me dijo.

—No es mucho —comentó Cagliostro.

—Pero, además, suspiró. Así, entre nosotros. Yo creo que eso quiere decir algo.

Cagliostro le prometió reserva, de hombre a hombre. El chico era muy listo. Sabía distinguir las aves según su vuelo y conocía a las golondrinas francesas cuando pasaban por encima del castillo camino de África.

Con las últimas luces el paje mostró a Lizaveta las saeteras de la torre sexta y le dijo:

—Parece que hay luz dentro, pero es el sol que da de refilón y saca relumbres en los mosaicos de la retejera.

Se quedaron allí gozando de aquel silencio junto a los abismos calcáreos y secos. No se oía nada. Por fin llegó de la ladera contraria el gemido casi humano de un ave de presa y el paje dijo:

—Es un esparver que está llamando a su pareja porque es hora de retirarse. Viven en la torre encendida y si esperamos aquí los veremos meterse en su nido.

Añadió que a la señora le gustaba los esparveres porque siempre vivían juntos el macho y la hembra, siempre los mismos. No se separaban sino con la muerte.

Cada día sin falta, al levantarse Lizaveta enviaba sus saludos a la señora con el mayordomo y ella le devolvía atentamente la cortesía, pero no la invitaba a visitarla. La princesa no se extrañaba. Hacía tiempo que no se extrañaba de nada.

No habría nunca imaginado Cagliostro una *señora de Espinac* como aquella. Esperaba encontrar en ella una alegre disposición a la promiscuidad, pero se equivocó.

Un día fueron a la capilla, que era uno de los lugares más viejos del castillo. La imagen de la virgen de Gratal tenía al pie una guirnalda de rosas secas que, según el paje, había puesto Pilar el año anterior. Detrás del camarín de la virgen había un pequeño recinto con un lecho antiguo parecido a los triclinios que usaban los romanos.

En el muro alguien había grabado con letras del estilo que empleaban los dominicos en los monasterios (la letra llamada *panceta)* una relación de los estados de la escala unitiva mística, sólo que al revés, es decir, para acercarse a *Baalzebuth.*

Viendo aquellas cosas en el muro se decía una vez más, Cagliostro: "Es una lástima que Spic y su gente sigan el mal camino". Por una ventana se veía una estrella luciendo en el horizonte.

—¿Lucifer? —preguntó la princesa.

—No, es Mercurio.

Por las ventanas entraba una luz plateada, muy dura. "A esa luz —dijo el paje— el señor la llama luz equinocial porque dice que viene de la raya del ecuador y es una especie de luz en conserva guardada y transportada por las nubes."

Aquella noche Cagliostro buscó a Lizaveta poco antes de la hora de acostarse. Necesitaba hablar con ella y sin embargo no sabía exactamente qué decirle.

—Parece como si me evitara —le dijo—. Y no me extraña, porque tengo la impresión de que usted no quiere a nadie.

Un murciélago volaba alrededor. Dentro de la sala parecía haber dos, porque hacía sombra contra los muros. Lizaveta acentuó su sonrisa y respondió:

—Yo he querido a algunas personas. Y a cada uno de una manera diferente, claro, según cada cual. Pero ellos no lo saben y si alguno lo sabe no le preocupa ni le importa nada.

—¡Uno es el conde Orlof! —ella seguía con los ojos al doble murciélago y callaba—. Pero ¿cuál es el otro?

Esperaba que ella insinuara algo en relación con él, con Cagliostro, pero Liza no decía nada. Ni siquiera parecía escuchar. Estaba pensando en el cardenal Ricci que si vivía debía haber cumplido ya los noventa años.

Aquella noche Lizaveta escribió una carta al conde Orlof: "Amigo mío, estoy en un castillo de los Pirineos y esta tarde me reprochaba alguien que no escribiera cartas a nadie ni recibiera cartas de nadie en vista de lo cual, y para desmentirlo, me pongo a escribirle a usted. Lo peor es que tal vez no tengo que decirle, realmente, nada. A usted y a mí nos pasa algo muy raro. Hemos gastado nuestra vida — digo —, hace tiempo y no nos queda nada por vivir. Es cosa rara y no es mala en el fondo. Los hombres de vida interior más rica, los artistas, los filósofos, los poetas, y los de vida exterior más agitada como los guerreros, los políticos, los hombres de negocios, no agotan nunca la realidad en la que viven. En su tiempo no hacen sino comenzar a sentir el sabor de la vida. En miles de generaciones la realidad y la vida no habrán sido apenas más usadas que lo han sido hasta ahora. No habrán sido gastadas del todo. Pero el santo más pequeño las gasta todas enteras, las realidades del vivir. La vida misma en todos sus niveles y proyecciones. Y algo de eso nos ha pasado a nosotros aunque no tengamos nada de santos, al menos yo. Si no soy santa, ¿cómo es que la he gastado, mi vida, y también la de los otros, es decir, toda realidad posible? No lo entiendo. Tal vez podría explicármelo usted. O el cardenal de Florencia. No vaya usted a creer que lo digo con doble intención. No hay esa intención ya que, probablemente, no echaré esta carta al correo. Tengo miedo de que alguna palabra cree un malentendido o pueda hacerle pensar que la he escrito con alguna clase de resentimiento cuando yo sólo siento una serena y honda amistad por usted.

"La verdad es que quiero darle las gracias otra vez porque en aquella ocasión, hace ya años, pudo matarme y no me mató. Y porque después, cuando salí de la fortaleza de Pedro y Pablo me recibió en su casa y finalmente me ha colmado de favores. Todo esto justifica tal vez que yo le escriba, pero así y todo es posible que no le envíe esta carta, ya que no me considero con derechos ni siquiera a la pequeña atención que me hace falta para que lea estas líneas. Me doy cuenta de que...”

Se quedó con la pluma en el aire pensando: “Qué absurdo es dar las gracias a alguien porque un día no le quiso matar a una”. Dar las gracias por una cosa así sólo se podía hacer ante Dios y en oración. Un instante aún, dudó: “¿Es posible que yo siga pensando en Orlof como en Dios?”. La sugestión le pareció dislocada y bárbara y rompió la carta y arrojó los papeles al cesto, pero después decidió quemarlos y quiso recogerlos. Luego pensó que nadie en el castillo sabía ruso.

Antes de acostarse todavía repitió para sí misma que sólo amaba en el mundo realmente a Orlof. Su amor para el cardenal era reverencia. Y añadía casi dormida: “Amo a los únicos que han querido destruirme. El cardenal no sé por qué, realmente”.

Se acostó con la sonrisa en los labios —aquellos labios todavía blancos— gozando de aquella voluptuosidad angélica de querer a alguien a pesar de todo y del sueño que no iba a tardar en conciliar y le daba un placer verdadero, el único de su vida. Un placer bien inocente. “Tal vez el único con el cual nadie hace daño a nadie”, se dijo.

XV

Al día siguiente llegó el caballero Spic quien acudió a cumplimentar a Lizaveta, cuya mano besó, y un poco extrañado de que su esposa no saliera a recibirlo fue a sus habitaciones. Estuvo encerrado con ella algo más de dos horas, al cabo de las cuales salió taciturno —con una taciturnidad *post coitum*— y fue en busca de Cagliostro que estaba leyendo el libro "Sp" en la terraza inmediata a su cuarto.

Preguntó Spic con el acento distraído y un poco agrio:

—¿Qué lee usted?

—Su "Sp". Y veo una vez más que es un libro católico. Cátólico al revés, pero católico en todo caso.

—Es una opinión que he oído otras veces.

—Trato de desmentirme a mí mismo volviendo a ver estas páginas, pero tengo que confesar que no es posible.

Pusiéronse a hablar de otras cosas. Cagliostro veía que cualquiera que fuera el tema Spic hablaba con reservas. Había traído Spic consigo una jaula de madera con la liebre que compró en la posada gascona. El día siguiente era domingo y subiría el cura de Aineto a decir la misa para la servidumbre.

Como los demás domingos todos los criados acudieron a la capilla, incluido el mayordormo. Spic, su señora y los invitados estaban en el coro. Ella llevaba la cara cubierta del todo con un tul negro. A su lado estaba la gobernanta doña Clara, quien habiendo probado que las dos generaciones anteriores de su familia no se habían ocupado en faenas manuales tenía derecho a ser nombrada *dama* de estrados. Por cierto que negándose el mayordomo a llamarla *dama* la llamaba solamente *dueña*. Dueña de estrados. Esta variante ofendió mucho a Clara y en aquellos días el mayordomo y ella no se hablaban.

En el castillo el caballero Spic parecía una figura más vulgar aún que en Zugarramurdi, pero era una vulgaridad adecuada y no extravagante. Ya es sabido que en las casas nobles la servidumbre es más distinguida de apariencias que los señores y éstos se pueden permitir el lujo de conducirse de un modo simple, natural e incluso vulgar y plebeyo si quieren. La aristocracia genuina no necesita parecerlo puesto que lo es. Entonces la necesidad de parecerlo les es transferida a los criados. En las casas grandes los servidores eran los verdaderos aristócratas a juzgar por las señales visibles.

Después de la misa el caballero llamó aparte a Cagliostro y le dijo en voz baja:

—Está usted invitado al bautizo de la liebre. La liebre de la posada gascona, ¿recuerda? La voy a soltar en estas alturas, pero antes la bautizará el cura de Aineto. Es un homenaje que le debo a mi esposa.

—Usted sabe que a mí estas desviaciones blasfemas no me impresionan.

—Si el gran copto lo reprueba —dijo Spic, contrariado— yo no puedo hacer sino inclinar la cabeza y acatar su opinión. Lo siento.

Por la noche buscó Spic a Cagliostro y le dijo que su señora se sentía gravemente ultrajada.

—Tan ofendida está —dijo sombríamente— que me exije... bien, usted sabe lo que pasa con las mujeres. Me exije que le pida una reparación por las armas.

No estaba seguro Cagliostro de que aquella exigencia fuera sólo de ella. Tal vez por haberse negado al bautizo de la liebre Spic se consideraba también herido en su honor. El nigromante se miraba las uñas que su esposa le había pulido y limpiado como siempre que regresaba de un viaje. Después de un largo espacio en el que los dos parecían reflexionar respondió Cagliostro: "Su señora no tiene razón para ofenderse porque si tuvo relación conmigo la verdad es que la ha tenido y la tiene también con otros hombres".

—Así es. Sin embargo ella estaba segura, hasta hoy, de que la noche de novios estuvo con el Tenebro y concibió de él. Era su idea fija y la ha mantenido durante muchos años ayudada por mis teorías. La revelación súbita de vuestra excelencia ha sido imprudente, si me permite decirlo. Podría desmoralizar a mi esposa gravemente. Yo escribí en mi "Sp" con sangre de gallo y almáciga: "*Non omnia possumus omnes*". Si ella cae en el fango de la inmodestia, como diría un cura, es con el mal abstracto y eso es virtuoso. Es con Satán, es decir, con un pecado impersonal que tiene su reverso virtuoso. Desde ese pecado ella suspira por mí. Sin embargo, vuestra excelencia ha traído a nuestras costumbres la sorpresa y la extravagancia. Ya no es el mal abstracto —digo el de la noche de nuestra boda— sino el señor conde de Cagliostro y ella cree que debo exigir responsabilidades a vuecencia. Y está en su derecho, diría yo. Ahora bien, confieso que no se trata sólo de usted. Por razones especialísimas, que nada tienen que ver con usted, mi señora pasa en estos días por una crisis moral que la hace especialmente sensitiva. No es su culpa ni la mía.

Alzó Cagliostro la voz, monitor:

—Usted olvida que el honor es una virtud meridiana y que sometiéndonos a sus normas damos mal ejemplo.

—No es ninguna virtud —replicó Spic con un acento de cortesía extrema—. Puedo probarlo por la vida histórica y patrística y por el razonamiento sin subterfugios en *celarent* ni en *darii*. Sin truco alguno, excelencia. *Dulce et honorem est pro Satan mori*, podríamos decir con Horacio. Porque la idea de patria es también satánica, señor mío.

—Perdón, Horacio no dice *honorem* sino *decorum*.

—Bien, entonces *semper honos nomenque tuum laudesque manebut*, dice Virgilio. Y sin ir tan lejos Racine dice en "Les Plaideurs". *Sans argent l'honneur n'est qu'une maladie*. Y el dinero que da calidad al honor es un atributo del Tenebro. Perdone que recurra a formas de erudición en las cuales vuecencia debe ser y es sin duda más versado que yo. Sofismas aparte es muy posible que haya que batirse y en ese sentido mi esposa está más cerca de la verdad negra que vuecencia y tal vez que yo mismo. En todo caso contemplo la necesidad del duelo con un ánimo negligente. Es decir, que voy al duelo sin creer en él y menos con usted, que es o debe ser invulnerable.

Se quedó meditando un momento, paseó por el cuarto, se asomó al balcón, miró a lo alto —el pico de la Maladeta—, volvió al lado de Cagliostro, suspiró otra vez y dijo:

—Si usted no quiere batirse no nos batiremos. Suceda lo que suceda no nos batiremos si usted no quiere.

Después de esta declaración se sintieron más amigos que antes, bebieron dos vasos de vino, se tomaron del brazo y salieron al patio de armas. Iba diciendo Spic: "¿Qué sentido puede tener para el gran copto un duelo puesto que en ninguna clase de duelo puede haber linaje alguno de amenaza ni de peligro para él?". Cagliostro callaba porque no sabía si Spic hablaba en serio o en broma.

En el patio dijo Spic deteniéndose delante de un arco de piedra que se levantaba en suave comba del suelo como la espina de un monstruo a medio enterrar: "Este segmento de arco corresponde a la bóveda de un subterráneo donde hallé un día el vaso que usted sabe. Es el mismo vaso amarillento que llevé al aquelarre. Al volver aquí lo dejé en la capilla. Tiene una señal en hebreo, una marca en el fondo con una sola palabrita que dice: *Moab*. Dudo de que sea verdadero a pesar de todo, pero vea usted lo que sucede allá, en las murallas. Hay luz en las saeteras de la torre sexta.

No podía ser aquella luz un reflejo del atardecer porque las saeteras estaban en el muro que daba a oriente. Lejos cantaba un grillo, se callaba, volvía a cantar. La luz del torreón les intrigaba.

Salieron llenos de curiosidad, subieron al adarve de la primera muralla que estaba a una gran altura y caminaron despacio hacia la torre. Un ave nocturna voló asustada, se posó en las buhardas de poniente y desde allí lanzó un silbido.

El crepúsculo era denso y al otro lado de la muralla había un barranco donde los sonidos tomaban resonancia. El silbido se duplicó dos veces perdiendo intensidad.

Cagliostro y Spic avanzaban llenos de curiosidades. Desde el lugar donde estaban era posible una caída mortal. Recelaban el uno del otro porque era fácil caer a las losas del patio tropezando en una raíz de jaramago o en un terrón de argamasa seca. Los dos se habían pegado al muro y acordaron avanzar guardando entre sí una distancia de unos quince pasos porque no se fiaban el uno del otro. Separados y en silencio llegaron a la torre.

Se acercó Spic a la saetera, no sin emoción. El interior estaba iluminado y se oía allí una voz engolada y rítmica recitando un romance de moros y cristianos.

Spic dijo:

—Son los campesinos del dance de la fiesta, que están ensayando. También debe estar ahí Pilar.

Se asomaron los dos y vieron a siete u ocho hombres viejos y jóvenes entre los cuales una mujer alzaba la voz:

—Ésa es —dijo Spic—. ¿Es hermosa, eh? Pero la fuerza no la saca de su belleza sino de su temperamento. Ella manda en Aineto. Si hay diferencias de familia a ella acuden y mientras está Pilar en el pueblo no hay más alcalde que ella.

Dentro del torreón el paje recitaba con un sonsonete cantado:

Aprontados van os homes,
aprontados,
por a colina do cierzo
aprontados,
a respigar os cajigos
de os campos,
que non valen o que cuestan
ni aunque fueran de regalo,
aprontados van os homes
por el vado...

Pero el caballero Spic quería marcharse:

—Todos los años al final del verano hay fiestas en Aineto. Se divierten con una inocencia antigua, de veras cándida.

Caminaban de costado por el adarve, la espalda contra

el muro almenado, despacio y en silencio. "No comprendo —dijo Spic— que un hombre como usted, es decir, el gran copto, necesite tomar precauciones contra peligros como el de caer del adarve." Cagliostro no respondió y una vez abajo fueron hacia sus habitaciones, pero se detuvieron antes de llegar.

Spic quería hablar, pero no sabía qué decir.

—Los franceses —dijo cambiando abruptamente de tema— son más sociables que nosotros, aunque no más que los italianos. El francés tiene una cosa buena: es ateo. Pero sin darse cuenta diviniza a la sociedad.

—A la humanidad, diría yo.

—Eso es. Nosotros estamos solos entre el cielo y la tierra y creemos en Dios, pero sólo para blasfemar. Digo, ciertos españoles. El francés diviniza la obra de Dios en los hombres y las mujeres con quienes trata. El diálogo es su ritual. No me gusta a mí, eso. Además, su manera de regodearse con las palabras me parece indecente.

—El mundo está hecho de muchas cosas que no siempre nos gustan a nosotros —observó Cagliostro, prudente.

—Mi mundo es mi mundo y a él me atengo. Cada cual tiene su mundo propio, digo, en España. El español es el hijo predilecto del rey de las moscas.

Se quedó en silencio Spic como si dudara antes de continuar. Cagliostro sabía que era inútil discutir con Spic, pero dijo vagamente:

—Este castillo está fundado sobre la estrella exagonal de Salomón.

—No. El castillo, no. Sólo la capilla.

—Es bastante. Además, la imagen que preside la capilla es una copia de Tanit, la virgen fenicia o cartaginesa.

—Todo eso puede ser verdad, pero para mí la historia comienza con Baalzebuth.

—Desde el advenimiento de Baalzebuth —insistió Cagliostro, incómodo— han pasado sólo seis milenios y la historia del hombre tiene por lo menos quinientos milenios.

—Para usted. Para mi comienza con Baalzebuth. A todos sus argumentos yo opondré siempre uno que no tiene respuesta: la revelación directa del *baal.*

Solían llamar así al rey de las moscas por abreviar. En

persa esa palabra quería decir *rey*. Una vez más repitió Cagliostro:

—¿Y qué? El mismo *baal* es obra de Dios.

Se quedó un momento Spic inmovilizado por la sorpresa y luego con el tono del que se lamenta sin resignarse, dijo:

—A veces lo hemos adorado en la persona de usted. Usted es el gran copto y en nombre de esa misma ortodoxia sólo puedo discutirlo a usted hasta cierto punto.

Agradecido por aquellas palabras el italiano se calló.

Fuera y lejos (pero dentro del castillo) se oían voces raras. En algún momento sospechó Cagliostro que podía ser la castellana.

Para cubrir aquellas voces —que no se entendían, pero que se oían— el caballero Spic volvió a hablar de los resplandores de la torre que se alzaba en el extremo sur de la muralla exterior.

—Al principio —dijo Spic— yo creía que se trataba de una presencia sabaziana, pero es lo que pasa, a veces Pilar llega y está todo el día en el castillo y se va sin haberla visto yo. Este castillo es grande como una ciudad abandonada.

Se despidieron en buena armonía y se fueron a dormir.

Era la noche, como siempre, honda e impresionante. A veces el viento sonaba en las almenas y cuando callaba se oía tal vez un mochuelo o un búho.

Se durmió Cagliostro pensando que las noches de viento debía ser fatigoso para las lechuzas salir de sus guaridas y diciéndose que la cuestión del duelo había quedado, al parecer, resuelta. Spic no había vuelto a hablar de aquello y realmente un duelo entre ellos no podía menos de ser grotesco y el hecho de que la ricahembra lo exigiera demostraba que algo funcionaba mal en su cabeza.

Había Spic aludido varias veces a las crisis actuales de su señora. No dependían en absoluto de la conducta de Cagliostro. Había causas más complicadas. Pasaba la señora por problemas de conciencia tremendos. Es decir, ridículamente tremendos, según Spic. Pero lo ridículo no les quitaba patetismo.

Al día siguiente vio Cagliostro al guía Leoncio sentado

en las escaleras de lo que un día debió ser cuerpo de guardia. Estaba pasando una piedra arenisca por el filo de la dalle y al ver a Cagliostro le dijo: "Buen día, excelencia. Parece que hay peste en Francia y que la mortalera es grande". Pensó Cagliostro que se refería una vez más al terror revolucionario, pero Leoncio explicaba: "Es una peste que han traído los aires corruptivos y la gente se muere sin decir Jesús".

No hizo caso Cagliostro, pensando, aún, en la guillotina. En el patio de armas encontró a Spic quien le dijo taciturno:

—Hay novedades de importancia. Anoche se presentó Gavirus a mi señora según me ha dicho y hablaron de todo. También del duelo, claro. Lo que dijo Gavirus es que tenemos que batirnos antes de que se cumplan diez días a contar desde mi regreso al castillo. ¡Qué raro, diez días! Nunca me había dado Gavirus un plazo en días pares.

Recordó Cagliostro que el número diez era un número pitagórico adoptado por Numa Pompilio.

—Yo no tengo interés alguno en matarlo a usted —dijo—, pero podremos hacer la comedia para su señora. Los criados serán una dificultad.

—El domingo habrá una procesión en Aineto y yo los enviaré al pueblo mientras nos batimos. Las pistolas estarán cargadas en blanco, es decir con pólvora y salvado. ¿Qué le parece?

Aquel mismo día Lizaveta conoció a Pilar y salieron paseando hasta un berrocal que había junto al barranco de *l'Enfer*. Hablaron de las costumbres de la montaña. Se extrañó la princesa de que en aquellas alturas el luto de las viudas fuera blanco y las cocinas de las casas estuvieran en el piso más alto, con frecuencia en el tercero. Pilar le contaba otras particularidades de la vida en los montes Perdidos. Le dijo que todas las entradas en las fronteras de España tenían nombres alusivos al infierno. En el sur Acherón y en los Pirineos aquel barranco del infierno con su *Pont de l'Enfer* que se llamaba así en Francia y en España.

Aparte del matrimonio Spinac los montañeses parecían igualmente ricos o pobres. No sabía la princesa en qué consistía la pobreza en aquellas montañas y hacía preguntas para establecer comparaciones con las aldeas rusas. Pilar le dijo que las casas más pobres eran de piedra y que los campesinos tenían pan, vino y queso y aceite. El azúcar no llegaba a aquellas alturas, pero usaban la miel. Recordaba Lizaveta a los mujics rusos sin pan ni vino ni aceite, mascando sus semillas de girasol y merodeando como bestias cansinas y hambrientas alrededor de las estaciones de posta.

En equella conversación Pilar, refiriéndose a sus compatriotas de Aineto, dijo:

—Son buena gente, pero muy duros de mollera.

Añadió en español y con el acento de Ainsa, olvidando que Liza no la entendía:

—¡ Ixos bucardizos piensan que sólo ellos son homes!

La princesa preguntó si odiaban a los franceses.

—Oh, no. *Du tout.* Los gabachos son gentes civilizadas y valen más que nosotros en muchas cosas. Pero en cuestión de guerras y amores yo creo que el español les gana y es natural. En Francia llueve demasiado y los hombres tienen agua en las venas. Aquí los hombres tienen la sangre más espesa y más rica, es un decir. El francés —concluyó— luce en el salón y el español en el campo y en el amor.

—¿Le gusta a usted vivir en Francia?

—Sí, a mí me gusta hacer esa comedia francesa de la vida alguna vez, pero no siempre. Y cuando no puedo más vuelvo aquí. No digo al castillo, sino a Aineto.

Luego hablaron de Spic y de su esposa. Dijo Pilar en voz baja que no dejó de sorprender a Lizaveta:

—Está muy enamorado el marqués. Digo, de su señora.

Lizaveta preguntó tímidamente:

—Tuvieron un hijo, ¿no es verdad?

Pilar la miró con una expresión lejana, sin responder. Por fin dijo:

—Usted hace preguntas, pero la respuesta le tiene sin cuidado. Todo le tiene a su mercé sin cuidado en este mundo y por eso viste esos trajes pasados de moda. Ha estado en Zugarramurdi, ¿verdad? Bueno, aquellas locuras son necesarias de vez en cuando para que la gente sea más razonable el resto del año. Pero a usted nada la importa nada, ni aquello ni esto. Entonces yo en su caso me callaría y no preguntaría por las lamias ni por el hijo de los señores. El marqués está enamorado y el amor cuando llega a esos grados hace a los hombres un poco chirenes. El señor Spinac se conduce ya estos días de una manera rara y al final tendrán ustedes que marcharse. Eso sucederá pronto. Siempre pasa eso, con los visitantes: no aguantan más de tres o cuatro semanas.

Pilar se puso a hablar de sí misma y esperaba que Liza se abriera también a las confidencias. Pero Liza daba una impresión cauta y retraída, aunque más que cautela era falta de interés por sus propios problemas y por la propia vida. A fuerza de no poder entender la lógica del placer ni del dolor había llegado a desinteresarse de ellos y a no poder hacerse una idea de lo que era, por ejemplo, la felicidad ni la desgracia. Creía simplemente que el hecho de vivir dependía de los otros, quienes lo mataban a uno o no lo mataban a uno y mientras a ella le permitieran seguir respirando bajo el cielo azul y sobre la tierra verde no podía ni debía lamentarse.

—¿Es el conde italiano su amigo? —preguntó Pilar de un modo titubeante.

—Sí. Tenemos respeto y estimación, el uno por el otro.

—Quiero decir si es su amante —añadió la montañesa, atrevida.

La princesa sonrió cortando unas brizna de romero y acercándosela a la nariz .

—No. No es mi amante.

Y pensaba: "Pilar es feliz y tiene interés por la vida y por los seres vivos. El interés de una persona feliz". Pilar viendo que Liza seguía oliendo la brizna de romero arrancó un manojito de la misma mata, lo estrujó y se lo dio:

—El olor del romero está aquí y no en la hoja. Está en la flor y en las semillas.

La princesa olió aquellas hierbas y un momento el color de sus pupilas grises pareció hacerse azul.

—Me gusta caminar por el monte —dijo— porque luego me llevo en los zapatos el perfume y todo mi cuarto huele.

—Ya veo. Al parecer —dijo Pilar volviendo a su tema — no tiene usted relación de mujer con el señor italiano.

Liza negó, un poco extrañada de aquella insistencia.

—¿Me he metido en lo que no me importa? —preguntó Pilar.

La princesa agradeció aquellas palabras y respondió:

—Me parece natural que dos personas que simpatizan quieran saber la una de la otra. No hay indiscreción alguna.

—Pero usted nunca pregunta nada a los otros.

—Eso es verdad. Sólo me interesa que los otros no sean desgraciados y me alegro de saber que no lo es usted.

—¿Y usted qué sabe? Es verdad que yo creo que toda la vida es felicidad, pero unos tienen más y otros menos. La desgracia no existe y sólo es una pequeña parte de felicidad, a veces muy pequeña.

—Sí, muy pequeña, a veces.

Estaba convencida Liza en aquel momento de que Pilar tenía razón. La princesa añadió:

—Hay personas que no creen en la felicidad..

—¿Usted?

—Bueno, es... es la felicidad la que no cree en mí. En todo caso pensamos demasiado en eso, ¿no le parece? Nos preocupamos y por eso nos es difícil ser felices. El guía que nos trajo desde Cauterets es un hombre simple que no piensa en la felicidad y por eso su vida es mejor. Los perros del castillo piensan menos y los árboles menos aún. Por ese camino se llega a ver que la felicidad de las rocas y de los minerales es tal vez la única felicidad verdadera.

—En cuanto al guía, a Leoncio —dijo Pilar sin entrar en el problema que Liza planteaba— tiene un reconcomio que lo va matando por dentro sin que él mismo lo sepa. Es lo que suele pasar, a veces.

Se quedaron calladas. Sobre ellas planeaba un esparver y se sentía en sus alabeos la diafanidad y la solidez de los aires. Lejos se oía una campana. Pilar siguió hablando:

—Usted ha tenido tiempos mejores que éstos y yo lo sé.

Callaba la princesa, pero sentía la tentación de contar su vida, al menos el período de Florencia. Siempre que iba a hablar de sí misma llegaba de los ámbitos inciertos del destino una admonición: "Cállate. Guarda el secreto para ti". Y era como si el destino la ayudara, porque en más de una ocasión cuando iba a hacer una confesión de veras íntima interferían los hados violentamente, cambiando el rumbo del diálogo y el orden de las emociones. Pilar dijo de pronto:

—Madame de l'Espinac está un poco loca. Loca de amor.

Después de una pausa siguió la montañesa:

—Por el caballero Spic, claro. Lástima que no tengan hijos, porque entonces se le quitaría a la señora la locura y el amor se convertiría en una buena costumbre. Pero no los tienen. Si yo fuera más mala de lo que soy me alegraría, porque no teniendo hijos puede venirme a mí Torre Cebrera en herencia. Al menos eso me ha dicho el señor.

—¿No le corresponde al paje, el castillo?

—Bueno —rió ella—. Somos parientes y además el pajecico se quiere casar conmigo. El caballero Spic como lo llama su amigo, tiene más locuras y fantasías que su mujer, pero en otra dirección. Por ejemplo cuando le da la tontería patriotica cree que yo soy de estirpe real y que debían los españoles dar pasaporte a las dinastías de los Lorenas y los Borbones y los Orleans y los Módenas y fundar un linaje con gente del terruño, es decir —y Pilar soltó a reir, divertida —conmigo y con el zagal, que venimos de no sé que reyes de Navarra y Aragón. Cuando habla así yo le digo al caballero Spic que el agua de la cisterna se le sube a la cabeza. Porque lo que es vino, bebe poco. Cree que no se debe beber demasiado vino por una idea que tiene de los ritos órficos o cosa parecida. Algo que pasaba antes en la Mesopotamia. Por eso bebe tan poco. La que empina el codo es la señora, Dios me perdone.

Dijo este último bajando la voz y sonriendo sólo con un lado de la boca en un gesto un poco hemipléjico que reveló de pronto a la princesa como una herencia fisiológica cargada de estilo.

—Usted —repitió Pilar— ha tenido tiempos mejores y no siempre se ha vestido con esos trapos ridículos.

Se quedó Liza un poco sorprendida por aquella rudeza.

—No son míos estos vestidos, —murmuró— sino un

regalo—. Iba entonces a hablar otra vez de Florencia, pero Pilar cambió de tema:

—Los días claros usted puede ver Aineto desde aquella terraza. Y se me figura que viéndolo extendido, con sus casicas en una ladera del valle, su mercé piensa: ¡qué vida apacible y sin cuidados, aquélla! También yo lo he pensado a veces. Pero conozco a los campesinos, a los pastores, a los contrabandistas. Van a la taberna y beben como puercos. Entretanto cada cual mira al vecino con las de Cain en un lado y en el otro de la frontera. Los problemas de cada lado son más o menos los mismos, pero esta vertiente es la mía y, buena o mala, yo soy de la madera de esos bucardizos. Digo, los de Aineto.

Cambiando de tema otra vez Pilar —era muy versátil— ofreció a Lizaveta una costurera de Aineto que podía reformar sus vestidos en pocos días. Había sido doncella de costura de la duquesa de Villahermosa.

Comprendió la princesa que Pilar hablaba así para evitar otras confidencias mayores sobre Spic y su señora. Pilar añadió, afectuosa y afable:

—Esa manera que tiene usted de no importarle las cosas puede entenderse como desprecio por la gente y no hay que despreciar a la gente aunque tampoco quererlos demasiado, ni tal vez quererlos en absoluto. Lo que hay que hacer es vivir con ellos de igual a igual y esperar.

Hablaba francés, pero a veces intercalaba palabras vascas o montañesas como *chirene* o *mayorala* o *bucardizo* sin equivalentes en el idioma vecino.

Entretanto, Spic llegó a las habitaciones de su esposa y le dijo:

—El domingo se celebrará el duelo a veinte pasos y a pistola. Tres disparos de pistola de arzón.

Aquella promesa parecía dar a la señora un ánimo ligero y hablaba:

—¿Sabes que el domingo se cumplen años? Es el día, es decir la noche que llevaste al niño al vestisquero, digo al glaciar de la Maladeta. Allí lo dejaste en la nieve, envuelto en paja en su cajita de madera y allí se quedó ocho años invierno y verano, conservado en el hielo. El otro día lo llevaste al aquelarre envuelto en la manta, con granalla de hielo, ¿verdad? Todo esto parece mejor ahora que sabemos quien se disfrazó para hacer el papel de su majestad tenebrosa la noche de nuestra boda. Tú llevaste los restos del infantuelo a Zugarramurdi y allí se quedó quemado y en ceniza.

Callaban los dos. Murmuraba Spic: "Con esas cenizas comulgaron todos". Ella lo besó y le pidió que la dejara sola. Salió Spic, suspirando y repitiendo para sí mismo, "Ahora le dará la vena memorativa". Así decían ellos: *memorativa.*

La cabellera de la señora era de veras hermosa y le caía hasta más abajo de las rodillas. Cuando estuvo segura de que Spic se había alejado bastante comenzó a gemir entre dientes pensando en su hijo, conservado ocho años en la nieve del ventisquero. Pero el recuerdo era también —como el duelo— sólo un pretexto para desahogar su incomodidad por lo que ella llamaba la *piedra de molino.* Creía tener una piedra colgada del cuello, porque como dice la biblia *el que escandaliza a la infancia es como si se colgara del cuello una piedra de molino.* Y ella había *escandalizado.* Con el paje. Hablaba la castellana del glaciar y del bebé muerto, pero pensaba en Gil e iba alzando gradualmente la voz, aunque no llegaba a gritar bastante para que la oyeran los invitados desde sus habitaciones. Solía ser discreta.

La esposa de Spic se miraba en el fondo de un espejo con la cabellera tendida sintiéndose a un tiempo actriz y espectadora. Recordaba, la ricahembra, la galería de cristales cerrada a los vientos del norte donde en invierno dos enormes braseros llenos de calivo mantenían una temperatura cómoda. Fuera el campo estaba nevado. A veces caían las primeras nevadas cuando el caballero Spic estaba en Boltaña o en Pau y entonces la castellana se quedaba sola con el paje, los dos bloqueados por la nieve, durante algunas semanas o tal vez meses. Casos hubo de quedarse a solas con el paje el invierno entero. La piedra de molino se la colgaba ella en invierno y le duraba —le iba a durar, pensaba,— toda la vida. Lo curioso era que sólo sentía el peso de aquella piedra en verano,.

A solas con el paje en la galería del norte veían pasar

los días y semanas. Era invierno y el aliento se condensaba en los cristales. Para mirar hacia afuera había que hacer con la mano en el centro de cada rombo de cristal emplomado un círculo limpio y transparente. Lo hacía el paje y la blanquísima luz de fuera ponía reflejos en su frente y en la punta de su nariz. Tenía entonces el paje diez años. No era un hombre ni mucho menos, pero como decía la ricahembra, tenía propensiones y precocidades viriles.

Recordándolo, la señora se mesaba los cabellos y hablaba del bebé que cayó al foso. Eran aquellas voces —no muy altas— contra sí misma bajo el agobio de la piedra de molino. La vena memorativa. Spic había querido convencerla de que lo que sucedía en la galería de cristales durante el invierno era natural, ya que en todas las familias en las que había pajes sucedían cosas como aquéllas.

En realidad aquel primer invierno no había sucedido nada. Es decir la señora le dijo al paje: "Pareces una niña". Y el infantuelo se puso a punto de lágrimas. Los reflejos de la nieve daban a la cara del chico una inocencia nueva y ella sintió una gran compasión y la necesidad de consolarlo y acariciarlo. "Vamos a ver —le dijo— si eres niño o niña." Hizo la comprobación prolijamente y eso fue todo aquel día. Los cristales del invierno estaban empavonados por el vapor del agua que hervía en la cremallera.

Ella misma se lo había dicho a su marido y él le respondía: "No hay un solo castillo donde esas cosas no sucedan cada día, especialmente en invierno. Para eso son los pajes, querida, para liberar la conciencia moral." Pero la suya no la liberaba el pajecico sino que la esclavizaba.

A veces en aquellos días veraniegos —con los invitados en sus habitaciones— iba ella a la galería de cristales y se decía a sí misma terribles palabras. Había en la galería un gran espejo en cuyo fondo nevaba también cuando nevaba fuera. Nada importante había sucedido allí. El niño era precoz —pensaba ella— y cuando más tarde se lo dijo a su marido, Spic le respondió que mucho antes de aquella edad los niños tenían ya erecciones. Lo explicaba sonriendo afablemente, pero ella lo recordaba viéndose a sí misma con la piedra de molino colgada al cuello, según decía. ¿Era posible que a pesar de lo que había dicho tantas veces su marido la biblia tuviera razón al hablar de la piedra de molino?

Tenía la obsesión de que una de las doncellas se había enterado y la miraba con recelo o ironía. Era la vieja doña Clara. Preguntaba la señora a veces al paje: "¿Has hablado de esto con alguien?". El negaba con grandes ojos redondos y era verdad: no lo había dicho a nadie. Tenía reacciones de varón y hacía honor al secreto. Era ya un machito responsable. Pero la castellana iba hablando sola, por los corredores, con el cabello suelto — para dormir — y la camisa de noche. Desde su experiencia primera con el niño se sentía alerta contra una especie de universo de algodón lleno de centinelas blancos. Y por eso — contra toda congruencia aparente — le había sugerido a Spic el duelo. Los centinelas blancos del invierno hacían sonar las trompetas convocadoras del duelo y ella las oía muy bien dentro de sus oídos (dentro y no fuera).

En la galería de cristales el niño erguía su cabeza satisfecho de poder demostrar que no era una niña. Estaba la galería como envuelta en porcelana fría, pero el hielo en los cristales formaba agujetas minúsculas, alguna de las cuales se desprendían con la vibración de la risa del niño. O con los golpes súbitos del viento, por fuera. Pocos días después el pecado se hizo más grave y tenía un nombre latino clásico: *fellatio.*

Con la nieve envolvía a la galería un enorme silencio, un gran silencio de navidad. Era la galería ancha, larga y alta de techos, con una chimenea en la que podía arder una carga de leña. Las vidrieras eran rombos pequeños, emplomados a la antigua.

Mirando por los cristales Gil se sentía contrabandista de mosquete y cuchillo. La señora lo oía hablar y a veces lo interrumpía diciendo:

—Tú eres un pillo que sólo piensa en las chicas.

La señora de Aineto se daba cuenta de que el pajecico estaba muy mimado y a veces quería llamarlo al orden, pero en invierno no podía porque estaban demasiado juntos, estaban los dos en una permanente y secreta complicidad. Lo raro era que la señora no sentía entonces — en invierno y en la galería del norte — la piedra de molino. Parecía que no hubiera entonces otras leyes en el universo que las que ellos querían imponerle. La conciencia y el sentido moral dormían en invierno como los osos.

La servidumbre no veía ni oía. El mayordomo que era el que estaba más cerca de la señora solía jugar a las cartas durante largas veladas con Gil y éste, nervioso por el encierro, a veces insultaba al viejo sirviente, quien alzaba las cejas y decía:

—¡ Cállate, mocoso!

Aquella mañana la nevada blanca renovada contra las ventanas cerraba la cristalera con diafragmas de pureza. Diáfana y vaga la hora tomaba en las escalinatas y las oquedades de las chimeneas una firmeza rara y los fantasmas de la invernada vagaban por las balaustradas en las cuales se adivinaban castas ausencias congeladas, soledades y lejanías. Una cierta clase de lejanías no sólo muertas sino amortajadas.

En los despertares de la montaña blanca todo era soledad. La vida se recataba bajo la humareda de las terrazas en la brizna verde que colgaba del barandal, y se revelaba en los encajes mañaneros de la castellana alusivos a sábanas, almohadas y otras claridades muelles.

Sentábase Spic frente a las vidrieras —cuando invernaba en el castillo— con la barbichuela escarchada de luz, la castellana feliz y secreta iba y venía dentro de su enagua gravemente agitada en el ascenso de la escalinata y el paje, irritado y con ganas de llorar, aguzaba a veces el oído para alcanzar el aullido de los lobos lejanos. La invernada le parecía al paje una prisión. Dominaban aquella tortura las tres Sorores como un tribunal, las tres Sorores también blancas en la cima y ocres con visos nacarados en la orografía del lado, meridional. El paje tenía impaciencias de héroe antiguo, pero cuando oía ulular a un perro (y responderle un lobo en los establos desiertos donde tenían sus guaridas) la impaciencia por salir del castillo desaparecía.

Esa sensación de gustosa seguridad era mayor cuando los vientos del norte se filtraban entre las altas Sorores mugiendo como debían hacerlo en un remotísimo pasado los increíbles megaterios. O como mugían en sus vibraciones bajas los órganos de los templos.

Siempre tuvo Gil una fantasía encendida. Siendo muy niño (aunque no hacía muchos años) la castellana le preguntó un día de navidad qué quería ser y el paje levantó la cabeza rubia que tenía apoyada en su falda, se irguió sobre sus rodillas dobladas en la alfombra y con voz atiplada pero firme respondió:

—Yo quiero ser un monstruo incalificable.

La palabra "incalificable" la repitió dos veces y las dos con la lengua trabada y sin acertar, lo que aumentó la ternura de la ricahembra.

Callaba la brisa congelada y susurraba la nieve resbalando sobre la nieve en los secretos cristales del glaciar.

El silencio se hacía más hondo en aquella sucesión de blancos verticales: nubes, montañas, lajas cubiertas de liquen nevado, las Sorores, el aire gris claro, el glaciar caminador. Aquella acumulación de blancuras estaba envuelta en un silencio de rocas, un silencio anterior al mundo animal y vegetal.

A veces la castellana se quedaba horas y horas en la galería norte, mirando hipnotizada hacia afuera. Spic le decía:

—Puedes cegar, querida. Puedes cegar. No mires tanto a la nieve.

La emoción de la nieve la daba no la blancura sino el silencio superpuesto a aquella blancura igual que la eternidad se superpone al infinito. Y a veces Spic tenía que acercarse a su esposa, tomarla por la cintura y convencerla, con expresiones tiernas, para que saliera de la galería norte. Ella se enfadaba:

—¡Es como si te ofendiera a ti, la blancura!

—Me ofende, querida. Claro que me ofende.

Era partidario del color negro y de sus aliados: rojo, verde botella, añil oscuro. Adoraba las noches sin luna en cuyos recovecos a veces esperaba que se le hiciera presente el rey de las moscas o por lo menos el dios fenicio Gavirus. Huía del color blanco y nada más blanco que el día invernal, pero nada más negro también que la invernal noche nubosa, de cielos bajos y fríos.

De los varios segmentos del día en aquel verano aromado de romero verde y espliego la noche era de Spic. La mañana se la dejaba a Cagliostro partidario de la magia blanca, el crepúsculo vespertino a Lizaveta con sus melancolías secretas. Para el paje, el día entero con su reverso nocturno era una esfera radiante, prometedora y duradera. Nunca se acababa el gran día redondo. Spic a veces se ponía tan nervioso en verano como el paje en invierno y tascaba el freno. Le habría gustado a veces vivir en la ciudad y que le ofrecieran honores y dignidades para rechazarlos. Nunca recibió aquellos ofrecimientos en Torre Cebrera y a veces se preguntaba si en caso de recibirlos los habría rechazado. No estaba seguro. No porque considerara aquella clase de renuncias virtuosas sino sólo decorativamente arrogantes. Y en los últimos años comenzaba a sentirse viejo: "Se llega a una edad en que la cadena de oro de una encomienda es más cadena de esclavitud que de señorío". Cuando hablaba así, su esposa lo miraba con su expresión indefinible (entre recelo y estupor) y no decía nada.

Para Spic la nobleza familiar residía en la rama de los Arandas. Y sin embargo (cosa rara) desde que leyó el libro de Australia imaginaba a los Arandas como una especie de monos barbones de rabo corto, caminando a cuatro manos con trasero pelado y hocico de perros. De perros humanos inteligentes, que era peor. Cuanto más inteligentes los animales más intolerables, para Spic, quien sólo los aceptaba como "errores de Dios".

Los inviernos que se quedaba el caballero Spic en Torre Cebrera parecía ir tomando el aire ascético de las figuras de Zurbarán. Pero su ascetismo y su misticismo lo eran de Baalzebuth y no de Balaam, agente nigromante al servicio del rey Moab contra los judíos nómadas acampados en las riberas. Cagliostro daba a las palabras de la burra de Balaam interpretaciones muy extrañas de las cuales Spic habría discrepado en caso de plantear imprudentemente la necesidad de discutirlas. No podían ponerse de acuerdo porque en la magia negra y en la blanca era cada uno irreductible.

Durante los largos inviernos el mayordomo no entraba nunca en la galería de invierno si no lo llamaban, porque sabía que aquel lugar era el de las promiscuidades.

Había cosas raras, en aquella galería.

Además del reloj y del herrero que daba las horas en su yunque destacaba en un rincón una calavera un poco más pequeña que la de un hombre adulto y debajo de ella dos huesos cruzados. No eran naturales, sino de cera.

Lo más notable que había en la galería era un botellón grande lleno de alcohol, con un feto humano en la posición que tienen dentro de la matriz. Era una niña con gran cabeza y miembros pequeños, como tentáculos de una especie de pulpo blanquinoso del color del coral crudo.

Había sido un parto frustrado de la señora. A veces el señor de Aineto lo mostraba con un gesto cortés, inclinándose y diciendo su blasfemia favorita:

—Tengo el honor de presentarles a mi hija Ernestina; una equivocación del Sumo Hacedor, que, como ustedes ven, no es siempre un hacedor plausible.

Esas cosas sucedían en verano, que era cuando había en el castillo alguna vida social, aunque no fuera mucha. La princesa no había pasado por aquella incómoda experiencia. Spic no le había presentado a Ernestina porque sabía que, a pesar de todo, Cagliostro no era hombre blasfemo.

En los largos meses de invierno el paje se ponía impaciente y nervioso con la clausura y a veces tenía ganas de llorar y la señora de hacerlo llorar de veras.

"Pasarán los calendarios —pensaba ella aquella noche en su cuarto— y aquí estaré yo con la piedra colgada al cuello." Luego recordaba lo que le decía Spic: "No tiene importancia, eso" y ella lo miraba con una especie de ansiedad agresiva.

Todo el invierno último estuvo Spic fuera, en Grenoble, y Lille, ocupado con los *sbats* no porque fuera aficionado a ellos, sino porque quería transformarlos según sus creencias y llevarlos un día a Torre Cebrera de la que trataba de hacer el centro europeo de la magia negra.

Para eso había que influir antes en los *sbats* y convertirlos de algún modo al culto de Zugarramurdi. Esto era lo que le dolía a Cagliostro y lo que habría querido evitar. Pero aunque no pensaban en otra cosa no hablaban nunca de aquello.

Había en el castillo bloqueado por la nieve durante el invierno dos grandes fuegos, uno abajo en el hogar que no se apagaba nunca. A los lados del fuego había cadieras y en el fondo se veía un banco de piedra ahumado por los siglos.

A cada lado del banco una ventana mostraba el grosor tremendo del muro, de más de dos varas de profundidad y sobre cada ventana un pequeño bajorrelieve de piedra, el uno de Santa Nonila y el otro de Santa Alodia, mostraban la inocencia del arte románico.

Al fondo de las ventanas, que más bien parecían troneras de cañones, se veía el paisaje nevado en una extensión de quince o veinte kilómetros. A veces en aquellas ventanas se posaba algún halcón y desde allí llamaba a su hembra con gritos agrios.

Leoncio, en las veladas larguísimas del invierno, con vino caliente y miel, contaba a veces cosas tremendas inventadas u oídas de sus abuelos. A veces cuando estaba a medios pelos miraba a una de las doncellas que preparaban la cena y le decía si quería salir a buscar leña con él.

—Antes de volver con la leña yo te daría un buen revulcazo en la nieve.

Y una viejuca que hilaba el copo de lino en un rincón alzaba su cara arrugada pero roja de las llamas como una manzana del año anterior y decía:

—Cuanto estuvieran sus mercedes en lo mejor iría yo pasito y les pondría un puñao de nieve donde yo me sé.

Los viejos reían, pero la doncella iba y venía, impasible, como quien no hubiera oído nada.

Aquel banco de piedra al fondo del hogar, al otro lado del fuego (lo veían las mozas guisanderas a través de las llamas), tenía algo de trono para los reyes santos o los reyes bandidos de la antigüedad. En las cadieras que flanqueaban el hogar había sitio holgado para más de veinte personas, que eran aproximadamente las que servían en el castillo.

Nadie entraba en el castillo ni salía de él desde que comenzaban las grandes nevadas. Era como estar sitiados por una especie de pureza mortal. Nieve, frío, ventisca, glaciares.

Sólo había una persona que podía entrar y salir: Leoncio. Y nadie más que él sabía cómo. En un caso de necesidad Leoncio podía ir a Aineto, en pleno invierno, y volver. Aquella cocina baja era una especie de corte antigua donde los siervos se permitían algunas libertades. Se sobrentendía que mandaba como ama de llaves la llamada dueña de estrados y el mayordomo la dejaba hacer sin dignarse bajar porque asomarse a las cocinas "de abajo" le habría parecido indigno de él.

Se hacía valer Leoncio durante el invierno por aquella habilidad de hombre que podía romper el bloqueo de la nieve cuando quería.

Una gran parte del castillo quedaba cerrada en invierno al acceso de las personas y expuesta a la ardua intemperie. En aquella parte —cuadras desiertas, antiguos calabozos, cuerpos de guardia al pie de los adarves— se cobijaban algunos animales salvajes, casi siempre una familia de osos, dos o tres de lobos y por lo menos, también, una de vulpejas a juzgar por los gañidos que se oían por la noche.

Sabía Leoncio donde estaban aquellos animales y lo que hacían. Sabía también cuando parían las madres y las crías que tenían.

Había en el castillo cuatro o cinco perros cabañeros, dos mastines y un par de galgos, éstos para la caza en verano. Todos vivían en la planta baja menos uno de los galgos que subía a veces a la galería de invierno con suave trote de bailarín y se acostaba frente a la chimenea.

Los otros se quedaban abajo. Y a veces oían a los lobos u olfateaban a los osos y se armaba a distancia una contienda de voces y desafíos. Los lobos aullaban —no sabían ladrar— y los perros ladraban. Desde la vivienda de los señores se oían aquellos ladridos en una lejanía de intemperies y ruinas y murallas.

Se cuidaba Leoncio de que al llegar el otoño fueran elegidos para el sacrificio algunos caballos viejos de los criaderos de Aineto. A medida que avanzaba el invierno los iba sacrificando y su cuerpo abandonado en la nieve se conservaba sin descomponerse. De él se nutrían los perros hasta dejar pelado el esqueleto. Después hacía Leoncio lo mismo con otro caballo y así iban acabando su vida los animales inútiles.

Los lobos salían a cazar y volvían con gamos pequeños o cabras monteses que dejaban también en la nieve a la entrada de sus cubiles. Allí salían a comer los lobeznos y las lobas. Iban los lobos de caza por la noche cuando el cielo estaba despejado y había luna.

Quería el paje ver los lobos, pero Leoncio le había hecho saber que no eran como los osos, panzudos y dormilones —y un poco cómicos— sino pugnaces, valientes y en aquellas alturas, dueños del campo. No había bromas con ellos.

Uno de los criados de abajo tenía una perra y quería cruzarla con un lobo para tener un lobezno, mestizo. Soltó a la perra en un lugar donde pudiera encontrar a sus salvajes galanes y éstos la cubrieron y se la comieron después. Fue aquél un hecho misterioso que aumentó el miedo del paje Gil. La señora se impresionó también. "Los lobos pueden amar a su hembra y luego comérsela." O tal vez darla a comer a sus lobeznos. Ésto era lo más probable.

—Y los osos ¿qué comen? —preguntaba el paje a Leoncio.

—¿Los osos? En el invierno los osos no comen. Están con la modorra.

Las que acudían a comer la carne de caballo por la noche eran las raposas, no bastante fuertes ni valientes para arriesgarse por aquellos montes nevados.

Iba Leoncio durante el invierno un par de veces a Aineto, una para la Navidad (que no se celebraba nunca en el castillo, al menos según el estilo católico) y otra el día de su santo, que era el 29 de enero.

La Navidad en el casillo se celebraba con un ciprés vivo (lo tenían plantado en un cubo de madera muy grande que trasladaban sobre rodillos) en un rincón de la galería a un lado de la chimenea. En medio del ciprés ponían la calavera y las dos tibias y todavía la fiesta no se hacía con el ciprés —que era sólo un símbolo auxiliar de la resurrección— sino con el mito primitivo del fuego. Y los regalos los daba el llamado tronco de Nadal que ardía en el fuego, pero tenía una oquedad natural en donde la castellana o su marido los ponían.

Cuando lo supo Cagliostro se ofendió ante la idea de que un satanista nigromante usara algunos de los ritos de la magia blanca, como aquél.

El invierno anterior no había estado Spic en el castillo

pero sí dos inviernos antes. Lo atraparon las nieves y no pudo salir. Contra lo que se puede suponer, cuando Spic estaba en el castillo la vida no era diferente. Hacía él sus experiencias mágicas y sus estudios y dejaba a su señora libre la mayor parte del día en su galería de invierno con el pajecico.

Aquel invierno estuvo también Pilar en el castillo durante todo el mes de marzo. Aquello fue encantador para el muchacho, quien se convirtió en su servidor esperando que ella le hiciera las mismas caricias que solía hacerle su ama. El paje estuvo hablándole horas enteras a Pilar en la galería de invierno y ella, adormecida con el calorcito del fuego, acababa por dormirse y precisamente iba a dormirse cuando el paje le decía algo importante.

Le decía también cómo los osos que vivían abajo roncaban a veces dormidos, por la noche, y el ronquido era como cuando abrían una puerta de hierro oxidado sobre el viejo foso. Parecía un ruido de cosas y no de animales.

Dormía Pilar con la mejilla derecha coloreada por el fuego, más viva o menos viva según los reflejos y al comprenderlo Gil seguía hablando bajito, más bajito, hasta que su voz era sólo un susurro porque había visto hacer aquello a las amas y a las niñeras cuando dormían a un bebé.

Otras cosas pasaron allí, en aquel lugar, pero nunca con su prima.

Estando Pilar en el castillo una noche en que todos parecían aburrirse se le ocurrió al muchacho pedir que le contaran cuentos. En aquel momento el reloj grande comenzó a dar horas por el procedimiento de siempre, es decir saliendo el herrero a golpear con el mazo en el yunque. Hubo que esperar a que terminara. Después, el galgo que dormía junto al fuego alzó las orejas y comenzó a gruñir. Spic levantó la mano pidiendo silencio. Como otras veces cuando los perros barrutaban algo tenía Spic la esperanza de que se tratara del dios Gavirus que solía aparecer detrás del repostero que cubría una puertecilla disimulada. Eso creía Spic, al menos.

Nada sucedió entonces, pero hubo crepitaciones en los leños del fuego, un témpano se desprendió de los salientes del tejado al otro lado de los cristales, con un crujido de mástil de barco, y luego se produjo un largo silencio más inquietante aún que los ruídos anteriores. Entonces Pilar le contó a Gil el *fabliau* de los cuatro enanitos. No había dramatismo alguno en el cuento, según la tradición provenzal y gascona (y en general la costumbre popular) que acababa así:

Viva la reina Ricarda
la del pajecico fiel
con la luna en la estacada
que es una luna de hiel,
vean lo que en la enramada
sucede junto al cancel,
de la sangre del menino
está brotando un laurel
y Satanás vespertino
vigila desde el dintel
decorado con fayenza
las glorias del asesino
deste fabliaux de Provenza.

Pero había noches misteriosas en el castillo y en el invierno, sólo en el invierno. El caballero Spic gozaba con aquellos misterios, su esposa se inquietaba un poco y el paje pasaba trances de verdadero pánico que disimulaba apenas. Aquel miedo no se lo producían los lobos ni los osos —los *onsos,* decía Leoncio— sino seres minúsculos más pequeños que los enanitos del *fabliau.* Más pequeños que ninguno de los seres vivos que se podían imaginar.

Tan pequeños que no se les veía. Podían oírlos, pero no verlos. Leoncio les llamaba *los menos.* Spic los *elfos.* La castellana y el paje y los criados los llamaban los *duendes.*

XVI

Los campesinos llamaban a los animales pequeños y a los hombres enanos "los menos". Ese nombre se daba especialmente a los terneros. Había sobre los *menos* tradiciones y leyendas y no sólo en Torre Cebrera y en Boltaña sino en toda la España campesina.

También las había en Francia y sobre todo en Inglaterra y Escocia. De aquellas leyendas vino más tarde la de los gnomos guardadores de tesoros.

Los hombres pequeñitos eran de una raza especial como los pigmeos actuales de África, pero más cortos aún de estructura. Eran hombres razonables, justicieros y nunca devolvían mal por bien. Antes de la era cristiana les enseñaron a los grandes su magia negra que prosperó con el tiempo, sobre todo en Escocia y en España.

Hubo casas ilustres en Inglaterra, Francia y España que llegaron a tener menos (*meninos* en Portugal) como empleados permanentes. Así y todo los pobres fueron acabándose y llegaron a desaparecer del todo en Francia. En otras partes les obligaban a refugiarse en los secarrales y desiertos improducticos. En España en Las Hurdes.

Lo mismo hoy que entonces no sólo eran risibles los menos sino que podían ser también peligrosos. Y los *hijos* actuales de aquellos menos eran los duendes, juguetones, bromistas y tal vez terribles. En el castillo los había. Pocos inviernos antes se manifestaron sin lugar a dudas y a nadie le sorprendió. Lo que les extrañaba era que no se hubieran manifestado antes. El caballero Spic se sentía orgulloso con aquellas vecindades. ¿Cómo se manifestaron? De un modo no dramático ni trágico más bien humorístico. A media noche en el silencio de Torre Cebrera comenzaba a oírse encima del techo abovedado de los dormitorios un ruído misterioso: el que podría producir un carrito de mano lleno de cuchillos de mesa rodando despacio de un lado a otro. Se oía unas veces más cerca y otras más lejos y aunque Spic parecía encantado de aquello y sonreía mirando a lo alto, su mujer temblaba en la cama.

Nunca aprendió su mujer a gozar de aquellos misterios. En la noche los duendes seguían produciendo una masa de sonidos ligeros y cristalinos. Una masa de ruiditos cuya necesidad o utilidad era imposible imaginar. Estas solían ser las especialidades de los duendes: rumores sin sentido.

A veces, en el silencio se oía un suspiro, es decir un pequeño gemido descendente, como si el que arrastraba el carrito se hubiera fatigado. Y entonces había un largo silencio que más tarde —algunos minutos más tarde— era interrumpido por otro ruído no menos raro: el de los pies de alguien cayendo sobre la bóveda. Alguien que hubiera saltado. Quizás el que suspiró había dado un brinquito. En todo caso el que suspiró brincaba y volvía a brincar esta vez más abajo, es decir en otra dirección.

Y se oía otro brinquito a la derecha.

Escuchaba la esposa con la boca entreabierta. "Ahora ha brincado hacia la cabecera", decía. Pero poco después en lugar de un brinquito se oían dos. Era evidente que los que habían saltado eran cuatro pies en lugar de dos y la señora sin dejar de mirar al techo y con la misma expresión y la misma boca entreabierta decía:

—Ahora han brincado hacia la izquierda y van descalzos. Los que brincan van descalzos, ¿verdad?

Ciertamente los saltos no parecían de una persona normal porque cubrían distancias de cuatro o cinco varas según creía la castellana. Y Spic decía:

—Yo puedo detener esos movimientos con una palabra, es decir con una sentencia en sánscrito, pero no la digo porque no quiero abusar de mi autoridad con los seres del mundo sobrenatural.

La noche siguiente volvieron a oírse los rumores de cuchillos entrechocando y de vez en cuando el rumor se detenía y se oía un suspiro o más bien una lamentación y poco después volvían los saltos. Unas veces brincaban a la derecha, otras a la izquierda. El misterio de los brinquitos desvelaba a la señora de Spic y encantaba al marido.

El caballero decidió hacer uso de las fórmulas que tenía para hacer propicios aquellos misterios. La frase que Spic repetía más a menudo era la misma que Cagliostro había dicho en el hotel de Budapest al oír temblar los vidrios y prismas de una lámpara. Había dicho: "*Tat tvan asi*". La fórmula en sánscrito solía ser aficaz, pero sólo en los labios del gran copto. Eso es. Los *elfos* no le hacían caso a Spic.

Cuando aquellas cosas sucedían ni ella ni su marido dormían, y luego andaban todo el día ensoñecidos y allí donde se sentaban se quedaban dormidos, especialmente si había fuego cerca. Ella se dormía en el diván de la galería de cristales.

Algunas noches Spic no tenía sueño y acudía al lado de un gran ventanal mirando hacia afuera el paisaje. A veces había luna y el cielo estaba cubierto de estrellas. Se veían más estrellas desde allí que desde la tierra y además se veían mejor. Había un momento, minutos antes de salir el sol, que parecía el cielo un terciopelo negro lleno de joyas de plata y platino, ajorcas, collares de diamantes, puñados de cosas brillantes y gruesas.

Tal vez Spic oía hablar a su mujer y acudía corriendo a su lado. Como otras noches, se lamentaba ella de *la piedra de molino.*

Mientras estuvieron Cagliostro y Lizaveta en el Castillo no se oyeron los duendes. Desde hacía tres años se habían retirado al parecer a otra parte del castillo que Spic les había cedido permanentemente. Si durante el invierno las caballerizas exteriores pertenecían a los osos, las raposas y los lobos, las partes altas de la torre albarrana pertenecían a los duendes y menos mal si se quedaran en ella —pensaba la señora—, pero había duendes también en la parte palacial del castillo y a veces se oían ruídos al mismo tiempo en la torre y en las falsas. Spic se reía de los miedos de su esposa y le decía:

—Hija, es un privilegio tener *elfs* en casa.

Mientras Cagliostro y Lizaveta estaban en el castillo

habría gustado Spic de que se produjeran ruídos para mostrarle al italiano aquel privilegio y para ver si la frase mágica —*tat tvan asi*— producía los efectos que había que esperar en los labios del genuíno gran copto.

Pero no hubo ruídos nocturnos, entonces. Spic habló con Cagliostro y éste pensó que el hecho de que no hubiera ruídos en verano quería decir tal vez que se trataba de ardillas u otros animalitos que buscaban refugio durante el invierno en aquellos lugares. Pero no lo dijo. No quería herir a Spic en su orgullo.

Fue Spic un día a ver al ermitaño del Pueyo y le dijo lo que sucedía. El viejo creía en los ángeles. "No es que sean como los de la iglesia, con alas y cara de doncelletas. Pueden no tener alas y si a mano viene pueden tener hocico de tenca o de topo ciego o garras de avestruz o de aburtarda, pueden tener cualquiera forma y manera, y no hay razón para que tengan la cara de los hombres ni de las mujeres". Añadió que algunos de los animales que el hombre trata como tales animales eras ángeles en realidad.

A todo esto, la vida en el castillo seguía como siempre. La dueña de estrados y el mayordomo no se hablaban. Cuando tenían que hablarse, por necesidades del servicio, el mayordomo y la dueña se trataban con una deferencia y cortesía impertinentes.

En la galería de cristales coincidieron aquella mañana el paje y Spic. Éste le preguntó:

—¿Sabes lo que representan las cosas que hay en esta galería? Aquélla por ejemplo.

Señalaba la calavera y las dos tibias. El chico respondió:

—Son el símbolo de la vida eterna. Lo usaban los caballeros templarios como bandera y desde antes de la era cristiana representaba la muerte y la resurrección, la resurrección y la muerte, la muerte y la resurrección, así hasta el infinito.

—¿Qué es eso del infinito? ¿Hay alguna prueba material de la existencia del infinito?

—Sí, señor.

—¿Cuál?

—Los números. Pitágoras decía que todo el orden del

universo se puede explicar por números y sólo es posible eso porque los números son infinitos.

—¿Te lo ha dicho la señora?

—No señor, que lo he aprendido del mayordomo. Ella me enseña otras cosas.

Lo decía inocentemente, pero el doble sentido hizo reír a Spic, quien después de una larga pausa preguntó de improviso:

—¿Qué edad tienes?

—Casi doce años.

—Pronto serás un hombre.

—Lo soy ya.

—¿Cómo lo sabes?

—La señora me lo dice.

Leoncio regaló en aquellos días al paje un osezno que se levantaba sobre sus cortas patas traseras y quería fisgarlo todo con su naricita negra. Era de la familia de los osos que vivían en invierno en las caballerizas viejas y el paje, entusiasmado, se dedicó a enseñarle a beber leche, porque no sabía. El animalito metía el hocico en la leche y se asfixiaba y volvía a sacarlo, escupiendo. Entonces lamía sus propios morritos y le gustaba. Pero aquello no era bastante y como Gil tenía miedo de que muriera por falta de nutrición pidió consejo al caballero Spic. Éste se alarmó al ver que habían robado el osezno de un cubil y dijo que de allí podían venir grandes daños, porque los animales maldicen con la intención y sin palabras y su maldición es peor que la de las personas.

Había que devolver el osezno cuanto antes.

Gil quería ver lo que sucedía al ver que regresaba el hijo perdido y Leoncio dijo:

—Tendríamos que ir al cubil y está lejos. Además la madre no hará nada. Se pondrá a lamerlo y eso es todo. Estará lo menos un día y una noche lamiéndolo sin parar. Eso lo hará para quitarle al animalico el olor de persona. Les repugna el olor de persona a todos los animales.

Por la noche la castellana recorría, aquel verano, los pasillos hablando consigo misma: "He aquí que el glaciar caminaba y sobre al glaciar envuelto en paja y nieve caminaba el bebé. Por eso el romero dejó de florecer en estas montañas y ayer han venido a decirme que con las cenizas del bebé han comulgado todos en Zugarramurdi".

Diciendo esto gemía pero no por el bebé sino por el paje y la piedra de molino. Aquella noche era como el reverso del paisaje helado: un paroxismo de negruras. Recordaba el día que preguntó a Gil: "¿Le has dicho a Pilar estas cosas que hacemos en la galería? ¿Lo has dicho a alguien?". Y al saber que no, ella le dio un pequeño escudo de plata, un escudo de a cuatro. Pero recordándolo ahora decía ella por los pasillos: "¿Es qué no me valdrá ya reclamar tu favor, esposo mío? ¿No me dejarás a mí dueña de las horas de mi linaje y casta, dueña y no esclava de mi arrepentimiento?".

Como siempre, lo decía pensando en el paje. Su arrepentimiento no era del aquelarre donde la fecundaron ni de la muerte del bebé depositado una noche sobre los hielos del glaciar sino de la galería de invierno. En una ocasión —el año anterior— pasó tres días enteros con el paje en aquel lugar y el niño la miraba con inocencia. Pero ¿qué sucede detrás de la mirada inocente de los niños? Ella veía el paje muerto también, desnudo y envuelto en paja caminando con los hielos del glaciar. Caminando sobre ellos y con ellos, que eran los mismos de la remota prehistoria.

En invierno el paje era un producto de la nieve y de los ventisqueros. ¿No era también Gavirus un ángel fenicio? ¿Qué era Aznar —uno de los nombres que los vascos daban al diablo— sino un ángel ario rebelde y castigado?

—Allí donde el *loup-garou* habita y cohabita con su hembra —decía ahora la ricahembra— allí estuvo ocho años el bebé y las brisas blancas y frías del glaciar entraban en mi pecho y me hacían temer por mí propia vida

La sugestión de la galería de cristales era tal que cuando comenzaba la señora a hablarse a sí misma sentía llegar a su rostro brisas frías a medida que alzaba más la voz. Siempre *aquello* sucedía en invierno o al menos había comenzado a suceder en invierno. La nieve que estimulaba la virilidad viciosa del niño despertaba a un tiempo el deseo y la vergüenza de la castellana. Durante el verano el paje estaba la mayor parte del tiempo fuera del castillo, al aire libre, cazando con Spic o en las fiestas de Aineto con Pilar.

Al oscurecer cada día las sombras invadían todo.

—Saldré al balcón —decía ella, en la noche— y veré la tierra desolada y vacía. En el cielo no habrá luz y volveré a pensar que en Zugarramurdi se acabaron los restos del niño y que con sus deditos agrupados y su brazo desnudo hicieron un cirio votivo. No había en aquel momento otra luz en la tierra sino la del cirio votivo y la de Venus Astarté y fueron testigos excepcionales el caballero de l'Espinac, el conde extranjero y la meridiana rubia de San Petersburgo.

Lizaveta no entendía aquellas palabras, pero cada vez que oía en la noche la voz de la castellana se acordaba de los dos bebés. El que ofrecían las brujas en una bandeja —la noche del aquelarre— y también el suyo propio, muerto en la prisión y comido por las ratas. Sin darse cuenta le parecían el mismo bebé.

Acudía Spic al lado de su esposa:

—Si los invitados te oyen —le decía— creerán que estás loca.

Y diciéndolo dejaba vagar su vista, golosa, por las ondas de la cabellera de la ricahembra que era del color de la caoba oscura, en algunos lugares negra en otros rojiza, según la luz.

—Sólo creyendo que estoy loca —decía ella, alucinada— tendrán los demás algún respeto para mi problema.

—¿Por qué das voces únicamente en verano, querida? —preguntaba él con una curiosidad despegada—. ¿Por qué en verano y no en invierno?

Ella explicó que en verano salía el paje del radio de influencia de su corazón y se restablecía el orden. Y la ley de lo convencional. Entonces ella se daba cuenta de la irregularidad de su propia conducta, cuando el muchacho estaba lejos. Escapaba Gil, se iba a la tierra baja y no volvía tal vez en ocho o diez días. Decían que lo habían visto trillando con los mozos en alguna era del valle de Boltaña o en las fiestas de alguna aldea haciendo de rabadán en las comedias de pastores y subiendo a lo alto de las pirámides de hombres en los *dances* para desplegar el estandarte del santo patrón de las fiestas. Entonces la razón de ella volvía a ser normal y con la normalidad volvía a sentir la piedra de molino colgada del cuello.

A veces el marido preguntaba a su esposa si de veras necesitaba hablar consigo misma por los pasillos y gritar en el silencio de la noche. Ella lo miraba recelosa y decía:

—Si lo hago es para desahogar los dobles fondos de mi alma.

No lo entendía, Spic. Aquella noche pensó que se calmaría al salir el sol, pero no hubo tal. La ricahembra se acercaba a la ventana y dejando flotar su cabellera en la brisa —a veces le cubría el rostro— decía alzando la voz:

—¡Derramaré mi ira sobre los niños, en las calles de Aineto, y algunos de ellos, muchos de ellos, tal vez todos ellos, irán también desnudos al glaciar. Todos irán tal vez desnudos uno detrás de otro al glaciar de la Maladeta, en pequeñitas cajas de madera.

Se le acercó Spic y cuando éste esperaba que rompiera a llorar la vio más serena que nunca y la oyó decir otra vez que el paje no sólo tenía señales aparentes de virilidad sino también señales funcionales. Alzó Spic las cejas y dijo: "Pobre muchacho. Desde ahora la vida será ingrata para él". Al oírselo decir la señora vio en su esposo algo que no había visto antes: una posible honestidad del tipo tradicional y civil. Un padre o un marido como los otros, lo que no le disgustó.

Luego decía Spic al conde italiano oyendo lejos a su mujer: "No vendrá a almorzar, no vendrá a cenar, no saldrá de sus habitaciones hasta que haya presenciado desde el balcón el duelo en el palenque".

Pero antes sucedió un hecho extraordinario, de veras. Un fugitivo de Francia llegó al castillo diciendo que en su país había una epidemia terrible y también en Alemania. La epidemia se había declarado de pronto y él escapaba para salvar la vida. No era un vagabundo sino un buen burgués con botas de campo y sombrero de tres picos, emplumado.

Algunas horas después sintió calambres en el vientre y el pobre perdió el conocimiento. Antes de que pudieran prestarle asistencia había muerto.

Spic fue a verlo, comprobó que había hecho después de muerto deposiciones blancas y granulosas y dijo:

—Ha muerto del cólera morbo.

Envió a Leoncio a Boltaña a dar conocimiento de aquel hecho a las autoridades y esperaba su regreso, impaciente. Se abstuvo de hablar, pero estaba alarmado, de veras. En cambio a Cagliostro parecía tenerle sin cuidado. En cuanto a Lizaveta y a las otras mujeres no lo sabían aún.

Fue Spic a ver a Cagliostro:

—Amigo mío, vengo a decirle que mañana al amanecer será el momento de batirnos en duelo.

Se oían voces por los pasillos y Cagliostro se quedó escuchando:

—¿Es ella, todavía?

—Ella, sí —dijo Spic—. Todo viene de una experiencia angélica en la galería de invierno. No es por culpa de usted sino por esa aventura de la que no es necesario que le hable a usted. El *fellatio.*

Escuchando a Spinac Cagliostro disimulaba las ganas de reír. Se dirigió a las habitaciones de Lizaveta, caminando despacio. No había luz en el vestíbulo, que estaba cerrado, pero se advertía un ténue resplandor en la puerta de la alcoba. Sabía Cagliostro que la princesa dormía con esa pequeñita lámpara de aceite que los españoles llaman *mariposa* y los franceses *veilleuse*. En esa diferencia se veían las cualidades que caracterizaban a los dos pueblos vecinos. Unos juzgaban las cosas por su apariencia y otros por su función lógica. Así eran franceses y españoles en todo lo demás. Aquella luz tan ténue hacía palpitar las sombras y la habitación, con sus puertas y sus ángulos movedizos, parecía elástica.

Sintió que le tocaban en el hombro y se volvió, asustado. Era Spic que le había seguido, descalzo:

—A pesar de mis buenos deseos y de las razones que le he expuesto a mi señora no he podido convencerla. Digo, en relación con el duelo.

—Entonces...

Le recuerdo que el duelo será bajo la tutela de Venus matutina y las pistolas irán cargadas sin plomo, no lo olvide.

Se separaron afablemente. Pero Cagliostro tardaba en dormirse.

En el silencio de aquella noche la castellana ricahembra iba y venía por los corredores hablando consigo misma:

—Los perros de la Maladeta bajarán un día sobre el valle y no dejarán un corazón limpio sin lamerlo. El mío ya no lo encontrarán. No lo tengo yo, sino el pajecito y él lo emplea en invierno para cebar sus trampas raboseras. No lo encontrarán.

Iba y venía la señora con el pelo suelto por los corredores. Ya cerca de las dos le la madrugada su voz dejó de oírse, pero Cagliostro seguía atento, creyendo identificarla en algún rumor lejano.

Ya tarde Cagliostro seguía sin dormir. Su imaginación se concentraba en un recuerdo: el transporte del cadáver del niño desde el castillo al glaciar, ocho años antes. Desde el castillo hasta la vertiente norte de la Maladeta. Es decir, no podía ser un recuerdo (él no había estado presente), pero en su imaginación veía a Spic con una pequeña caja de madera bajo el brazo, saliendo del castillo al atardecer y llegando al glaciar hacia la media noche. Había que estar muy determinado para andar cinco horas solo, con el cadáver bajo el brazo, por aquellos lugares, en la noche desierta. Dejó la caja —que no era un ataúd sino una pequeña caja de embalaje— sobre la nieve y volvió satisfecho.

No sabía entonces que los glaciares caminaban. Ocho años después fue a buscar el cuerpo y lo halló intacto dentro de la caja, pero mucho más lejos. No dejaba de pensar Cagliostro en aquello. "Al fin es natural —se dijo— puesto que yo fui el padre de aquel pobre niño. Nada más lógico."

Cagliostro se quedó por fin traspuesto y el sueño fue haciéndose más profundo en las horas próximas al amanecer. Comenzaba el día con un gran silencio. Hacía las cinco y media se acercó Spic a despertarlo, llevando debajo del brazo una caja de ébano con dos pistolas. Sin acabar de despertar el italiano le preguntó por la señora y Spic respondió:

—Está esperando. Los criados se han ido a Aineto, menos el mayordomo. Ya le dije que el mayordomo es un iniciado.

Se vistió Cagliostro y siguió a Spic, soñoliento. Iban

por los corredores oyendo el eco de sus propios pasos a veces acordados y otras discrepantes. Al cruzar una sala encontraron al mayordomo erguido y pálido, de espaldas a un espejo.

—Buenos días, excelencia. No hay ningún sirviente en casa porque todos fueron a Aineto a la procesión, según lo acordado.

Bajaron al patio, lo cruzaron y fueron a pasar por una poterna casi obstruída con broza y maleza. Al agitarla salieron millares de saltamontes pequeñitos y verdes. Al otro lado de la muralla exterior comenzaba una pequeña llanura que llamaban *el palenque*.

—¿Sin testigos? —preguntó una vez más, Cagliostro—.

—Tenemos a Venus Astarté en el horizonte y a mi señora en el balcón. Además está el mayordomo. ¡Henos aquí, señora!

La miraron y se inclinaron, reverentes. Estaba ella con el cabello suelto, muy pálida. Sacó el pañolito de encajes, lo sacudió en el aire no se sabe con qué fin y luego se lo llevó a los ojos.

—¿Por quién lloras, querida? ¿Por él o por mí? —preguntó Spic sonriente mientras abría la caja de las pistolas.

—Lloro por mí misma, —respondió ella, desde lo alto.

Cagliostro volvió a inclinarse. Spic pensaba: "Llora más bien por el paje. Así sucede en todos los castillos". Y suspiró muy fuerte de modo que lo oyera su esposa desde el balcón. Pensaba Cagiostro que estando Spic y su mujer en trance permanente de gracia satánica se hacían a veces raros e irreales. "Eso pasa también —se dijo— con la mayor parte de los hombres" Spic se creyó en el caso de decir su pensamiento en voz alta: "Llora por el pajecico, la señora."

Con los pies juntos ofreció Spic las pistolas y cuando Cagliostro se decidió a empuñar la que caía más a mano, tuvo de pronto la sospecha de que alguna de ellas podía estar cargada y tomó la otra sin dejar de mirar a Spic a los ojos. El caballero Spic sonreía.

—No se ría —advirtió Cagliostro indicando con un leve gesto la dirección del balcón de la castellana.

—Es verdad —replicó Spic en voz baja—. A las damas no hay que dejarles sospechar que nos burlamos de sus sentimientos.

Se pusieron juntos, de espaldas. Cagliostro sintió el contacto incómodo del trasero de Spic y comenzaron a caminar contando diez pasos cada uno. Spic pareció ocuparse un momento de su pistola y hacer algo con ella. Pero se volvieron, juntaron los pies, alzaron las armas y dispararon. El doble estampido rodó por los alrededores y pareció multiplicarse en las vertientes durante casi dos minutos.

En lo alto de su observatorio la señora lanzó una exclamación que no se sabía si era de tristeza o de alegría, una exclamación más bien de alarma como el grito de un ave asustada antes de volar.

Estaba Cagliostro seguro de haber oído silbar una bala cerca de su cabeza. Caminó al encuentro de Spic y en aquel momento apareció el mayordomo con otras dos pistolas que tomaron los duelistas y Cagliostro dijo en voz baja:

—He oído un zumbido cerca de mi cabeza.

—Imposible. En todo caso podría ser una abeja, ya que cuando pasan cerca de nuestra cabeza, producen un zumbido que sería difícil distinguir del zumbido de una bala, digo yo.

En aquel momento se decía Cagliostro: ¿Por qué llevaría Spic el cuerpo de mi hijo, muerto, al glaciar? Hizo la pregunto, pero comprendió que no era aquélla la ocasión para que le respondieran.

Al ponerse otra vez juntos, de espaldas, Cagliostro evitó el contacto del trasero de Spic. Y sucedió igual que antes. Al sonar los disparos Cagliostro volvió a sentir pasar la bala cerca de su cabeza y vio una nubecita de polvo que se levantaba al pie de la muralla en el lugar donde dio el proyectil.

—Esto es —dijo al reunirse los duelistas otra vez— de una perfidia criminal.

La tercera vez antes de disparar avanzó Spic cinco o seis pasos apuntando. Hicieron fuego. El arma de Cagliostro al disparar no tenía retroceso, pero la de Spic, sí. Y por tercera vez sintió Cagliostro pasar la bala, ahora más cerca. Pudo ver casi al mismo tiempo que había ido a dar en un montículo delante de la muralla. El duelo había terminado.

Devolvió Cagliostro el arma al mayordomo y dijo a Spic calzándose un guante, sin alzar la voz:

—Supongo que llevaba vuestra señoría las balas en la mano y que al volverse de espaldas las deslizaba en el cañón.

—Era necesario hacer la prueba, señor —se disculpó Spic—. No pude comprobar en Zugarramurdi si era usted el gran copto, pero ahora he visto que las balas pasaron por su cuerpo sin herirlo.

La señora se retiraba del balcón y el italiano dijo secamente:

—Está bien. Avise para que nos preparen las monturas. Nos iremos esta tarde.

Se permitió recordarle Spic que sin guía no llegarían nunca a Luchón y que Leoncio no había vuelto aún de Boltaña. No tendrían más remedio que esperarlo.

—Volverá a tiempo, —dijo Cagliostro—. Volverá porque yo lo necesito y cuando yo necesito a alguien usted sabe que viene.

Miraron los dos al balcón y vieron que la señora ya no estaba. Volvieron al castillo en silencio, seguidos del mayordomo.

En el primer rellano de la escalera les salió la señora al encuentro. Llevaba todavía el cabello suelto, pero hablaba de una manera razonable. Dio su mano a besar a Cagliostro y después a su marido.

—Ahora señor conde de Cagliostro —dijo reverencial —mi esposo y yo sabemos quién es usted y es para mí un honor ofrecerle mi hospitalidad sin reservas. Espero que comprende y que disculpa mis pasados escrúpulos.

—Siento mucho —respondió Cagliostro con una cortesía distante— que no sea posible aceptar. La princesa y yo nos marcharemos en cuanto el guía vuelva de Boltaña.

Abriendo los brazos e inclinando la cabeza a un lado, Spic decía:

—Ahora la señora llorará —y añadió dirigiéndose a ella—: Él quería que le contáramos cómo, cuándo y por qué llevé aquella noche el niño al vestisquero.

—Al glaciar, querido, — rectificó ella.

—Es igual —dijo Cagliostro—. Pero no es necesario insistir en eso.

Iban a separarse en la escalera cuando la castellana se dirigió dramáticamente a Cagliostro:

—Usted fue el padre de mi hijo y eso nos enorgullece a los dos ahora que sabemos quién es usted. Digo, que es realmente el gran copto egipcio. Insisto en que no debería marcharse. ¿No sabe que hay una epidemia de cólera morbo en Francia y en Alemania? En toda Europa. Y lo digo por la princesa. Si se la lleva es bajo su estricta responsabilidad y en todo caso creo que no debía usted obligarla.

Viendo llegar a Lizaveta le dijo Cagliostro lo de la epidemia. Ella declaró que no le importaba y Cagliostro añadió:

—Nos iremos entonces esta tarde si vuestra alteza no dispone otra cosa.

La ricahembra torcía el gesto, lamentándolo. Sonreía Liza con los labios pálidos y sonreía también Cagliostro, pero el nigromante Spic dijo gravemente al conde:

—No todos los problemas quedan resueltos entre usted y yo. La comprobación de hoy la hice por encargo de los lemosines.

Aunque no tenía ganas de reír dijo Cagliostro con un acento jovial:

—Caballero Spic, su doctrina y su conducta son blasfemas. No es usted más que la blasfemia. La blasfemia romana, que es aún Roma.

Rieron entonces los cuatro como si aquello tuviera verdadera gracia. Un poco apartado el mayordomo sonreía, deferente.

Leoncio regresó una hora después.

XVII

SALIERON Cagliostro y la princesa acompañados de Leoncio y también de Pilar que caminó con ellos algo más de dos millas en su jaca. Viendo que aquellos señores hablaban con Pilar el guía escuchaba no muy satisfecho de su propio silencio.

Lizaveta invitó a la doncella de Aix a seguir con ellos hasta Francia o hasta Italia.

—Hasta donde usted quiera, —dijo con cierto entusiasmo.

Aquel interés súbito de Liza era la primera manifestación afectiva que veía el conde italiano en la princesa. Pero Pilar declinó. Dijo que la gente de Aineto la necesitaba por la proximidad de las fiestas. Al separarse Pilar abrazó a Lizaveta sin que ninguna de las dos bajara del caballo y le dijo:

—En su baúl lleva una cosa de gran valor. Spinac me mandó que pusiera allí el gratal. Se lo digo para que tengan cuidado y no lo pierdan.

—Pero... ¿por qué lo ha puesto ahí?

—El caballero Spic lo mandó. Y yo bastante hago con avisarla.

Al quedarse sola Lizaveta con los hombres iba pensando en el gratal y se volvía a mirar su baúl en el mulo de los equipajes. El animal marchaba con cierta lentitud que a Liza le parecía solemne sabiendo que llevaba el Graal y de pronto habló el guía Leoncio gritando como si los viajeros fueran sordos:

—Tenemos mucha confianza Pilar y yo. ¿No hemos de tener confianza si somos contraparientes?

Nadie le respondía e insistió:

—Digo que la pariente de ella es mi mujer. Son primas segundas.

Luego se puso a contar cosas un poco raras de un interés crecientemente escandaloso sobre algunas familias de Aineto. Viendo que aquellos viajeros se marchaban ya no cuidaba de mostrarse prudente como la vez anterior.

Liza no le escuchaba pensando en el Graal ni Cagliostro, preocupado por la epidemia de cólera ya que, a pesar de ser el gran copto, no creía tanto como Spic en su propia inmortalidad.

Cuando se dio cuenta Leoncio de que no ponían atención en sus palabras fue bajando el tono hasta convertirse sus frases en un monólogo entre dientes. Por fin calló y no volvió a desplegar los labios hasta llegar a Luchón. A la vista de aquella aldea la princesa comenzó a hablar sin motivo y sólo oírse a sí misma por lo cual pensó Cagliostro que quizás había tenido miedo por el camino. Se lo dijo en Italiano.

—Tengo miedo todavía —asintió ella— porque Spic ha puesto en mi baúl el cáliz.

Al despedirse el guía en Luchón el conde italiano le dio una onza de oro. Muy contento Leoncio se dispuso a volver a Torre Cebrera y tuvo unas palabras corteses para la princesa:

—Quiera Dios que un día venga su excelencia otra vez a alegrar estos romerales con su hermosa veste.

El conde le pidió que esperara un momento porque quería devolver al castillo un objeto importante (pensaba en el cáliz), pero el guía dijo que no tenía instrucciones de recibir nada y que le podían mandar otra cosa si lo tenían a bien. Antes de marcharse les advirtió que no bebieran nunca agua sino buen vino, para evitar el cólera.

Cagliostro escribió un mensaje para Perjotín y lo envió a Toulouse a la estafeta de Suiza con un recadero especial. Como faltaban algunas semanas para la fecha de la cita en Pau le pedía que olvidara aquella cita y acudiera lo antes posible a Carcasona. "Allí estaremos esperándole —decía— la princesa y yo en el Hotel du Bearn".

Hecha aquella diligencia siguieron su viaje en un coche

que alquilaron hasta Foix a donde llegaron fatigados. Cagliostro tenía miedo de que los siguiera Spic y estaba seguro de que tarde o temprano los seguiría aunque no podía imaginar el motivo.

—¿Qué le pasa a Spic con usted? —preguntó ella—. ¿Le considera su rival? ¿También en eso hay vanidades?

—No olvide que hasta en el cielo hubo guerras, entre los ángeles, por cuestiones le preeminencia. Pero no es sólo eso.

Descansaron dos días antes de seguir para Carcasona y entonces se dio cuenta por vez primera Lizaveta de que Cagliostro era un hombre muy trabajado por los años, con las mejillas un poco violáceas y cierta rigidez penosa. Le dio lástima. Aquella compasión era una forma de amor y ella misma se extrañó. Pensó también que si había algún lugar en el mundo a salvo de una epidemia de cólera debía ser Torre Cebrera.

Al llegar a Foix dijo Lizaveta casi llorando que estaba fatigada que tantos caminos. —Las molestias— respondió Cagliostro sintiéndose culpable —se acabarán en Carcasona. Allí vendrá Perjotín con su carroza y su niña y las cosas tomarán para usted mejor aspecto. En su carroza iremos a Sette donde embarcaremos para Livorno y en el barco descansará usted.

El nombre de Livorno produjo efectos sedantes en la princesa. Se sintió descansada y casi feliz.

Se informó Cagliostro y supo que el cólera no había sido declarado aún en algunas ciudades del mediodía. En cambio en Foix había casos recientes, pero Cagliostro no quiso hablarle de aquello a Lizaveta.

Quiso ver el cáliz, y ella se negó a abrir el baúl hasta llegar a Florencia. Ponía en su negativa una energía de la que Cagliostro nunca le habría creído capaz.

Volvió a hablar el italiano de embarcar en Sette y dijo que después de tres semanas en las alturas de la Maladeta el nivel del mar sería gustoso y reparador.

Mientras esperaban en Foix la posta de Carcasona estuvieron visitando lugares pintorescos y hablando de Torre Cebrera y de las relaciones de Spic con su señora, pero Lizaveta hablaba sin poner interés en lo que decía y pensando sólo en lo que podría significar la posesión del *gratal* y también en que cada día estaban más cerca de Italia.

—Spic y su mujer están locos —dijo el italiano.

Creyó descubrir Liza que Cagliostro tenía miedo de Spic y se lo dijo.

—Es un tipo *agissant* y venenoso —explicó él.

Ella lo consideraba peligroso también, pero no acababa de ver cuáles podían ser los caminos del peligro.

Después de tres días de espera en Foix una noche salieron y antes del amanecer llegaron a Carcasona. Era cómodo viajar de noche en aquellos días tórridos. No quería quedarse mucho tiempo Cagliostro en las ciudades históricas que le parecían incómodas. "Las piedras —decía— tienen en estos lugares humedades de veinte y treinta siglos". No comprendía que en invierno pudiera vivir allí ningún ser humano.

En cuanto a la epidemia suponía Cagliostro que para salvarse lo mejor era evitar el calor. Viajando de noche creía escapar a los aires caldeados y cargados de miasmas pestíferos. Le extrañó comprobar una vez más que Lizaveta no tenía miedo.

Antes de entrar en Carcasona las autoridades les obligaron a hacer tres días de cuarentena en un hospital incómodo que había en las afueras. En la ciudad no había todavía casos de infección. Pasada la cuarentena fueron al Hotel du Bearn que era el mejor de la ciudad y allí se instalaron esperando a Perjotín. Yendo por las calles, a veces el italiano se detenía y volvía a mirar atrás con recelo pensando en Spic.

La ciudad estaba empavesada como en los días de gran fiesta. Cagliostro dijo señalando las banderas tricolores, los gallardetes y las oriflamas de la calle:

—Es el aniversario de la ejecución de Luis XVI. Lástima. Los reyes con sus mantos de armiño, su corona y su cetro son como escarabajos egipcios. Entonces se les puede matar. ¿Sabe usted? La gente dice que yo me parezco a Luis XVI. Así y todo la muerte de ese rey (que había sido mi amigo) no me impresionó en absoluto. La de María Antonieta me ha dolido más, porque ha sido el instrumento del que se valió Hermes Trimegisto para convertir una intriga mía aparentemente frívola en el principio de la catástrofe. A bordo podremos hablar mejor de estas cosas. Me halaga la idea de que usted, Lizaveta, me conozca a fondo. ¿Sabe por qué? porque yo he de morir mucho antes que usted, alteza. Y si me sobrevive treinta o cuarenta años usted podrá hablar de mí como del verdadero José Balsamo que soy y que nadie ha concido. Tal vez podrá escribir sus memorias, como hacen los grandes de este mundo —y aquí soltó a reír, nervioso—. Digo, si la *veuve* no interviene demasiado pronto. No lo digo por usted, yo me ocuparé de asegurarla bien contra cualquier clase de peligro.

Estas palabras extrañaron a la princesa, quien no había percibido todavía riesgo alguno por ninguna parte.

Miraba los gallardetes tricolores agitados por la brisa del mediodía. Parecía como si la gente tratara de asustar a la epidemia con una alegría gárrula y colorista. Cagliostro preguntó, cambiando de tema:

—¿Se quedará en Florencia? Yo preferiría que se quedara. Los toscanos son el ejemplo más puro y seguro del hombre naturalmente irregular. El hombre debe ser agudo y un poco extravagante. Yo me entiendo. Pero en mí no creerán nunca, los toscanos. En cambio creerán en usted y usted tal vez les hablará de mí. Un día probablemente les hablará de mí y podrá decirles algo interesante porque yo la quiero a usted y le he abierto mi coalrazón. Por primera vez en mi vida me he confiado a alguien. Voy a darle una prueba de mi confianza: me siento inclinado a la sinceridad más radical desde que hemos salido de Torre Cebrera. ¿Usted recuerda que el pontífice anterior murió y se dijo que había muerto envenenado? Pues bien, no fue exactamente lo que la gente decía. ¿Usted recuerda que Clemente XIV había disuelto y prohibido la Compañía de Jesús y dio una bula declarando a los jesuítas enemigos de la iglesia católica? Eso fue por instigación del rey español Carlos III y de su representante en Roma, hombre fino y resbaladizo como una anguila que se llamaba Floridablanca. Después de la disolución de la compañía de Jesús el papa tenía miedo de que lo envenenaran los jesuitas y tomaba las mayores precauciones. Cambiaba de cocineros, hacía probar las comidas y pareciéndole poco envió a mi casa, Lizaveta, a la casa donde yo vivía en Roma a un historiador inglés que andaba por el Vaticano copiando documentos para pedirme que le preparara un contraveneno. La *triaca* como decía su santidad. Yo le dí la triaca, pero en lugar de tomar una dosis pequeña como le había aconsejado tomó una dosis tres veces mayor y murió. El contraveneno con el cual quería protegerse contra los jesuitas lo mató. ¡Ah, *porca madona*! Después de su muerte aparecieron leteros en las calles diciendo que el papa había muerto de morbo gálico, es decir de sífilis. Y la gente, por su parte, dijo que los jesuitas me habían pagado cinco mil escudos por el contraveneno fatal. Mentira. Los jesuitas se me acercaron después, es verdad, y me ofrecieron sinecuras de alguna importancia pero no podía yo aceptarlas sin traicionarme. Ahora los jesuitas se han hecho amigos de la corte de Prusia y también de Catalina II y han llevado sus fortunas fuera de los reinos donde el papa tiene influencia. No son tontos. Pero nosotros podríamos ahora más que ellos, si quisieramos.

—¿Nosotros?

—El cardenal de Florencia es el mismo que usted conoce. Vive en Roma, pero a veces va a Florencia a ver a sus amigos y da alguna fiesta a la que asisten todas las momias blasonadas. Luego vuelve al Vaticano. Es posible que lo hagan papa cuando el actual muera y no tardará porque lleva ya nueve años en el solio y el promedio de vida pontificia es de diez. Es posible que entonces elijan al amigo de usted. ¿No era amigo de usted? Si eso sucede podríamos regalarle el Graal y así la harían a usted abadesa de un monasterio noble y a mí tal vez médico del Vaticano.

Y Cagliostro reía con su propia broma.

Pensaba Lizaveta que aquel cardenal Ricci se había lavado las manos cuando ella le preguntó si debía ir a Livorno. Sin embargo no le guardaba rencor, Lizaveta. A nadie le guardaba rencor.

Estuvo la princesa a punto de hacerle también confidencias a Cagliostro, pero se calló. No por prudencia sino por timidez.

Vestía como siempre, Lizaveta y solía preferir el vestido *rouge cramoisi* que Pilar quiso hacer reformar en Aineto. La verdad era que nadie la miraba al pasar aunque seguía usando el bastón rústico y era una persona inusual y chocante. La gente fingía no verla, por piedad y ella tomaba sin darse cuenta un porte de una indiferencia altiva y caminaba cojeando un poco. Cagliostro le daba el brazo y a veces ella temblaba y él preguntaba por qué.

—No sé —respondía ella—. Es el cuerpo que tiembla, él solo, sin mi permiso.

Y reía también.

Un día llegó un mensaje de Perjotín diciendo que se había puesto en camino con su niña. Y dos días después apareció su carroza con cuatro caballos blancos muy hermosos y como siempre el cochero Vasia en el pescante. La niña Caterina había crecido un poco y sus bracitos salían de las mangas que se quedaban cortas. Ella fue la que se alegró más con el reencuentro. Abrazó a Lizaveta y estuvieron un momento las dos a punto de lágrimas.

Se refería Perjotín a la epidemia de cólera diciendo que lo mejor era no perder la moral. El no la había perdido y ahora, bajo la influencia de Cagliostro, se sentía más seguro. El italiano le dio una píldora diciéndole que había de tomarla en el acto. Una hora después Perjotín se sentía feliz y gozaba de aquella gustosa sensación de bienestar ya conocida. La píldora era una mixtura de opio, belladona y coca americana.

Aquella noche encontró Lizaveta en su saco de mano una carta de Pilar. La doncellica de Aix decía: "Tengan cuidado si van a Italia y especialmente a Roma. El caballero Spinac siente por Cagliostro una mezcla de admiración y rencor y aprovechará cualquier ocasión para echarle encima la Inquisición, que en Italia es ahora peor que en España".

No comprendía Lizaveta aquella carta recordando la cautelosa prudencia con que Pilar le había hablado otras veces de los habitantes del castillo ni tampoco podía explicarse que un hombre como Spic pudiera acudir a la Inquisición. Sospechaba que aquel hombre perseguía a Cagliostro por lo que sucedió diez años antes en Zugarramurdi, la noche de su boda. Por encima de Venus y Satán aquél era un macho ibérico en celo. Eso pensaba ella. En cuanto a Cagliostro no decía nada.

Salieron para Sette el mismo día. Por el camino la princesa hablaba ruso con Katerina y Cagliostro miraba a Perjotín con una expresión de humor frío.

—En Suiza —dijo el comerciante moscovita— he echado muy de menos sus píldoras y ahora espero que volveremos al antiguo tratamiento con el cual me siento un hombre nuevo.

A todo esto Cagliostro no le había cobrado nunca nada y por esa razón Perjotín tenía de él la más alta idea.

Sonreía Cagliostro recordando a Spic en Zagarramurdi y viéndolo bailar sobre sus piernas flacas mientras la funda vacia de su espada oscilaba como un péndulo. Haberse batido con él en broma o en serio le parecía deprimente, ahora.

Al llegar a Sette y entrar en el mar se alejarían de los peligros del cólera. Había oído sin embargo que la ciudad de Sette se consideraba infestada.

Lizaveta le mostró la carta de Pilar sobre los peligros de Roma. Cagliostro la leyó e hizo un comentario de una gran serenidad y agudeza:

—Esta carta no la escribiría nunca Pilar si no fuera porque se lo ha sugerido Spic. ¿Qué buscará con eso? ¿Por qué quiere inquietarme?

—¿No dice usted que Spic es todavía Roma?

—Si, es verdad. Esa es la razón.

Camino del mar Katerina decía que en Zurich había jugado con tres amigas que eran parientes del rey de Francia muerto en la guillotina.

Les esperaba una sorpresa en Narbona. Había sido decapitado también en París el convencional Fabre l'Englantine, poeta nacido en la ciudad vecina de Carcasonne. Y los amigos de Fabre en las ciudades del sur, acusados de dantonismo, eran arrestados. Al enterarse Cagliostro recibió una fuerte impresión. Fabre era amigo suyo y además había sido el poeta que dio nombres revolucionorios a los meses y a los días del nuevo calendario republicano. Cagliostro había querido mucho a Fabre l'Englantine.

Al oscurecer vieron algunos incendios que iluminaban

la ciudad. Había cielo de tormenta y las nubes devolvían los resplandores dorados. Eran las casas de los dantonistas, que ardían.

Sin consultar a nadie el comerciante moscovita dio orden a Vasia de que siguiera hasta Sette. Pensó también Cagliostro que valía más salir de aquella ciudad cuanto antes. La princesa tenía miedo de que los revolucionarios descubrieran el cáliz si registraban los equipajes y se lo robaran. En cambio parecía indiferente del todo a los peligros de la epidemia.

Todos querían llegar cuanto antes al mar, pero se detuvieron en Beziers en donde entraron a las diez de la noche. Vasia al saltar del pescante dijo:

—Bien que lo agradecerán los caballos, excelencia.

Siempre atribuía Vasia a los caballos los deseos y las necesidades que sentía él mismo.

Tomaron en el hotel tres habitaciones, para la princesa. Cagliostro y Perjotín. Los criados se acomodaron en las caballerizas donde había cuartos son catres e incluso un espejito para rasurarse, lo que le parecía a Vasia el último extremo del lujo.

Seguía Cagliostro hablando de su amigo Fabre y repetía que todas las cabezas visibles de Francia irían cayendo. Pero pensaba en Spic. Desde que leyó la carta de Pilar pensaba siempre en el caballero de Torre Cebrera y lo veía bailando con su máscara y la funda del espadín vacia y oscilando. Sin embargo no podía burlarse de él porque presentía algún verdadero peligro, lo mismo en su presencia que en su ausencia.

Descansó Cagliostro y a punto del alba vio que en el cuarto de la princesa había movimiento y fue a saludarla. Le recordó que faltaba ya poco hasta Sette.

—De Sette —añadió— salen barcos de cabotaje con destino a Livorno.

Al día siguiente salieron para la ciudad de los vinos a donde llegaron a media mañana por caminos bordeados de viñas grávidas de racimos azules o verdes. Tuvieron la desgracia de tropezarse con un entierro de víctimas del cólera: ocho o diez ataúdes de madera sin pintar ni tapizar.

Ese hecho —los ataúdes desnudos— impresionó a los viajeros.

Acompañado de Perjotín se acercó el conde italiano al puerto para informarse del movimiento de barcos. En la fonda se había quedado Lizaveta con Katerina. Era el día fresco y luminoso, el cielo azul, sin una nube, la mar calma y limpia. Un glorioso día precursor del otoño.

No habría barco para Livorno en varias semanas, o por lo menos eso les dijeron los empleados de una casa consignataria mirándolos con curiosidad. Suponían que aquellos dos sujetos de porte aristocrático querían alejarse de Francia cuanto antes y les oponían dificultades con cierta complacencia. Cuando Perjotín mostró su pasaporte ruso y Cagliostro subrayó un poco su acento alemán, el que parecía jefe de la oficina les dijo que dos días después saldría un barco para Livorno, pero se detendría a tomar cargamento en Marsella y en Génova donde había peste. Si no les importaba podían tomar pasaje. Era un barco sólido y navegador que llevaba por capitán un italiano viejo y experto.

Pagó Perjotín todos los pasajes y en señal de gratitud Cagliostro se propuso darle otra píldora de coca y añadir al tratamiento un aliciente nuevo que consistía en poner dentro de cada píldora un colorante de grandes efectos y sin valor curativo ni dañino alguno: azul metileno. Con aquel colorante el honesto comerciante moscovita orinaría azul.

Y cuando Cagliostro le dio la píldora le advirtió:

—Vigile su orina y dígame si observa alguna novedad.

La princesa y Katerina pasaron tardes enteras en una terraza que dominaba el puerto.

—¿Qué te parece el mar? —preguntó la princesa.

—El mar —dijo la niña, conmovida— es grande y mojado.

Pensó Lizaveta que Katerina no la olvidaría nunca por haber visto el mar por vez primera con ella. Lizaveta la contemplaba pensando: "Esta niña tiene sólo ocho años, es decir que no estaba en el mundo todavía cuando Orlof me llevó desde Livorno a Cronstad ni cuando me encerraron en Pedro y Pablo. Es un ser sin culpa". Todos los demás seres del mundo —los que vivían entonces— eran culpables, pero ella no los acusaba. El más culpable era ella misma que no había sabido merecer el amor de Orlof.

El día siguiente Perjotín buscó a Cagliostro. Llamaba a su puerta como si el hotel estuviera ardiendo por los cuatro costados y el conde italiano pensó:

—Perjotín orina azul.

El comerciante estaba fuera de sí. Y hablaba al conde como si éste fuera Dios todopoderoso:

—¿Hasta cuando me sucederá, eso?

—No sé. Usted vigile su orina y dígame las novedades que observa.

Cuando embarcaron, pues, cada cual se sentía optimista. Liza porque se acercaba el fin del viaje, la niña por la novedad del mar y Perjotín por razones que se reservaba y que le daban una rara euforia.

Iba el barco vacío y al salir de Sette bailaba sobre las aguas falto de lastre. La princesa tuvo dos o tres amagos de mareo, pero se retiró a la cabina y después de un breve sueño se levantó fresca y nueva con una idea rara: la idea de arrojar al mar el cáliz de Torre Cebrera.

Corría la niña como una ratita y se asomaba a todas partes. No había en el barco más pasajeros que ellos y se sentaban a comer con el capitán. La mesa era buena y el capitán acababa la comida casi borracho, pero lo disimulaba con una pericia que revelaba una vieja costumbre.

Los tripulantes eran de aspectos y pelajes diversos. Cagliostro fue haciéndose amigo de un ruso de Arkangel que se llamaba Martinof y que trabajaba de segundo piloto. Como a veces hablaban de la epidemia Cagliostro, que había viajado por Oriente, explicó cuales eran los primeros síntomas y cual la señal del desahucio. Comenzaba el contagio con calambres en el vientre y colitis. Mientras las deposiciones eran normales todo iba bien, aunque los calambres se repitieran. Incluso cuando el enfermo echaba de su cuerpo alimentos sin digerir —cosa que sucedía a menudo— la enfermedad era todavía leve y curable. Pero cuando las deposiciones eran blancas y granulosas el enfermo no tenía salvación.

Cagliostro hablaba y los otros se ponían pálidos, sobre

todo el capitán, quien sacaba un frasco de vez en cuando del bolsillo y bebía un largo trago.

Tenía Lizaveta la impresión de estar ya en Italia porque oía hablar toscano entre algunos marineros que barrían y baldeaban la cubierta.

Solía Cagliostro andar con el segundo piloto o con el capitán y tenía con ellos largas conversaciones. Había dado el nombre de José Balsamo en la casa consignatoria y así lo llamaban a bordo. Tenía el capitán en su camarote una colección de *Le courier de l'Europe,* revista que se publicaba en Londres, París, Berlín, Strasburgo, Munich y Viena. Una rápida ojeada le bastó a Cagliostro para comprobar que en aquella colección estaban los números donde se imprimieron años atrás algunos de los peores ataques públicos que había tenido que sufrir.

Cagliostro pidió al capitán que le prestara las revistas no con la intención de leerlas sino para impedir que leyeran los otros mientras él estuviera a bordo. Con aquellas revistas en su camarote se sentía más seguro. La princesa le comunicó su propósito de arrojar el cáliz al mar y Cagliostro se asustó: "No, no, alteza —dijo—. Arrojarlo al mar sería el último recurso. Espere un poco y veremos lo que hacemos con él".

El ruso Martinof— segundo piloto— había desertado de un bajel del imperio ruso años atrás y conoció a dos marineros que formaron parte de la tripulación del barco ruso cuando fue Orlof a Livorno a buscar a la princesa. Martinof les había oído hablar de una sobrina de Catalina II que pasó por las yacijas sucias de todos los marineros y a fuerza de pensar en aquel hecho tan escandaloso imaginó que estaba a bordo también entonces y había participado de la orgía. Lo contaba a los demás con gran lujo de detalles. Cagliostro oía las confidencias y ni Martinof sabía el nombre de la princesa ni Cagliostro podía relacionar con Lizaveta aquella innoble aventura. Creyendo que le interesaría a su amiga una noche sentados en la cubierta le dijo que si quería podía hablar ruso con el segundo piloto y le refirió la escandalosa historia de la princesa y los marineros.

Escuchaba ella impasible y quiso saber quién era Martinof. En los días siguientes lo vio pasar cerca y no dudó

Lizaveta de que aquel marinero pudo haber sido uno más entre los que habían abusado de ella. Aquella barba a trechos parda y a trechos rubia le era conocida y se sentía angustiosamente deprimida cada vez que creía recordarlo. Aunque estaba segura de no ser reconocida, cada vez que Martinof pasaba cerca ella ocultaba su rostro a medias llevándose una mano a la mejilla, bajando la capucha azul que cubría su cabeza para defenderla del viento del mar o, simplemente, volviendo la mirada a otra parte. Estaban Cagliostro y Martinof lejos de pensar que Lizaveta pudiera ser la heroína de aquella sórdida y tremenda aventura.

En Marsella se quedaron anclados algunos días sin bajar a tierra y cuando reanudaron el viaje navegaban despacio y el capitán se impacientaba. Entretanto Cagliostro leía en su camarote *Le Courier de l'Europe,* uno de cuyos números insertaba el discurso que hizo años atrás ante el parlamento de París con motivo del *affaire des diamants,* es decir un collar de diamantes que el cardenal Rohan quiso regalar a María Antonieta aconsejado por Cagliostro — quien había urdido una de sus maniobras — esperando Rohan que aquel obsequio de cuatrocientos mil florines le abriría la puerta de la alcoba de la reina. Quería ser Rohan un nuevo Richelieu, pero María Antonieta estaba fuera de la intriga y era inocente. Se proponía Cagliostro quedarse con el collar para lo cual hizo uso de una dama de la corte amiga suya que se parecía mucho a María Antonieta. El cardenal y la falsa reina llegaron a entrevistarse una tarde entre dos luces en un cenador del parque de Versalles. Rohan, viejo vanidoso y no muy inteligente, creyó haber estado con la reina.

Cuando se descubrió la intriga porque Rohan se demoró en el pago de uno de los plazos al joyero holandés y éste acudió a la reina, se levantó un escándalo que fue el comienzo de la catástrofe para Luis XVI, para María Antonieta y para el reino mismo. Todo se desmoronaba. Tuvo Cagliostro que ir a declarar al parlamento y aquellas sesiones escandalosas hicieron ruído en el mundo entero. El hecho de que aquel escándalo decidiera la catástrofe revelaba la fragilidad del régimen político.

El fiscal preguntó a Cagliostro quién era y dónde había

nacido y Cagliostro que tenía entonces una gran petulancia juvenil dijo textualmente: "Responderé a esta asamblea aunque no estoy obligado porque no tengo el honor de ser ciudadano francés. Responderé porque he sido graciosamente invitado y no obligado a esclarecer mi intervención en la delicada materia que nos ocupa".

Le courier de l'Europe decía que la sala había acogido con risas aquel preambulo —muchos de los que rieron habían de ir poco después a la guillotina en una siniestra procesión con la nuca esquilada— y Cagliostro continuó: "Mis primeros recuerdos alcanzan a los tiempos de mi infancia en la ciudad de Medina, en Arabia. Allí pasé mis más tiernos años bajo el nombre de *Aharat*. Vivía en el palacio del *mufti* Slahaym que era entonces cabeza de la religión mahometana. Había cuatro personas dedicadas a mi cuidado y protección: un tutor griego de setenta años cuyo nombre era Alhotas y tres sirvientes. Uno de ellos, el que hacía de *valet de chambre* era blanco y los otros negros".

Fue el discurso de Cagliostro una mezcla de verdad y de fantasía. La revista ponía el mayor esmero en ridiculizar al conde italiano quien terminaba su propia defensa rechazando, indignado, las acusaciones de judío y de musulmán que le habían lanzado sus adversarios. Y no faltaba en el discurso una nota cómica: "Nunca fui judío ni mahomemetano —decía—. Las dos religiones marcan a sus fieles con una señal física exterior inconfundible, fácil de comprobar en mi caso. Estoy dispuesto si es necesario a justificar mis palabras sometiéndome a una verificación que será tal vez más vergonzosa para el que la haga que para el que la soporte".

Se refería a la señal de la circuncisión.

Guardaba Cagliostro aquellas revistas, cuidadoso. Al caer la tarde fue a ver a Lizaveta y le preguntó:

—¿Ha abierto usted su baúl?

—No me atrevo. Llevo siempre el mismo vestido como usted habrá visto, porque no me atrevo. Tengo miedo de tocar el cáliz.

No pensaba arrojarlo al mar porque temía que las olas se levantaran y saltaran sobre las playas, sobre los muelles, sobre los valles del interior. Y pensando en eso miraba a lo lejos la estela blanca y verde del barco.

—Nuestra situación es absurda, alteza —dijo él—, pero todo es absurdo, si bien se mira. Figúrese usted que la princesa a quien violó la marinería de Orlof aún no tenía diecisiete años y Martinof describe a esa princesa con tantos detalles y con un entusiasmo tal que a veces tengo la impresión de haberla visto.

—Usted la ha visto —dijo ella con una voz opaca y ronca—. Usted la está viendo ahora mismo porque esa mujer era yo. Como ve usted no es tan hermosa. En eso se equivoca Martinof, pero sólo en eso.

Quedaron los dos en silencio y Cagliostro la miraba con extraña reverencia. De pronto dijo:

—Yo puedo librarla de ese marinero cuya presencia a bordo debe serle desagradable, como es natural. No, no se asuste. Se trata nada más de hacerle perder el barco en Génova. Si baja a tierra yo me encargo de que no vuelva a bordo. Ese pobre Martinof dice que a la princesa la ejecutaron en Pedro y Pablo.

—Peor que eso, Cagliostro. Y ahora —añadió ella levantándose— permítame que me retire porque no me atrevo a llorar aquí. Podría ser que ese marinero pasara y al verme llorar me reconociera ya que los marineros que me vieron a bordo del barco de Orlof me vieron siempre llorando. Entonces será mejor que me vaya.

Se fue con su vestido de cola, apoyada en su bastón de cerezo y como siempre cojeando un poco. Cuando la vio desaparecer Cagliostro se quedó pensando: "Ella conoce mi pasado y yo el suyo. El mío es grotesco y el de ella trágico. Y aquí estamos volviendo a Italia lejos y apartados los dos de la sociedad". No pudo profundizar en esas reflexiones porque apareció Perjotín con nuevas confidencias sobre su orina.

—Ahora —dijo bajando la voz— es de un color azul turquesa.

Pensó Cagliostro con envidia: "Tiene buenos riñones este imbécil". Le dio otra píldora y el comerciante se sentó a su lado.

El ruido del velamen contra la obra muerta le impedía

a Cagliostro oír a Perjotín quien hablaba de la medicina moderna y del bien de la humanidad. Luego habló también de su niña. "¿Sabe usted lo que me decía Katerina esta mañana? Me decía: ojalá te mueras para quedarme yo con Lizaveta". Reía Perjotín y cuando la risa se lo permitió dijo:

—Los niños son los niños.

—Los niños son los hombres —replicó dramáticamente Cagliostro—. A esa edad, aunque usted no lo crea, un hombre o una mujer están hechos para siempre sin que nadie pueda evitarlo.

Pasaron a hablar de la epidemia.

—¿Esas prodigiosas píldoras me inmunizan contra el cólera? ¿Sí? ¿Podríamos también darle algunas a mi hija?

—Sólo puede asimilarlas un organismo adulto.

—Ah.

—Además tengo pocas y hay que administrarlas bien. Como usted padece del hígado tiene prioridad y se las reservo todas.

El comerciante le besó la mano.

El barco se acercaba a Génova y al ver pasar a Martinof por el puente lo llamó. Cagliostro se levantó, lo tomó del brazo y echaron a andar hacia la proa:

—Le invito a una buena botella en casa de Ramognino.

—En Génova, no.

—¿Tiene miedo del cónsul ruso? —dijo Cagliostro yendo directo al problema. —Ya veo, usted se quedará a bordo y yo iré a casa de Ramognino a beber a su salud. Aunque en Génova hay hembras, Martinof se queda a bordo como una gallina mojada porque tiene miedo al cónsul.

—Eso está todavía por ver. Está por ver todavía si me quedo a bordo.

Cagliostro calló dándose cuenta de que lo había convencido. Le ofreció tabaco y siguieron hablando de otras cosas. Era bueno distraerlo y no insistir ya para plantearle la cuestión más tarde en el puerto como cosa decidida.

Estaba el barco pasando la barra delante de Génova cuyos edificios comenzaban en la misma orilla. Las casas encristaladas se superponían colinas arriba. Era algo más del medio día y el cielo seguía encapotado y neblinoso.

Bajaron a tierra Martinof y Cagliostro. El segundo piloto parecía sobrio. Fueron a un burdel que conocía Martinof y desde allí envió Cagliostro aviso al consulado ruso. Poco después Martinof, el desertor, borracho y maniatado por la policía del puerto era llevado a la cárcel y Cagliostro se quedó un poco más en el burdel que iba animándose a medida que avanzaba la tarde.

Había en Génova casos de cólera y Cagliostro pensó con humor que a veces la gente creía que las fronteras y las aduanas podían contener la difusión de una epidemia.

Andaba curioseando por la casa y al volver un pasillo oyó música en una habitación que tenía la puerta entornada. Empujó y se asomó discretamente. Dentro estaba el caballero Spic de espaldas pero con el perfil visible en un espejo sesgado. Desde el diván una mujer gorda lo contemplaba, soñolienta. Igual que en Zugarramurdi llevaba Spic una pequeña capa violeta y la funda roja de su espadín paralela a las flacas piernas. Cagliostro se decía: "Debo salir de aquí ahora mismo sin ser advertido de esa mujer gorda y menos de Spic que sin duda nos sigue. Pero si nos sigue ¿qué busca y pretende?

Todavía se asomó una vez más esperando que podría haberse equivocado, pero allí estaba Spic con los brazos un poco separados del cuerpo, haciendo casteñetas y diciendo algo entre dientes. La mujer gorda vio a Cagliostro y le sonrió, pero el italiano volvió al salón, salió a la calle y regresó rápidamente al barco. Al ver al capitán le contó el arresto del segundo piloto como un hecho casual y el capitán apartó la pipa de los labios y soltó a reir:

—¡Oh, *il porco ruso,* y qué merecido lo tenía!

Adelantó la salida del barco para dificultar que Martinof volviera a bordo. A primera hora de la noche se hicieron a la mar otra vez. Con viento propicio el barco hacía sus buenos catorce nudos.

Fue Cagliostro a ver a la princesa, le contó lo sucedido sin decirle que había visto a Spic y se mostró especialmente contento de hacer podido librarla de la presencia ominosa del marinero.

—No crea usted —añadió medio en broma— que yo me siento seguro tampoco; las sombras del pasado me siguen. Hay por ahí gente que me odia y no sólo en Roma sino también en Varsovia y en Berlín. Se han escrito libros contra mí. En 1780 se publicó uno del conde Mokzinski titulado: *Cagliostro démasqué a Varsovie*. Y ya ve usted, yo no he estado nunca en Varsovia. Pero así andan las cosas del mundo. Un año antes la condesa Von der Rechte escribió otro libro. Esa condesa me debe favores, pero nunca me perdonará que habiendo juntado su rodilla con la mía por debajo de la mesa en presencia de su esposo yo me desentendiera de esa apelación al adulterio. Así es la vida. No me importa, sin embargo. ¿Sabe por qué muestro ahora tanta afición a la dulce compañía de vuestra excelencia? Porque Hermes Trimegisto la ha puesto a usted en la superficie de una esfera de cristal que consulté en Torre Cebrera. Pocas veces he tenido una premonición tan clara. Las he tenido sin duda, pero no como aquella. Sólo puedo compararla con la de la condesa Lamotte-Valois que era amante del cardenal de Rohan y también mía. Entonces me había hecho un busto en París el escultor Houdon y había en las vitrinas de los grandes comercios copias en escayola dorada con los siguientes versos al pie que muchos parisienses conocían de memoria:

De l'ami des humains reconnaissez les traits
tous ses jours son marqués par des nouveaux bienfaits
il prolongue la vie, il secour l'indigence
le plaisir d'etre utile est seul sa récompense.

Escuchaba la princesa aquello como una música que no exigía mucha atención. "Ha hecho algo por mí en Génova y quiere que se lo agradezca con alguna forma de veneración." Creía que Cagliostro tenía fe en sus propios misterios y podía ser generoso y lo había sido con ella como nadie. Pero él seguía hablando:

—¿Usted sabe que Martinof al hablarme de usted y de su ejecución en Pedro y Pablo —porque él cree que la mataron— dijo cosas tremendas? ¿Sabe usted que el espectro de usted (eso dice la gente que ignora que usted vive) se le aparece a Orlof y no lo deja dormir? En los días que estuve allí le di algunas medicinas a Orlof y dormía si no el sueño normal por lo menos algunos letargos de tres y cuatro horas. Le hice también un plan severo. Una de las maneras de volver a recuperar el sueño consiste en reducir el ejercicio del... amor. El conde se está matando porque el desvío de la emperatriz y la victoria natural de Potemkin lo llevan a buscar compensaciones que lo rehabiliten ante sí mismo. Lamentable. Repito, señora, que no me extrañaría que Orlof muriera un día abriéndose la cabeza contra las paredes.

Escuchaba la princesa incómoda. Hablaba él de Orlof, pero tenía en la imaginación la figura del caballero Spic. Hablaba de las apariciones que creía ver Orlof. Sus víctimas *revenants*. La princesa dudaba de aquellas apariciones y Cagliostro respondió con un largo circunloquio:

—¿Sabe quiénes son los jansenistas? ¿Sabe que de ellos ha nacido la secta de los *convulsionaires?* Los jansenistas son la organización más razonable y lógica de Francia. Pues bien, esos *convulsionaires* acuden al cementerio de Saint Medard donde el abate Bécherand, con una pata más corta que la otra, baila sobre la tumba del santo todos los días para ayudar a salir a las ánimas del purgatorio. A esos extremos ha llegado allí la iglesia. ¿No es natural el jacobinismo? El baile favorito de los fieles es el que llaman *salto de la carpa,* que los más devotos no se cansan de admirar y practicar. Algo de eso vimos en Zugarramurdi. Pero es inútil. Nadie lo hace tan bien como Bécherand. Toda Europa cree en esos *convulsionaires* de Saint Medard. Y la costumbre se extiende y hay sacerdote que en medio de la misa comienza con ese baile de San Vito que poco a poco se contagia a los fieles y uno salta y el otro también. Generalmente el sacristán es el que imita mejor el salto de la carpa entre la consagración y el sanctus. ¿No es eso más frívolo que el aquelarre y que las apariciones y que las palabras bobas que suelen decir los espectros? Yo creo comprenderlo. ¿Qué podía suceder en Francia sino la revolución? Igual que Swendenborg, yo creo que la muerte no existe. Todo lo que una vez ha nacido vivirá ya eternamente y sin remedio. Y esos hombres cuyos espectros se nos aparecen a veces gustan de restablecer una relación con las cosas que habían perdido. Por eso hablan diciendo ñoñeces y tonterías. Por ejemplo, un espectro dice: *Jacqueline no va a la escuela.* Y los presentes se preguntan: ¿qué le importa a un espectro si Jacqueline va a la escuela o no? Pero una niña caminando hacia la escuela una mañana de marzo sobre la escarcha blanca es un milagro. Y desde el centro del misterio de la creación ellos lo perciben, ese milagro. Nosotros, acostumbrados a la trivialidad de la superficie de las cosas, no nos damos cuenta porque nuestros ojos nos impiden ver el prodigio de esas cosas.

Miraba a la princesa pensando: "Ella va vestida de rojo cereza, de *rouge-cramoisi.* Otras veces se viste de verde esmeralda, de color salmón o violeta". A pesar de sus vestidos pasados de moda, la apariencia de la princesa con su rostro pálido y frío era la de una mujer joven. Al lado de Cagliostro se veía en seguida que era, por lo menos veinte años más joven. Aquello le parecía bien.

El mar estaba tranquilo. Navegaban a la vista de tierra y llegaba desde la lejana orilla una brisa otoñal, ya fría. Cagliostro, pensando en los peligros de Spic y en la conveniencia de adivinar sus intenciones, pidió a Katerine que fuera buena y se dispusiera a jugar con él y con una esfera de cristal —necesitaba una virgen, para eso—. Viendo que la niña recelaba, la princesa le dijo:

—Debes ser amable con el conde, que cura a tu papá cuando está enfermo.

La niña se negó en redondo y miraba la esfera de cristal con gran recelo.

Llevó la princesa a Katerina al camarote, para acostarla. Iba, como siempre, con su bastón rústico y a veces el movimiento del barco las hacía detenerse y apoyarse en el muro un momento. La niña decía *sooo,* como si el barco fuera una caballo. Una vez en el cuarto le preguntó Lizaveta:

—¿Por qué no quieres al conde?

Con la mirada en el techo, la niña tardaba en responder. Por fin dijo muy seria:

—Si yo fuera un perro te aseguro que tendría ahora mi rabo entre las piernas, porque comprendo que he hecho mal.

Tenía miedo Katerina a la oscuridad como las personas mayores tienen miedo a la muerte. Así Liza se quedó un poco más con la mano de la niña en la suya.

Entretanto, Cagliostro y monsieur Perjotín estaban en el camarote con el capitán, destapando botellas. Quería éste invitarlos antes de que se separaran porque el barco debía llegar al día siguiente a Livorno. Servía vasos y hablaba:

—Siempre he estado en el mar y he mandado buenos barcos. Sólo he estado enfermo una vez en mi vida. Tres meses en un hospital. Así como algunos se marean a bordo yo me mareaba en mi buena cama. Mi familia vive en Nápoles. Ahora vamos allá, pero nos detendremos mañana en Livorno como Dios manda. El puerto no está muy bueno. Los de Livorno son perezosos y no dragan, por eso hay que echar el ancla y descolgar el esquife. Pero estaremos allí a media mañana.

Sacó un cuaderno mugriento y lo abrió soplando dos hojas:

—Martinof, el puerco ruso, tenía un depósito de cien florines holandeses para cuando se casara. Así son los marineros. Nunca están en tierra y todos piensan en casarse. El pobre Martinof va para Arkangel donde le repasarán las costillas con un gato de siete rabos. Había devengado tres meses de salario que yo debía pagarle en Nápoles. Mala suerte. Pero yo soy honrado y ustedes son testigos de que pondré ese dinero en el banco (a mi nombre, claro) y esperaré. Hay que esperar un año. Los rusos suelen ser buen negocio porque son ahorradores y casi siempre tienen cuentas atrasadas con la justicia. De pronto pasa algo como lo de Martinof en Génova, pero no crean ustedes que yo me aprovecho de la mala suerte de nadie. Hay que esperar. Un año, esperaré. Después mala suerte para unos y buena para otros. No lo digo por mí.

Preguntó a Cagliostro de qué parte de Italia era.

—Nací en Monreale —dijo el conde—, en Sicilia, la ciudad de las musas antiguas. Como dice Milton:

retorna, Alpheus, la horrible voz pasó...

Esta cita impresionó al capitán quien bebió a su salud. Luego dijo otra vez que el vino era el mejor preventivo contra las epidemias.

—Yo conozco otro mejor, —dijo Perjotín, radiante.

Pensaba en su orina azul y miraba al conde, rendido de gratitud.

En su camarote la princesa no dormía. Desde su cama miraba por la escotilla abierta. El aire era limpio y fresco. En un rincón del cuarto estaba el baúl cerrado y Lizaveta pensaba que llegaban al puerto y no habían decidido nada en relación con el Graal. Trataba de pensar lo que sería mejor cuando apareció Cagliostro un poco nervioso:

—Perdone —le dijo—, pero estaba seguro de que usted no dormiría pensando en el cáliz. Esta es nuestra última noche a bordo y tenemos que abrir el baúl, creo yo. Lo mejor sería, como dijo usted, arrojarlo al mar.

Lo abría ella con mano temblorosa y Cagliostro acudía a su lado. Dentro del baúl apareció, en seguida, el cáliz.

—No podemos arrojarlo al mar —dijo el italiano pensativo después de ver en el reverso y en la base la palabra *Moab*.

—No, —dijo ella conmovida— ¿por qué lo ha puesto Spic en mi equipaje? ¿Para qué?

—Tal vez es sólo un pretexto para venir detrás de nosotros, para buscarla a usted, seguramente. Quiere incorporarla a sus glorias de nigromante.

No hicieron nada con el cáliz.

La mañana siguiente el barco entraba en el puerto de Livorno. Era una mañana dulce y soleada, con un frío otoñal, es decir cómodo y voluptuoso. El barco se acercó bastante, pero no llegó a atracar en los muelles y en el esquife de babor salieron los cuatro viajeros y poco después desembarcaban. Miraba alrededor la princesa pensando en Orlof. No se extrañó Perjotín de ver a Vasia cerca del puerto esperándoles con su coche brillante como un ascua de oro. Se instalaron los cuatro y marcharon hacia Florencia muy felices por no haber sido registrados los equipajes. Ni siquiera había aduana, en Livorno. El camino era casi todo cuesta arriba y Vasia ponía los caballos al paso de vez en cuando para no fatigarlos.

Cagliostro, alegre por estar otra vez en su patria, hablaba mucho y la princesa sentía una felicidad muda, honda, tranquila y reflexiva. "Por aquí pasé con Orlof", se decía mirando al camino. Cuando se acercaban a Florencia se puso Cagliostro a decir que era la mejor época del año para entrar en Florencia dorada e histórica, toda campaniles y torres.

Seguía el coche a buena marcha y Perjotín parecía flotar en el aire sin ver ni oír nada, atento al prodigio filtrador de sus riñones.

Katerina frotaba su mejilla contra el brazo de la princesa. "Esta niña —dijo Cagliostro expansivo— aparece una gatita." La niña lo miró con ojos reprobadores y dijo:

—Y tú un perro.

Castigó Perjotín a Katerina golpeándole en el dorso de la mano, lloró la niña como Dios manda y el viaje continuó sin otra novedad. Al llegar a Florencia fueron a un albergo y tomaron el piso principal. Pagaba una vez más Perjotín que consideraba el hecho de invitarlos, un privilegio. Cagliostro pensaba: debe ser muchas veces millonario, este buen moscovita.

La princesa salió a la calle impaciente en su vestido *rouge cramoisi* y apoyada en su bastón. Parecía ir diciendo a los desconocidos: "Míreme, yo soy aquella princesa Tarakanova sobre quien todos los poetas de Toscania escribieron sonetos y odas órficas hace doce años" Pero nadie la miraba a pesar de que parecía una pastora de los grabados antiguos, una heroína de la *Diana* de Montemayor. Pensaba que el heredero del duque de Ferrara tal vez se había casado y tenía hijos. La idea de encontrarlo y ser reconocida ella, coja y con el báculo de cerezo, no le importaba.

Se había adelantado sola. Los otros vagaban también sin rumbo por la ciudad. Como es natural cuando Lizaveta recordaba que estaba en Florencia se sentía dulcemente embriagada por su propia presencia y un poco fuera de sí. Era tan feliz que tenía ganas de llorar.

Pasó por delante del palacio del cardenal Ricci. Lo recordaba grande, un poco encorvado, con el pelo blanco y la barbilla temblorosa cuando reía.

Delante de su propia casa Lizaveta se sentía incapaz de

entrar y subir las escaleras. Y no sabía qué hacer cuando el aire se agitó con la vibración de una campanada. Luego, otra. Volviendo el rostro como un pájaro en la dirección del sonido dijo:

—¡Es el campanile!

Pasaba a su lado la gente sin mirarla.

Se sentía como al final de un camino extenuante. Pensaba en Cagliostro y recordó que la amistad y la fidelidad habían ido a refugiarse —faltas de un lugar mejor— en el alma de un mixtificador y un aventurero. Poco después de haber pensado así se arrepintió. Cagliostro era honrado con ella y lo demás no importaba.

Detrás de ella iba la carroza de Perjotín a una distancia discreta. Oyó la princesa también las campanas de Santa María Novella que eran delicadas y frágiles como las de los templos rusos. Y pensaba en Rusia con cariño. No podía comprender aquella nostalgia súbita de un país que tan cruelmente la había tratado.

El día era fresco y en las colinas esmeralda que se veían al otro lado del río el aire flotaba limpio y fragante. El ruso Perjotín se extasiaba desde su coche y la princesa se acordaba del conde Rasumovski con tristeza.

Otra vez estaba frente a su antigua vivienda. Se detuvo un momento, pero tuvo miedo —no sabía a qué— y siguió adelante.

Avanzó cojeando un poco por la avenida central de los jardines Boboli. Florencia parecía más grande. Pensaba volver a su antigua mansión, pero ahora tenía miedo de que los porteros no la reconocieran o de que la reconocieran desde el primer momento.

Se detuvo delante de la fontana de jabalí y tocó el colmillo izquierdo del animal con el extremo de su bastón. El jabalí era de veras feo, pero en aquella fontana, sentado sobre sus cuartos traseros y verdeando al sol, se mostraba hirsuto y noble. Le gustaba a la princesa el lugar, porque de niña había tenido miedo de aquel jabalí y los niños adoran tener miedo.

La villa Médicis se mantenía igual y en su jardincillo se detuvo un momento. Alargó la mano y recibió en ella el agua del gran surtidor central. El palacete con sus matacanes corridos a lo largo de la fachada tenía un aire de fortaleza medioeval.

Después fue al convento de San Francisco en cuyo mirador descansó un rato contemplando enfrente la alta colina con pinos recortados en la cumbree. Allí la princesa lloró un poco, pero no su juventud perdida, su lejana infancia o la aventura secreta del barco de Orlof. Lloraba por su soledad presente. En la esquina había un reloj de sol, un simple cuadrante blanco de mármol. Recordaba que le habían contado una historia horrible en relación con el cementerio del convento de San Francisco. Trataba de recordar aquella historia y no podía.

Junto al río Arno, espacioso y quieto, se veía la torre de la Zecca que se reflejaba cuadrada y sólida. Y se le ocurrió a la princesa de pronto ir a ver algunas obras de arte que le eran familiares: la Primavera de Botticelli, las madonas de Lippi, algunas tablas de fra Angélico siempre fresco y nuevo. No estaban donde solían estar y la princesa preguntaba e iba luego a lugares que no había conocido antes. En un museo al lado del palacio del cardenal vio los dos apolos de Miguel Angel, que no eran hermosos como los de la Grecia clásica. Estaban demasiado flacos o demasiado gordos. Los artistas comenzaban ya entonces a desdeñar la belleza del objeto es decir del modelo para concentrar el interés en la ejecución. Obligaban a admirar al escultor por su trabajo y no al trabajo por el modelo. La princesa vio también la Virgen con el niño, de Settignano y después el bajorrelieve de Luca della Robia donde estaban los nueve mancebos cantando.

Viendo aquellas cabezas se entretenía en observar que la segunda, la tercera y la cuarta figuras de la izquierda debían ser hermanos. Los modelos lo fueron sin duda o Luca de la Robbia empleó el mismo chico en actitudes diferentes. Y estaban los nueve cantando. Acostumbrada a oírlos en su calabozo de San Petersburgo; no le extrañaba oírlos allí, también. Los nueve escolanos cantaban con sus voces de soprano el *Ave Verum*:

...Corpus natum de Maria Virginae
Vere passum, immolatum in cruce pro homine
Cujus latus perforatum fluxit aqua et sanguine
Esto nobis praegustatum mortis in examine.

Uno de los chicos iniciaba ahora el *Tenebrae* que era un himno de una belleza terrible. Aquella prosa adquiría con la música profundas y un poco siniestras armonías. Tenía la princesa otra vez ganas de llorar — ahora de contento —, pero se contenía por miedo a que la vieran.

Y en aquel momento apareció el cardenal, muy viejo, con el cabello blanco. Entraba arrastrando los pies. Pareció reconocer a Lizaveta y fue hacia ella sonriente:

—Ya veo — dijo afable y frío — que la corderita vuelve al redil.

Reía y le ofrecía su mano a besar. Su risa era menos grave y más infantil, como si la vejez simplificara sus reacciones. No daba señal alguna de senilidad. Los ojos seguían siendo severos y penetrantes en aquel rostro afeitado. En su manera segura y aplomada se veía que aunque hombre de templanza no había sido nunca un asceta. Y miraba a Lizaveta pensando que aquella mujer había tenido algo que ver con su pasado aunque no recordaba exactamente cómo ni por qué.

—¿Está sola?

—No, señor. Cagliostro está abajo, esperándome.

Pareció el cardenal un poco sorprendido:

—¿Cagliostro? Digo, ¿Balsamo, el nigromante?

—El mismo, señor.

—Oh, oh. Debe tener cuidado. Está condenado a muerte en rebeldía y yo mismo firmé la sentencia, en Roma. Mucho tiempo ha pasado desde entonces, pero el Santo Oficio tiene memoria.

Sonreía el cardenal, sin doblez, honestamente, y pensaba Lizaveta que aquella sonrisa era agradable. El cardenal era un viejo hermoso. No parecía humano sino vegetal o mineral. Como una planta antigua o como una estatua de mármol, declinante.

—Entonces, — preguntó ella — ¿usted cree que Cagliostro debe salir de Italia?

—No, si no quiere, pero hay que tener cuidado y no ir a Roma por ahora. Mejor sería que se fueran a vivir a una aldea. De paso se alejarían de la epidemia que comienza a hacer estragos en la ciudad.

Se sentó el cardenal al lado de Liza frente al bajorrelieve de Luca della Robbia y esperando poner orden en sus propios recuerdos dijo:

—Cuénteme, hija. Cuénteme. ¿Quién es exactamente usted?

Ella le refirió todas las miserias de la prisión de Pedro y Pablo y el cardenal escuchaba sonriente interrumpiéndola a veces con cortas exclamaciones: "Bueno, ya pasó todo y ahora está en Florencia". Mientras ella hablaba los acólitos del bajorrelieve decían a coro: *Sicut cervus desiderat ad fontes aquarum...*" Cuando terminó su relación vio Lizaveta que el cardenal se había dormido contra el rincón del diván. Se levantó y fue saliendo de puntillas para no despertarlo. Pero el cardenal despertó y dijo:

—¿Adónde va? Cagliostro no tiene nada que temer a no ser que haya una denuncia formal, claro.

Ella entonces se acercó otra vez y él la bendijo.

—¿Y Radzivil? —preguntó monseñor Ricci.

—Murió.

El cardenal sonreía. No se acordaba quizá de su propia denuncia contra Radzivil y sonreía. Era viejo el cardenal.

Lizaveta se sintió de pronto abrumada por la angustia. No podía hablar ni quería ir. A punto de lágrimas se disculpó y volvió al hotel.

Dijo a Cagliostro lo que sucedía —la sentencia de Roma— y el italiano se quedó meditando y decidió que convendría ir a vivir a algún lugar ignorado.

Pocos días después Cagliostro se fue a Croce Vecchia, que estaba media jornada hacia el Norte. No era exactamente una aldea porque tenía colegiata y hospicio de huérfanos y además un regimiento de infantería levantado recientemente contra las amenazas de Venecia. Regresó el día siguiente diciendo que había alquilado un palacio abandonado por sus dueños, ricos dálmatas asustados por la epidemia. La pequeña ciudad era hermosa y aunque había casos de cólera no eran tantos como en Florencia. Para aligerar de población a la pequeña urbe (las aglomeraciones se consideraban malsanas) el regimiento había salido de la ciudad y acampaba en un bosque a dos leguas.

Dos semanas después salieron todos para Croce Vecchia.

Por el camino tenía miedo Cagliostro de encontrar gentes huyendo en masa a alguna parte, entierros de muertos no ya con ataúdes sin tapizar sino sin ataúd, como le dijeron que los enterraban en Florencia aunque para evitar el espectáculo a la población hacían los entierros de noche.

Por fortuna, a lo largo del trayecto no hallaron sino campesinos que iban al lugar de su trabajo o volvían tranquilamente y al ver la cara pálida de la princesa se quitaban el bonete saludándola, aun sin conocerla. Ella contestaba, radiante, pensando: me saludan igual que en otros tiempos cuando vivía Rasumovski.

Luego miraba a Cagliostro y se sentía feliz de poderlo proteger contra el Santo Oficio. El cardenal la respetaba a ella —después de haberle causado un daño del que tal vez apenas se acordaba— y extendía aquel respeto a sus amigos.

Pero Perjotín estaba desolado y cuando se dio cuenta Cagliostro pensó: "Hace dos días que debe orinar como los demás porque con el alborozo de llegar a Florencia me he olvidado de darle la píldora". Se la dio allí mismo por si acaso y en cuanto la hubo tomado comenzó el moscovita a mostrarse feliz y locuaz, otra vez.

XVIII

El lugar a donde fueron a vivir era una aglomeración de edificios con alero rojo o negruzco, algún caserón histórico y una plaza en el centro de la cual había un templete de piedra que en tiempos había sido la picota.

La gente del pueblo vivía en constante pánico desde que se presentó la epidemia de cólera. A pesar de todo la mortalidad no llegó a ser como en las ciudades grandes.

Los oficiales y soldados del regimiento de Lorena enviaban desde el bosque cada día cargas de hojas de pino, de menta y de eucalipto que eran quemadas en hogueras en diferentes lugares del pueblo porque suponían que el mentol, el eucaliptol y el terpinol podían ayudar a limpiar la atmósfera. El farmacéutico, que tenía su tienda cerca de la plaza, estaba un día tratando de explicar las razones de aquello y recomendando que añadieran también el tomillo porque era un poderoso antipestífero cuando se sintió enfermo y poco después murió.

Fallecía bastante gente y enterraban a los muertos inmediatamente ya que un cadáver insepulto era un foco de infección. Con la prisa algunos quizá no estaban muertos aunque lo parecían y eran enterrados en un estado pasajero de catalepsia.

El sobrino del boticario, que era aprendiz en la farmacia, fue al cementerio cuando enterraron a su tío. Había más de cincuenta cuerpos y vio como uno de ellos se movía. Lo dijo a los sepultureros y ellos sin responder lo echaron del fosal. Desde entonces no dejaban acercarse a los chicos.

También se contaba que habiendo muerto la hija adolescente de una familia acomodada fue enterrada en un nicho en el muro cerca de la capilla y yendo dos días más tarde a poner otro muerto en el mismo nicho el sepulturero vio que la muchacha se incorporaba y decía:

—¡ Sáqueme de este lugar horrible!

El sepulturero le dio un golpe con la pala, un golpe horizontal y cortante, de modo que le partió la cara en dos y la niña cayó desmayada. Más tarde murió y al ir a comprobar si lo que decía el enterrador era cierto vieron que la muchacha tenía el cráneo partido casi del todo, por el golpe de la pala. El sepulturero hizo aquello en una reacción de miedo.

Cuando lo supo Lizaveta pensó: "Hay destinos más crueles que el mío".

La princesa y la niña de Perjotín a veces salían de paseo cogidas de la mano. A pesar de su vestido de larga cola y su báculo de cerezo no llamaba Lizaveta la atención. Iban hacia la plaza, pero encontrabn algún muerto en el camino, tendido en la calle, y volvían a casa cojeando un poco las dos porque la niña se contagiaba de la princesa.

Solían dejar los cadáveres abandonados frente a las casas. El carro de la basura pasaba dos veces al día, recogía los muertos y los llevaba al cementerio.

Comenzaba la enfermedad con fiebre y calambres. Luego el enfermo hacía las sabidas deposiciones blancas. Ese síntoma solía ser verdaderamente grave y la enfermedad no necesitaba entonces más que algunas horas para matar a su víctima.

Sin embargo se habían dado algunos casos de curación.

En los tres primeros meses murió la tercera parte de la población. Luego la epidemia pareció ceder y fue entonces cuando llegaron la princesa y los suyos. Pero luego se recrudeció de nuevo.

Los campesinos supervivientes se sentían en la aldea como reos condenados a muerte cuya ejecución hubiera sido aplazada.

Las familias donde había algún enfermo ponían una silla en la calle, frente a la casa. Era la señal para que el médico (y nadie más que él) entrara.

Había en la población un gran silencio porque sabiéndose todos en el mismo riesgo de muerte no lloraban a los parientes o amigos que morían sino que inconscientemente les agradecían que se hubieran marchado. Era un riesgo menos, porque la aglomeración de gente en espacios reducidos favorecía el contagio. En aquellas aglomeraciones humanas sucedían cosas lamentables. En tierras donde dominaban los católicos echaban la culpa a los protestantes y en otras partes a los judíos. En Rusia y en los países del sur y del este del Mediterráneo se celebraron, por si acaso, grandes pogromos para desagraviar a Dios.

Pero la epidemia no cedía.

Vasia, el cochero, era el menos impresionado por el peligro. Iba y venía, se metía en todas partes y ayudaba a enterrar a los muertos sin otra recompensa que un trago de vino de vez en cuando.

—Nadie hace caso de nadie en esta población, —decía, feliz.

Le gustaba que nadie reparara en él. "En una aldea rusa —añadía, para sí— ya me habrían pegado. Y me habrían puesto un apodo."

En el grupo de la princesa no parecían alarmados. Cagliostro repetía a veces: "Yo sé algunos remedios, pero cuando una epidemia alcanza estas proporciones lo único que hay que hacer es cerrar los ojos y vivir la vida ordinaria como si nada sucediera." Al oírle decir esto Perjotín lo miraba con grandes sobreentendidos y secretas gratitudes.

Cuando vieron en el pueblo que las hogueras de hierbas aromáticas no tenían eficacia contra la epidemia decidieron que el ruído (disparos de escopeta y principalmente de trabucos) sacudiría la atmósfera produciendo violentas conmociones en el aire. Y el alcalde dio el primer ejemplo disparando por todas las ventanas de su casa. Quería el cura hacer rogativas especiales, pero sería necesaria la aglomeración de los vecinos en el interior del templo y todos sabían que había que evitar las reuniones. Las rogativas se consideraron innecesarias y el cura, para contribuir a la campaña de ruidos, hacía voltear las campanas mayores mientras el sacristán disparaba por el ajimez un viejo mosquete.

Había un musulmán en el pueblo y algunos vecinos de los más adictos a la parroquia habían ido a preguntar al cura si no sería bueno sacrificarlo para desagraviar al Señor. El cura les dijo que no era necesario.

Tampoco los disparos ni las campanas dieron resultado. Entonces, convencidos de que tanto estruendo creaba una incomodidad, trataron de levantar el ánimo de la gente deprimida buscando recursos nuevos ya que habían oído decir que caían antes los tristes que los contentos.

El cura exorcizaba cada día el pueblo con cubeta e hisopo desde el campanario. El alcalde decidió que la banda de música del hospicio fuera al templete de la plaza mayor y tocara allí piezas alegres todo el día. El médico aprobó la medida y repetía que lo mismo que en la guerra había que evitar en tiempos de epidemia la desmoralización. A todos les convenía sentirse optimistas y estar seguros de la victoria final contra la epidemia.

Tocaba la banda de música del hospicio todo el día. Pero al retirarse por la noche el silencio caía sobre la población como una lúgubre sentencia. Era peor que nunca, el silencio de la noche.

Ordenó el alcalde a la banda del regimiento, que se había ido al bosque con los soldados, que tocara de noche. Y aquella banda relevaba a la anterior cada día al oscurecer. Era un alivio. La música se oía desde todas las casas del pueblo día y noche. Sin embargo, los músicos no podían resolver por sí solos el problema aunque era evidente que mejoró algo la moral de la población. Aquella música en la calle, en casa, despiertos, en el duermevela, sostenía el ánimo.

Por aquellos días sin embargo, y a pesar de la música, el alcalde sintió calambres, hizo sus deposiciones blancas y murió, todo en menos de veinticuatro horas. El teniente alcalde tomó su puesto y queriendo dar ejemplo anduvo por el pueblo diciendo bromas a los amigos y riendo con motivo o sin él. Al principio creyeron que se había vuelto loco, pero convencidos de lo importante que era el buen humor y el ánimo jovial quisieron imitarlo y se pusieron a contar también historias divertidas. A veces desatinadas. La cuestión era reír.

Veía el cura aquello satisfecho, aunque aterrorizado porque el médico y él eran los que estaban más en contacto con el peligro. Hasta entonces se habían salvado, el médico gracias al uso constante del alcohol por vía interior y exterior lavándose las manos. Cierto que estaba borracho todo el día y parte de la noche y se conducía con la intemperancia de los alcohólicos. Creía el cura haberse salvado hasta entonces por las oraciones, pero habiendo sentido un día algunos síntomas recurrió también al aguardiente. Y era curioso verle recitar sus latines tropezando con las sílabas difíciles.

Las bandas de música seguían tocando día y noche y el teniente de alcalde continuaba con su risa y tratando de hacer reir a los demás. Cada uno de sus conocidos, especialmente los concejales, contaban los cuentos que sabían, preferentemente los verdes, que eran los más graciosos. El único que se resistía a escuchar era el cura.

Todos trataban de fomentar la alegría y de hacerse reir los unos a los otros. Los niños al encontrarse en la calle se hacían cosquillas. Se veía que había en la población una gran variedad de maneras de humor y de temperamentos. Dominaban los que se podrían llamar escatológicos inferiores.

Se mostraba a veces asombrado Perjotín de lo que veía. Su ignorancia del idioma italiano le impedía comprender las causas de las risas (mezcladas con lágrimas) de la gente. Estaba más que nunca abstraído en el milagro de sus riñones y gozando de su orina azul. Unos días el color era marino y otros azul celeste. Preguntaba el significado de aquel cambio de matices a Cagliostro y el italiano le decía que dependía de su estado de ánimo. El optimismo producía el color azul turquesa.

Entonces Perjotín trataba de estar optimista.

El cardenal había prometido a la princesa una visita a Croce Vecchia y al saberlo Cagliostro se alarmó. Ella lo tranquilizó repitiéndole las palabras que había dicho el cardenal. Cagliostro se quedó pensativo y después dijo:

—¿Qué clase de persona es usted que todavía puede creer en las palabras de monseñor Ricci?

—Ahora es precisamente cuando creo, —decía ella.

—Pero ¿por qué?

—No sé. Cuando se cree de veras en algo nunca se sabe por qué.

Algunas veces la princesa se acordaba de Torre Cebrera y le hacía preguntas a Cagliostro. Éste le respondía:

—No es locura, exactamente. Lo que pasa es que Spic se acoge a lo irreal de la nigromancia cuando las cosas le son demasiado contrarias. ¿Entiende?

La princesa no estaba segura de comprender. Cagliostro aclaraba:

—Todo el mundo se abandona al plano de las cosas irreales cuando tropieza con el mal. Usted misma con sus vestidos y su bastón de cerezo. El lado congruente de la realidad tiene trampas, dobles fondos secretos y en ellos se mata por envidia, por miedo, por indiferencia y también por amor. El caso de la castellana con el paje. No lo ha matado aún, pero ¿quién sabe lo que puede suceder un día? Spic cultiva formas de irrealidad que le parecen gratificadoras Su mujer también.

Diciéndolo pensaba Cagliostro en aquellas noches en que la supuesta reina Ricarda andaba por los corredores con el cabello suelto diciendo cosas raras.

—Me pregunto a veces —decía Cagliostro— si Spic es rico o no.

—¿Qué importa, eso?

—Es verdad. Pero no lo es. No le queda nada de la fortuna familiar.

La princesa sonreía:

—¿No le queda el señorío de Aineto?

—Eso le permite vivir sobre el terreno, pero no le da dinero. Cuando sale de viaje lo hace a costa de sus amigos nigromantes, es decir viviendo en sus casas la mayor parte del tiempo. Lo que decía usted antes sobre su locura en cierto modo es verdad y no es culpa suya. Tiene herencia insana. El padre de Spic era lo que podríamos llamar un loco sexual. En todas las cosas se conducía razonablemente, pero no en las del sexo. El pobre Spic es lo mismo y su satanismo es la consecuencia de su indignación por el hecho de que alguien le haya obligado a salir de la nada donde se encontraba a gusto. La voluptuosidad es lo único que le ofrecen a cambio y no cree que valga la pena. ¿Comprende?

Repitió Lizaveta una vez más con voz incierta, pero sonriendo:

—Mató a su hijo y lo llevó al glaciar y después a Zugarramurdi.

—Ya le digo que dar muerte no es crueldad. Pensándolo bien la vida es como una amiga rubia, alegre y desleal y la muerte como una esposa de ojos negros silenciosa y fiel. Las dos conocerán nuestro amor, es decir todos los hombres conoceremos el amor de las dos. El amor alegre y falso de la vida y el sombrío y verdadero de la muerte.

—Para mí la muerte es —dijo la princesa— como un novio viejo y hermoso vestido con un uniforme negro y amarillo.

Se quedó Cagliostro mirándola absorto y añadió como si completara el pensamiento de ella:

—Como el conde Orlof, ¿eh?

Ella se puso pálida y sonrió sin expresión.

Vasia, el cochero, iba y venía por la pequeña ciudad con Katerina, a quien llevaba de la mano. A veces la niña se quería soltar y Vasia no la dejaba. Entonces ella le amenazaba con pegarle.

—Aquí no puedes —decía el cochero— porque fuera de Rusia soy libre como tú y de veras hermanita que no puedes. Si me pegas y te denuncio a la policía te arrestarán. Así, pues, te lo digo por tu bien. Si tienes ganas de pegarme espera que volvamos a nuestra patria y en la frontera misma podrás pegarme si ese es tu capricho, niña mía.

Y la niña se aguantaba sin comprender.

Seguía la epidemia haciendo estragos. Lizaveta y Cagliostro no hacían caso y cuando Perjotín acudió a Cagliostro a decirle que el líquido renal daba un reflejo tornasolado el italiano lo miró a los ojos y dijo, sin mostrar expresión alguna:

—¿Está seguro?

—Sí, señor.

—Tendré que dejarle a usted tres días sin medicación y después volver a comenzar. Cuatro días, mejor cuatro.

—¿Eso quiere decir que es malsano el reflejo tornasol?

—Yo no he dicho tal cosa.

Y le volvió la espalda.

Las bandas de música seguían tocando día y noche. Al amanecer los militares se iban al bosque, pero sin dejar de tocar hasta que salían de la ciudad, y como solían estar muy cansados y soñolientos desafinaban.

Tres de los músicos hospicianos habían muerto del cólera. A otro se le formó una hernia de tanto soplar.

Desde que tocaban las bandas de música el número de defunciones diarias había cedido y el teniente de alcalde se atribuía el mérito. Seguro de la importancia de la alegría para preservar la salud seguía contando cuentos cómicos y sucios a todos los que se acercaban. Otros hacían lo mismo y en verdad la mayor parte de la gente andaba riendo en público o en privado. No pareciéndole aquello bastante, el teniente de alcalde tuvo otra iniciativa mejor y dio un bando memorable: "El vecindario de esta ilustre villa deberá concurrir diariamente a la plaza y manifestar su alegría bailando a los acordes de las bandas de música que de día y de noche tocan para nuestro solaz y para perjuicio y mengua de la epidemia, dado que el regocijo es un excelente preventivo contra el contagio".

Para dar ejemplo, el teniente de alcalde, el cura y el médico fueron y rompieron a bailar. Al verlos, los músicos que tocaban sin mucho ánimo se reanimaron y así los unos influían en los otros y a todos les parecía mejor.

En fin, el segundo día todo el vecindario estaba en la plaza alrededor del templete de la música y bailaban sin necesidad de ejemplo alguno. Como unos llegaban y otros se retiraban siempre estaba la plaza concurrida. Incluso por la noche. Es decir, especialmente por la noche ya que el baile hacía sudar y fatigarse a los danzantes de día y en cambio con el fresco de la noche se cansaban menos.

El vecindario entero bailaba en la plaza y de vez en cuando el teniente alcalde, el médico y el cura se incorporaban otra vez a la masa de bailarines por deber cívico.

Vasia y la niña iban con frecuencia y lo mismo hacía Perjotín, pero sólo aquellos días que por no haber tomado la píldora mágica orinaba como todo el mundo. Bailaba entonces tan triste que daba pena. Los que no iban nunca a bailar eran Cagliostro ni la princesa. Por cierto que en el pueblo los llamaban señor conde y señora *contesina,* como si fueran matrimonio.

Bailaba la gente en la plaza de un modo insolidario y cada cual por su cuenta, es decir sin formar corros ni parejas, pensando cada uno en su propia salud o su propia enfermedad y en el peligro de su muerte intransferible.

A veces añadían los bailarines voces de alegría para asustar, según Vasia, a la comadre Ignazievna. Así llamaba el cochero ruso a la muerte.

Despreciaba Cagliostro a aquella gente por su ignorancia y en aquel desdén por el pueblo comprobaba Liza la falsedad del título de su amigo porque un verdadero aristócrata no desprecia nunca al pueblo o lo desprecia tanto que no se atreve nunca a decirlo.

Desde su casa la princesa oía jaleo constante y se preguntaba: ¿Cómo no se fatigan? Daban la impresión de ser siempre los mismos los que bailaban, aunque como es natural se renovaban día y noche. Pero más o menos la cantidad de gente que había en la plaza era la misma.

Aquello de la alegría había pasado a ser una obsesión en la que todos coincidían. Así, cuando un vecino decía a otro: "¿Sabes que a mi padre le han entrado los calambres?" lo decía riendo y el otro comentaba la noticia con una carcajada franca y violenta.

Todos reían menos la princesa. Y entonces sucedió algo curioso, la gente acudía a Lizaveta con sus problemas porque era la única que por escucharlos sin reír parecía no burlarse de sus desgracias.

Un día la niña se quejó de calambres y comenzó a decir que tenía el cólera y que no quería morirse. Fue a atenderla Cagliostro y ella lo rechazó diciendo que no era médico y que sólo quería ver a Lizaveta, a Vasia a su padre y al médico. Éste le recetó un buen trago de aguardiente y la niña se durmió y despertó dos horas más tarde mucho mejor. Perjotín que se había asustado apenas acertaba a hablar y acudía en silencio a la plaza, aunque con una especie de escepticismo. Vasia lo entendía a su manera y se decía: "Él disimula su dolor de padre y hace bien. Pero aquí como en Rusia los ricos gozan poco del baile porque tienen miedo de todo. Los pobres gozan más porque tienen la esperanza de ser ricos un día y si se mueren lo que pierden no vale tanto". Como se ve, Vasia a veces filosofaba.

Un día se sintió mal, también, Perjotín. No eran los calambres sino como él decía "un frío en la médula". Acudió Cagliostro con las famosas píldoras, le dio una y después le aconsejó que se dejara hipnotizar por él.

—¿Cuando? —preguntó el ruso.

—Me atrevo a consejarle que hoy mismo. Claro es que yo podría hipnotizarlo sin su consentimiento, pero lo respeto a usted demasiado para hacer una cosa así.

Lo hipnotizó Cagliostro muy fácilmente y cuando estaba dormido se le acercó al oído y le dijo:

—Estás en peligro de muerte. Todos estamos en peligro de muerte. Mañana irás a Roma y allí con el cónsul ruso harás testamento dejando toda tu fortuna a la princesa Tarakanova, Elisabeth Romanov. Mañana sin falta saldrás de aquí en tu coche antes del medio día, llegarás a Roma al hacerse de noche, pasado mañana irás al Consulado ruso y harás testamento. Dejarás allí una copia y traerás otra para la princesa que me entregarás a mí. Yo seré el depositario.

Repitió aquellas órdenes dos veces, con la mayor claridad.

Esperó una hora más y luego lo despertó. Según suele suceder en esos casos, Perjotín no se acordaba de nada. Cagliostro le dio doble dósis de coca y de azul metileno y el ruso se sintió mejor que nunca.

Al día siguiente mandó enganchar la carroza y se fue a Roma sin decir a nadie el objeto de su viaje.

En los últimos días había oído Perjotín que el cólera no existía en San Petersburgo y que en otras partes de Rusia era benigno. Aquella fue la vez primera que Perjotín pensó con nostalgia en su país. "Si estuviera allí —se dijo— no correría tanto peligro como aquí. Tal vez no correría peligro alguno". Pero aparte de las seguridades que la sola presencia de Cagliostro le prometía, la idea de ir a Rusia en aquellos momentos era del todo absurda ya que había que atravesar en un largo viaje de veinte días y noches toda Europa central donde el cólera hacía estragos.

Fue a Roma e hizo exactamente lo que dijo Cagliostro sin saber él mismo por qué lo hacía.

Aquella noche la niña no durmió. Estuvo con calambres y fiebres toda la noche. Le dieron más aguardiente, pero en lugar de dormir se puso nerviosa e inquieta. Al amanecer la niña hizo sus deposiciones blancas y todos perdieron la esperanza, pero a las once de la mañana se durmió tranquilamente. Había hecho más deposiciones blancas, sin embargo.

Esperaba Cagliostro que viviera bastante para que su padre volviera de Roma y la hallara viva.

Liza iba y venía secretamente desesperada:

—¿No se podría hacer algo más? —preguntaba.

Avisaron al cura, pero éste dijo que a la edad de la niña no tenía pecados y además no siendo católica apostólica romana no era aquella su iglesia.

Llegaron Perjotín y Vasia de regreso de Roma. El cochero que había sido echado en falta por los enterradores volvió a dedicarse a ese triste oficio toda la mañana La enfermedad de la niña los tenía a todos consternados.

Por la tarde estuvo Vasia atendiendo a la niña enferma y al hacerse de noche fue a bailar un poco a la plaza y después a los establos a dormir, como siempre.

Al día siguiente la niña quedó rígida para siempre. Murió hacia las once de la mañana. Su padre que la había oído hablar de la muerte como de una fiesta a la que hay que ir bien vestida hizo que la princesa la vistiera con sus mejores prendas y encargó un ataúd cubierto de cintas blancas de seda, espejitos y abalorios de colores. Como en la aldea no había todas aquellas cosas hubo que enviar a buscarlas a Florencia, lo que les obligó a aplazar el entierro.

Perjotín iba y venía por los pasillos diciendo fuera de sí: "Ahora ya puedo volver a Rusia y morir allí como un perro. No tengo a nadie en el mundo. Se han muerto mi madre, mi esposa y mi hija. Puedo morir como un perro porque me he quedado solo en el mundo". Parecía como si su nueva situación e incluso la perspectiva de morir le agradaran.

Cuando se llevaron el cadáver de la niña, la casa quedó terriblemente vacía con ecos y sonoridades que antes no se habían percibido. Cagliostro hacía esfuerzos para disimular su satisfacción cuando estaba con Perjotín. No era que se alegrara de la muerte de Katia sino que tenía una sensación de alivio. El que se alegraba sin acabar de entender a qué extraño prodigio respondía aquella monstruosidad era el padre. Al mismo tiempo se sentía el ruso culpable de su alegría, con los ojos secos y una palidez enfermiza en la piel. Suspiraba y repetía:

—Ya no soy el que era antes, ya no tengo parientes por quienes guardar alguna clase de decoro ni de respeto. Ya puedo morir como un perro. Como un perro a la orilla de un camino.

Le dio Cagliostro otra píldora de coca advirtiéndole una vez más con misterio que vigilara el *pot de chambre* (en francés, parecía más decente) y los diferentes matices del azul.

—Hasta que se acostumbre usted a la ausencia de la niña —añadió, afable— le conviene tomar dos píldoras cada día. Yo se las daré.

Luego hablaron del entierro que había sido la manifestación de duelo más extraña que se puede imaginar. Todo el mundo reía y Perjotín miraba a un lado y otro, de reojo, sintiéndose terriblemente ultrajado, pero sin decir nada.

Aquella noche Vasia fue a bailar a la plaza hablando por el camino, consigo mismo: "Ganas de bailar no las tengo, pero bailaré por el bien del pueblo". Ya entrada la noche fue también Perjotín haciéndose reflexiones parecidas.

XIX

Desde la terracita de la casa escuchaban la música y se oía también rumor de mujerío en el patio.

Las gentes que llegaban reían y chillaban y seguían bailando porque, como digo, se oía desde allí la música, pero a medida que subían las escaleras iban callándose por respeto al dolor de la madre, ya que todos creían que la madre de Katia era Lizaveta. Iban preparando las palabras adecuadas porque todos se proponían pedir algo. Algunos, cosas muy raras. Por ejemplo un barbero quería dinero para rescatar las herramientas de trabajo que había dejado en prenda de un préstamo. Otro necesitaba gallinas cluecas con huevos para incubar, otro —es decir otra, porque era mujer— un pequeño costurero como parte del equipo de boda. Quería casarse antes de que a ella o a su novio les atacara la epidemia.

Todos se dirigían a la contesina como si ella pudiera ayudar a los menesterosos con algo más que su sonrisa o palabra.

Desde que murió Katia el conde italiano trataba a Perjotín de una manera más familiar. Aquella noche el ruso y Liza estuvieron oyendo con una curiosidad un poco asombrada al italiano que decía que monseñor Ricci no fue elegido para el solio pontificio trece años antes por haber intrigado demasiado. En aquel asunto, como en todos, si se intriga demasiado se producen corrientes que anulan la eficacia.

Al mismo tiempo llegaba el cura cojeando y ante la expresión de dolida sorpresa de la princesa se adelantó a explicar:

—Una fluxión de tobillo. Venía a decirles que ha llegado un caballero español preguntando por ustedes. Un señor un poco nervioso.

El caballero Spic. La impresión de aquella noticia en Liza y en Cagliostro fue desoladora. En cuanto a Spic, se presentó el día siguiente y explicó las razones de su llegada. Iba a Croce Vecchia a rescatar el *gratal* por orden del viejo ermitaño del Pueyo, el bisabuelo del paje. "Y vengo también —añadía— a hacer una pregunta al gran copto. Quisiera que me demostrara, si está en sus posibilidades, ese amor que según dice tiene Dios por sus criaturas. Si me convence, nuestro género de relación puede cambiar y mejorar considerablemente".

Cagliostro lo miraba pensando: "Y aunque cambie ¿qué importancia tiene la relación suya y mía para el mundo? ¿Es posible que sólo con ese motivo haya hecho este extraño montañés un viaje tan largo?". No lo creía y sus sospechas iban en una dirección u otra buscando vanamente la verdad.

Hubo un largo silencio en el cual se oía a alguien golpear rítmicamente en la escalera con una caña.

Cagliostro vaciló un momento y luego dijo como el que recita una lección y expone un ejemplo a sus discípulos:

—Supongamos que continúa la epidemia haciendo estragos en el planeta y que todos los hombres mueren. Todos menos uno, un joven de dieciocho años, quizá. El único hombre vivo que queda en el planeta. Y algunos millares de mujeres, digamos siete u ocho mil, porque ellas son más fuertes. ¿Sabe usted lo que tardaría en quedar el planeta poblado otra vez y no con setecientos millones de habitantes sino con más de tres mil millones de seres humanos? ¿No lo sabe? Pues yo se lo diré: tardaría el espacio de una vida humana. ¿Comprende? El espacio de tres generaciones. Mire usted, —añadió Cagliostro con la expresión del que está diciendo algo obvio—. Yo tengo cerca de setenta años. Usted no anda lejos. A los setenta años ¿cuántas veces hemos hecho el amor desde los dieciocho? Yo calculo unas ocho mil, sin contar que la mayoría comienzan antes de esa edad. Bien, supongamos que en lugar de hacerlo con ocho mujeres diferentes (es lo usual, en una vida ordinaria) lo hemos hecho cada vez con una mujer distinta y que esa mujer ha quedado embarazada, cosa perfectamente natural y posible. A los setenta años tenemos, pues, ocho mil hijos y si cada uno de ellos hace lo mismo —¿por qué no?— resulta que de esos ocho mil la mitad es decir cuatro mil tienen ya —cada uno— cuatro mil hijos a los cuarenta años, lo que en buenas cifras da dieciseis millones de nietos a quienes el abuelo puede razonablemente conocer en vida. Es decir que cualquier hombre como usted o como yo podríamos tener a los setenta años dieciseis millones de nietos. Si cada uno de ellos sigue nuestro ejemplo, para lo cual Dios los ha capacitado muy bien —y sin forzar la naturaleza, simplemente dejándose ir— ¿sabe cuántos biznietos tendría usted o podría tener yo? Bastante para poblar quince o veinte planetas como el nuestro. Todo en el espacio de una vida normal.

—Grandiosa reflexión —dijo Spic con los ojos sin embargo recelosos.

—Si usted o yo, en el plano de una vida humana, podemos poblar veinte planetas como la tierra ¿cuál es la consecuencia? Dios quiere estar seguro de que no le fallará la especie humana. De que tendrá siempre un semillero vivo, pensante, amante y actuante. ¿No lo cree usted? Entonces habrá que pensar que él ama a los hombres. No hay otra manera de entenderlo.

—Sin duda, gran copto y confieso que eso modifica un poco mis ideas.

La admiración de Spic había comenzado a serlo sin reservas pero un poco tardía, porque Spic había denunciado a Cagliostro a la policía de Roma. Fue lo primero que hizo al llegar a Italia y enterarse de que Cagliostro estaba condenado a muerte, en rebeldía, por la Inquisición.

Iba y venía Spic despreocupado de todo, especialmente del cólera, aunque se inquietaba más que el conde y sobre todo mucho más que la princesa.

Hicieron en seguida buenas migas Perjotín y el caballero nigromante y salieron juntos. En la plaza encontraron al cura y estuvieron bailando aunque el cura sobre un solo pie, a causa de la luxación.

El caballero Spic encontraba la atmósfera muy de su

gusto y pensaba quedarse algún tiempo. Un nigromante menor como Spic no podía dormir en la morada del gran copto y aceptó la hospitalidad del cura. Al saber que Spic era español el cura no dudó de su fervor católico y por su parte Spic se aprovechó mas tarde de la oportunidad para robar algunas formas eucarísticas.

Estaba Liza aquellos días sensitiva ante la idea de la muerte y hacía preguntas a Cagliostro, quien le respondía:

—Todo lo que puedo decir es que los seres que han nacido y *son* seguirán siendo y caminando por vías infinitas entre la materia y la forma, la forma y la esencia.

—Yo —dijo asustada la princesa—, querría descansar. Yo querría quedarme quieta y callada como una piedra o como el tronco de un árbol cortado. Y para siempre.

—Lo que ha comenzado a vivir seguirá viviendo eternamente. Es irremediable y eso no hay quien lo evite.

Abajo, en el patio, se oían voces. Era el cura que llegaba alarmado:

—No hay hospedaje adecuado en el pueblo, —decía—. No hay hospedaje para el cardenal y viene mañana.

Siempre era el cura quien traía las noticias sensacionales. Cagliostro estaba impaciente y secretamente asustado:

—¿Cómo sabe que viene el cardenal?

—Me lo han dicho los policías.

—¿Qué policías?

—Han venido tres o cuatro de Roma a preguntar por usted. Verdaderos caballeros. Se han limitado a anotar algunos datos en un cartapacio que llevaba el jefe y me han dicho lo del cardenal.

Aquello intrigó más a Cagliostro.

Aquella noche Spic excitado con el baile habló con Liza y con los otros. Refiriéndose a Torre Cebrera dijo que el castillo lo heredarían Pilar y el paje y añadía:

—Se casarán a pesar de la diferencia de edad y... Una vez establecidos Pilar y Gil en esa torre, ¿quién sabe? Las sierras de Monte Perdido son el centro y la presidencia del macizo pirenáico.

Oyéndolo pensaba Cagliostro:

—Me ha denunciado a la policía de Roma, el mequetrefe hijo de puta.

Pocos recursos le quedaban a Cagliostro sabiéndose vigilado. Por si acaso aquella noche dio a Liza la copia del testamento de Perjotín y ella se llevó una sorpresa tan grande que no le dio lugar por el momento a la alegría ni a la gratitud.

Miraba luego a Perjotín como si fuera su padre, el padre que no tuvo. Perjotín se daba cuenta y evitaba quedarse a solas con ella, porque sabía que se conduciría de una manera inadecuada, se conmovería hasta las lágrimas. Era ruso y los rusos lloraban, en aquellos casos.

La miraba en silencio y oía lo que se decía alrededor sin comprender, a veces. No entendía el idioma ni el sentido de las impaciencias y alarmas.

La presencia del cardenal produjo una gran conmoción en la aldea. Apareció en la casa sin avisar —debió dejar la carroza en las afueras del pueblo— y entró en el palacio de Lizaveta riendo y repartiendo bendiciones.

—¿Qué hacen en la plaza los aldeanos? —preguntó el cardenal—. ¿Bailar para defenderse de la epidemia? Más les valdría conservar y ahorrar sus energías.

Subió el cardenal las escaleras, riendo. La princesa salió a su encuentro llena de sonrisas también. El cardenal parecía hacer un gran esfuerzo para recordar y preguntó:

—¿No está Cagliostro aquí? Lo digo porque andan buscándolo y si no se esconde o sale pronto de Italia irá a la prisión de Santángelo. En ese caso, usted sola, alteza, ¿qué hará? Si quiere entrar en religión yo puedo hacer que la acepten en un convento sin dote. No tiene más que decirlo.

Sin saber qué pensar la princesa callaba. Pasada la primera impresión se dijo: "Me quedan al parecer algunas perpectivas, es decir algunos caminos abiertos: hacerme monja en un convento, sin dote. O esperar y dejarme llevar un día al cementerio en la carreta de los muertos, sin dote, también. O hacerme bruja con Spic y presidir desnuda los *sbats* en Torre Cebrera, para lo cual me hizo Spic o me quiso hacer sin duda propietaria del Graal desde que salimos de España, esperando que eso me obligaría. Cierto que me quedan otras soluciones: podría volver a San

Petersburgo y vivir o morir como un perro (el ideal nuevo de Perjotín), o ir a Francia donde tal vez me cortarían la cabeza en la guillotina (en la linda plazuela de Grenoble), o quedarme donde estoy esperando que atrapen a Cagliostro y se lo lleven a la cárcel romana de Santángelo donde lo dejarán morir de hambre y de desesperación. No creo que lo ejecuten públicamente".

El cardenal repetía: "Cagliostro está vigilado de cerca y si trata de salir de la aldea lo más probable será que lo arresten, porque fue condenado en rebeldía cuando murió Clemente XIV". Entretanto la música seguía sonando en la plaza y la gente bailaba de un modo entusiasta y más insolidario que nunca, cada cual pensando sólo en su propia vida.

Lizaveta y el cardenal miraban desde el ancho balcón la calle, que solía estar desierta, con pavimento de canto rodado. La vista de aquella calle silenciosa parecía invitar a Lizaveta a la confianza con el cardenal.

Iba a hablar Lizaveta cuando vio que los dos caballeros, Cagliostro y Spic, llegaban calle arriba discutiendo airada y pugnazmente y además cada uno de ellos llevaba la espada desnuda y parecían ir buscando un lugar para batirse.

La princesa decía al cardenal:

—Cagliostro cree en la magia blanca de antes de Lucifer y en cambio el caballero español cree en la magia satánica.

El cardenal miró un momento a los dos rivales y preguntó:

—¿Por eso van a batirse? ¡Qué tontería!

Entretanto la gente del pueblo había levantado una cruz en lo alto de la torre de la iglesia, de más de veinte pies de altura y la sombra alargada de aquella cruz cubría a distintas horas del día (según la altura del sol) dos terceras partes de la población extendiéndose sobre los tejados, las calles y las plazas. Al atardecer era naturalmente mucho mayor que al medio día. Quedaba una parte de la aldea sin ser alcanzada por aquella sombra protectora, pero era cubierta durante la noche por la que proyectaba la cruz bajo el resplandor de la luna llena. Había sido una buena idea, según el cura.

—¿Eso ayudará a la gente, digo, contra la epidemia? —preguntó Lizaveta.

Respondió el cardenal con una mirada fría :

—Quizá. En todo caso dejémoslos bailar.

En la calle habían comenzado a batirse los dos caballeros y el cardenal los miraba un momento y retiraba los ojos aburrido para decir a Lizaveta:

—Yo no traté, hija mía, de ser elegido pontífice por ambición personal ninguna. Era otro el motivo.

Oía Lizaveta la voz del cardenal mezclada con el ruído de las espadas, pensando: "Debía estar yo resentida contra monseñor Ricci y no lo esoy y no puedo comprender por qué". Por su parte el cardenal seguía pensando en voz alta mirando a los espadachines: "Ese hombre flaco vestido de negro esgrime según la escuela española". Pero volvía otra vez a su tema:

—Yo traté de ser elegido por el Colegio, pero ahora voy siendo viejo y no recuerdo por qué. Sólo me acuerdo de los tiempos de mi infancia.

Sonreía el cardenal, bondadoso, y seguía: "Un día lo recordaré y podré decírtelo, hija mía: Un día que haya dormido bien y que no haya epidemias ni hombres luchando a muerte debajo de mi balcón".

Parecía poner atención en los combatientes:

—Es posible que uno de los dos mate al otro y el hecho es que los dos están de acuerdo entre sí como enemigos de Roma. Están de acuerdo y no lo saben. Se creen más avanzados que nosotros pero representan en realidad una actitud más primitiva y atrasada. De veras, hija mía. La gente se engaña consciente y gustosamente.

Volvió a reir, afable, y añadió: "El caballero español que en su manera de esgrimir sigue según veo la escuela del famoso Pacheco y de los grados del perfil es más evolucionado y avanzado que Cagliostro".

Se oyó en la calle una lamentación y una blasfemia. Uno de los duelistas había herido al otro. Se calló el cardenal para mirar tratando de averiguar quién era el herido y al ver que el duelo continuaba con la misma violencia alzó la voz y dijo:

—Escúchame, José Balsamo. ¿Me oyes? Yo firmé hace

muchos años tu sentencia de muerte y ahora la policía y los ministros del Santo Oficio te buscan. Más te valdría escapar.

Poco después varios hombres armados dirigidos por otro que llevaba la vara de justicia ocupaban las salidas de la calle. El que parecía jefe arrestó a Giuseppe Balsamo y se lo llevó.

—En Florencia —comentó el cardenal— le avisé. No podrá decir que no le avisé a tiempo.

Se llevaba la policía al conde y poco después se oyó en una callejuela próxima el ruído de un coche que partía y el pautado trote de los caballos.

—Lo siento, —dijo aún el cardenal—. Lo llevan a Santángelo.

Abajo Spic enfundaba la espada satisfecho y restañaba la sangre de la herida con la manga de la camisa, que desgarró. Luego alzó la cabeza:

—¿Hay un médico en este pueblo?

Nadie le respondió y se fue despacio en la dirección de la plaza pensando que no tenía bastante importancia para que le contestara el cardenal, pero sin sentirse ofendido.

En la calle volvía a escucharse una voz lastimosa. Era el cura que decía muy serio y sin reir que Perjotín estaba con las deyecciones blancas.

—Dios lo asista —murmuró el cardenal— ¿Dices que quieres ir a asistirle, hija mía? No, él no querrá ser asistido por ti. El cólera es una enfermedad sucia. Es el único caso en que el color blanco, aunque sea blanco como la nieve, es sucio. En esa enfermedad el hombre quiere ser asistido sólo por un hombre y la mujer por una mujer.

—Tengo que hacer algo.

—Le bastará a Perjotín saber que lloras por él.

Viéndose ella obligada a abandonar a Perjotín en su agonía sentía algo parecido al antiguo frío de la espelunca de Pedro y Pablo:

—A veces me pregunto, monseñor, cómo pudo conducirse vuestra eminencia conmigo de un modo tan cruel. Y no lo digo sólo por mí.

Le contó la muerte de Radzivil y el cardenal parecía adormecerse, pero se veía que no, porque con sus ojos cerrados movía los labios, en oración.

—No puedo comprenderlo, —insistía ella.

—No es usual que todos entendamos todas las cosas, hija mía.

—Si muere Perjotín yo me marcharé de aquí. Digo, me iré a Roma.

Se proponía, según dijo, tomar una vivienda cerca de Santángelo y llevarle cada día a Giuseppe Balsamo la comida en una cestita limpia con su botella de buen vino siciliano. Iría dos veces cada día a verlo y cuando lo viera le diría palabras que le hicieran reír o que en todo caso aligeraran su pensamiento: Y preguntaba:

—¿Es que no está bien, eso?

Reía monseñor Ricci y preguntaba a su vez:

—¿Qué quieres que te diga? Tú tienes tu libre albedrío y estás en la edad de hacer uso de él.

Murió Perjotín dos días después.

Hizo Lizaveta exactamente lo que había dicho. Fue a Roma, se instaló en las cercanías de Santángelo en un buen albergo, acudió a ver a Balsamo cada día y a llevarle la comida en una cestita como una pobre mujer. Siempre con sus vestidos pasados de moda y su bastón de cerezo. Los empleados de la cárcel decían: "Es su amante". Pero no era verdad y Lizaveta no supo nunca lo que era tener un amante.

Un día le prohibieron ver a Balsamo. Ella siguió llevándole la comida un mes y otro mes hasta que habiendo pasado cerca de un año desde la última vez que lo vio supo que había muerto y que sus cestitas, con la botella siciliana, las disfrutaba alegremente el comandante de la guardia.

Nadie mató a Cagliostro —físicamente al menos— y en eso monseñor Ricci tenía razón. Por influencia suya, o de quien fuera, la pena de muerte le fue conmutada y el preso se murió, él solo.

Desde el último día que Lizaveta apareció en la portería de Santángelo, con su cestito, nadie ha vuelto a saber nada de ella. Es cierto que nadie ha tenido tampoco interés alguno en indagar.

París, enero de 1965.

IMPRESO EN LOS TALLERES DE ARIEL, S. A., AV. J. ANTONIO, 108,
ESPLUGAS DE LLOBREGAT, BARCELONA, EN MARZO DE 1968